풍산자
반복수학
확률과 통계

쉽고 정확한 문제 학습은 자신감으로

체계적이고 반복적인 훈련은 점수로 보답하는

〈풍산자 반복수학〉입니다.

당신이 할 수 있는 일, 하고 싶은 일, 꿈꾸는 일을 바로 지금 시작해라.

- Johann Wolfgang von Goethe -

정확하고 빠른 풀이를 위한 연산 반복 훈련서

풍산자 반복수학

교재 활용 로드맵

주제별 짧은 흐름으로 바로 적용할 수 있는
간결한 개념 설명과 풀이 팁

빈틈없는 개념과 연산 학습을 위한
체계적 연산 유형 분류

실력 점검, 취약한 개념과 연산을 확인할 수 있는
중단원 점검문제

개념과 연산 학습에 꼭맞는 문제 해결 과정이 보이는
자세하고 쉬운 풀이

한 권으로 기본 개념과 연산 실력 완성	개념과 연산 학습에 적합한 개념 설명과 쉬운 해설
개념과 연산 학습에 최적인 주제별 구성	소단원 흐름에 따라 주제별 개념과 연산 유형을 체계적으로 제시
스스로 학습이 가능한 문제 연결 학습법	개념과 공식을 바로 적용할 수 있어 수학의 기본 실력을 스스로 완성

풍산자
반복 수학
확률과 통계

풍산자 반복수학 이렇게 특별합니다.

1

한 권으로 기본 개념과 연산 실력 완성!

- 개념과 연산을 동시에 학습할 수 있도록 구성하여 기본 실력 완성
- 개념과 연산 유형의 집중학습으로 수학 실력을 쌓고 자신감을 기르며 실전에서는 킬러 문제에 시간을 할애

2

소단원별로 분석하여 체계적이고 최적인 주제별 구성!

- 소단원별로 학습 이해의 흐름에 맞춰 주제별 개념과 연산 유형을 체계적으로 학습
- 주제별 개념과 연산 학습으로 빈틈없는 기본 실력 향상

3

스스로 쉽게 학습할 수 있는 문제 연결 학습법!

- 개념과 공식 등을 이용하여 바로바로 적용하여 풀 수 있도록 구성하여 수학의 기본 개념과 연산을 스스로 완성
- 개념 정리부터 연산 유형까지 풀면서 저절로 원리를 터득

정확하고 빠른 풀이를 위한
반복 훈련서

풍산자 반복수학
이렇게 구성하였습니다.

❶ 주제별 개념 정리와 연산 유형

- 주제별로 중요한 개념 정리와 문제 풀이에 도움이 되는 참고, 보기, 보충 설명 제시
- 빈틈없는 개념과 연산학습이 이루어지도록 체계적으로 연산 유형 분류
- 풍쌤 POINT 에서 연산 학습의 비법, 공식 등을 다시 한번 체크

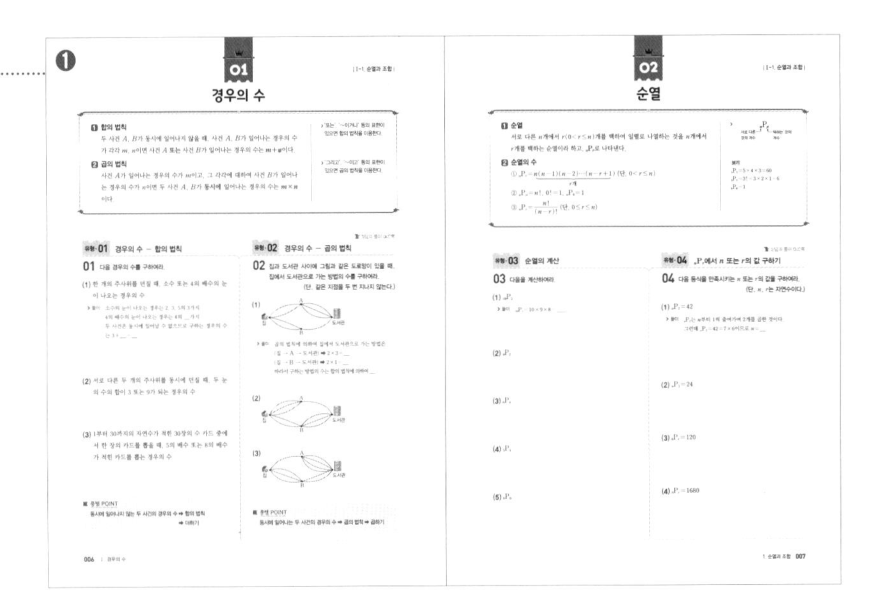

❷ 중단원 점검문제

- 실력을 점검하여 취약한 개념, 연산을 스스로 체크하고 보충 학습이 가능하도록 구성

❸ 정답과 풀이

- 문제 해결 과정이 보이는 자세하고 쉬운 풀이 제공

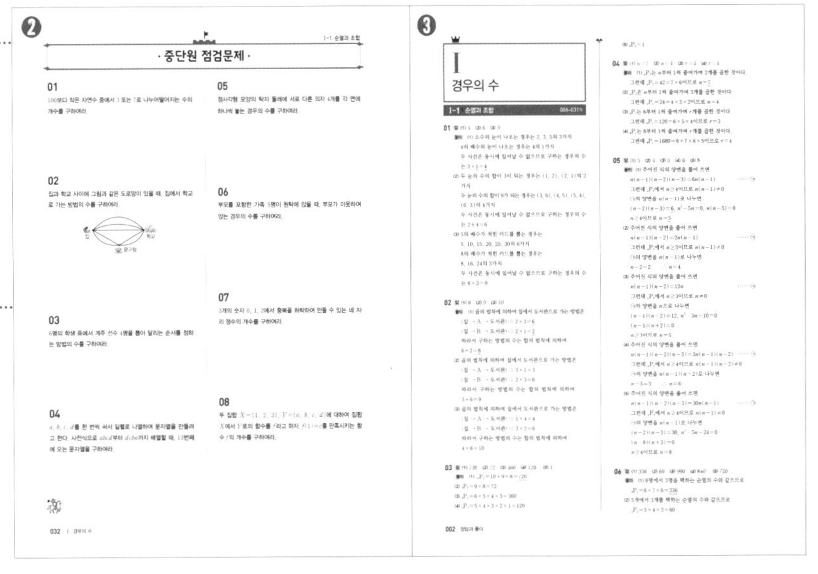

I
경우의 수

II
확률

III
통계

I
경우의 수

◆

경우의 수

1 합의 법칙
두 사건 A, B가 동시에 일어나지 않을 때, 사건 A, B가 일어나는 경우의 수가 각각 m, n이면 사건 A 또는 사건 B가 일어나는 경우의 수는 $m+n$이다.

2 곱의 법칙
사건 A가 일어나는 경우의 수가 m이고, 그 각각에 대하여 사건 B가 일어나는 경우의 수가 n이면 두 사건 A, B가 동시에 일어나는 경우의 수는 $m\times n$이다.

› '또는', '~이거나' 등의 표현이 있으면 합의 법칙을 이용한다.

› '그리고', '~이고' 등의 표현이 있으면 곱의 법칙을 이용한다.

정답과 풀이 002쪽

유형 01 경우의 수 — 합의 법칙

01 다음 경우의 수를 구하여라.

(1) 한 개의 주사위를 던질 때, 소수 또는 4의 배수의 눈이 나오는 경우의 수

› 풀이 소수의 눈이 나오는 경우는 2, 3, 5의 3가지
4의 배수의 눈이 나오는 경우는 4의 __가지
두 사건은 동시에 일어날 수 없으므로 구하는 경우의 수는 3+__=__

(2) 서로 다른 두 개의 주사위를 동시에 던질 때, 두 눈의 수의 합이 3 또는 9가 되는 경우의 수

(3) 1부터 30까지의 자연수가 적힌 30장의 수 카드 중에서 한 장의 카드를 뽑을 때, 5의 배수 또는 8의 배수가 적힌 카드를 뽑는 경우의 수

풍쌤 POINT
동시에 일어나지 않는 두 사건의 경우의 수 ➡ 합의 법칙 ➡ 더하기

유형 02 경우의 수 — 곱의 법칙

02 집과 도서관 사이에 그림과 같은 도로망이 있을 때, 집에서 도서관으로 가는 방법의 수를 구하여라.
(단, 같은 지점을 두 번 지나지 않는다.)

(1)

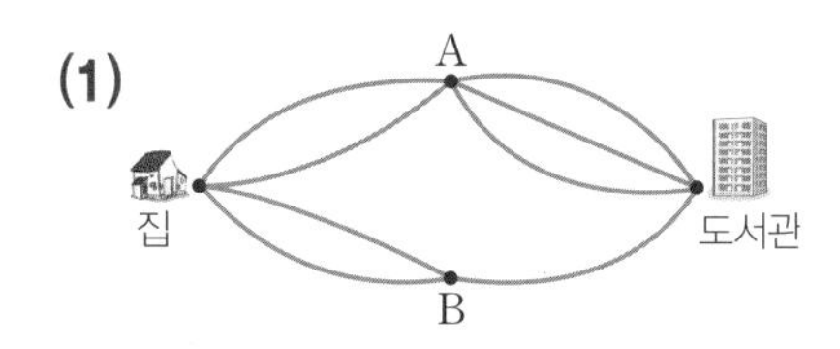

› 풀이 곱의 법칙에 의하여 집에서 도서관으로 가는 방법은
(집 → A → 도서관) ➡ $2\times3=$__
(집 → B → 도서관) ➡ $2\times1=$__
따라서 구하는 방법의 수는 합의 법칙에 의하여 __

(2)

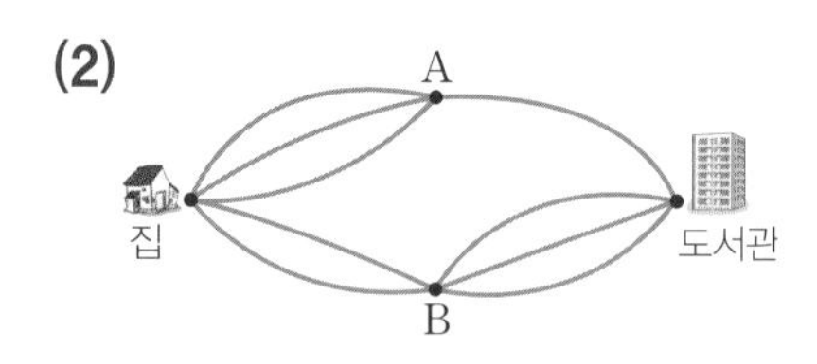

(3)

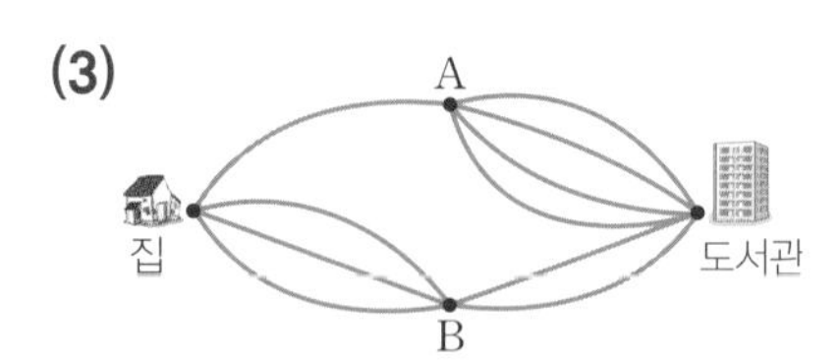

풍쌤 POINT
동시에 일어나는 두 사건의 경우의 수 ➡ 곱의 법칙 ➡ 곱하기

순열

1 순열

서로 다른 n개에서 $r(0<r\le n)$개를 택하여 일렬로 나열하는 것을 n개에서 r개를 택하는 순열이라 하고, ${}_{n}P_{r}$로 나타낸다.

2 순열의 수

① ${}_{n}P_{r}=\underbrace{n(n-1)(n-2)\cdots(n-r+1)}_{r\text{개}}$ (단, $0<r\le n$)

② ${}_{n}P_{n}=n!$, $0!=1$, ${}_{n}P_{0}=1$

③ ${}_{n}P_{r}=\dfrac{n!}{(n-r)!}$ (단, $0\le r\le n$)

› ${}_{n}P_{r}$: 서로 다른 것의 개수(n), 택하는 것의 개수(r)

보기

${}_{5}P_{3}=5\times4\times3=60$

${}_{3}P_{3}=3!=3\times2\times1=6$

${}_{6}P_{0}=1$

정답과 풀이 002쪽

유형·03 순열의 계산

03 다음을 계산하여라.

(1) ${}_{10}P_{3}$

› 풀이 ${}_{10}P_{3}=10\times9\times8=$____

(2) ${}_{9}P_{2}$

(3) ${}_{6}P_{4}$

(4) ${}_{5}P_{5}$

(5) ${}_{8}P_{0}$

유형·04 ${}_{n}P_{r}$에서 n 또는 r의 값 구하기

04 다음 등식을 만족시키는 n 또는 r의 값을 구하여라. (단, n, r는 자연수이다.)

(1) ${}_{n}P_{2}=42$

› 풀이 ${}_{n}P_{2}$는 n부터 1씩 줄여가며 2개를 곱한 것이다.
그런데 ${}_{n}P_{2}=42=7\times6$이므로 $n=$____

(2) ${}_{n}P_{3}=24$

(3) ${}_{6}P_{r}=120$

(4) ${}_{8}P_{r}=1680$

유형·05 순열의 식에서 n의 값 구하기

05 다음 등식을 만족시키는 n의 값을 구하여라.
(단, n은 자연수이다.)

(1) ${}_{n}\mathrm{P}_{4}=6{}_{n}\mathrm{P}_{2}$

> 풀이 주어진 식의 양변을 풀어 쓰면
> $n(n-1)(n-2)(n-3)=6n(n-1)$ ······ ㉠
> 그런데 ${}_{n}\mathrm{P}_{4}$에서 $n\ge4$이므로 $n(n-1)\ne0$
> ㉠의 양변을 $n(n-1)$로 나누면
> $(n-2)(n-3)=6$, $n^2-5n=0$
> $n(n-5)=0$
> $n\ge4$이므로 $n=$___

(2) ${}_{n}\mathrm{P}_{3}=2{}_{n}\mathrm{P}_{2}$

(3) ${}_{n}\mathrm{P}_{3}=12{}_{n}\mathrm{P}_{1}$

(4) ${}_{n}\mathrm{P}_{4}=3{}_{n}\mathrm{P}_{3}$

(5) ${}_{n}\mathrm{P}_{4}=30{}_{n}\mathrm{P}_{2}$

풍쌤 POINT

${}_{n}\mathrm{P}_{r}=\underbrace{n(n-1)(n-2)\cdots(n-r+1)}$

n부터 1씩 줄여가며 r개를 곱한 것

유형·06 순열을 이용한 경우의 수 (1)

06 다음 경우의 수를 구하여라.

(1) 8명의 학생 중에서 반장, 부반장, 총무를 1명씩 뽑는 경우의 수

> 풀이 8명에서 3명을 택하는 순열의 수와 같으므로
> ${}_{8}\mathrm{P}_{3}=8\times7\times6=$____

(2) 5개의 숫자 1, 2, 3, 4, 5를 한 번씩만 사용하여 만들 수 있는 세 자리 수의 개수

(3) 11명의 학생 중에서 3명을 뽑아 서로 다른 의자에 앉히는 경우의 수

(4) 서로 다른 7개의 깃발 중에서 4개를 골라 일렬로 꽂는 경우의 수

(5) 서로 다른 아파트에 사는 6명의 친구네 집을 한 번씩 모두 방문하는 방법의 수

풍쌤 POINT

서로 다른 n개에서 r개를 택하여 일렬로 나열 ➡ ${}_{n}\mathrm{P}_{r}$

유형 07 순열을 이용한 경우의 수 (2)

07 다음에서 n 또는 r의 값을 구하여라.

(1) n명의 학생 중에서 수학 부장, 영어 부장을 1명씩 뽑는 경우의 수가 90일 때, n의 값

> 풀이 서로 다른 n명에서 2명을 택하는 순열의 수가 90이므로
> ${}_{n}P_{2}=90=10\times9$ $\quad\therefore n=$___

(2) 서로 다른 8개의 화분 중에서 r개를 골라 일렬로 나열하는 방법의 수가 56일 때, r의 값

(3) 서로 다른 n권의 문학책 중에서 3권을 뽑아 책꽂이에 일렬로 꽂는 방법의 수가 210일 때, n의 값

(4) n명의 동호회 회원 중에서 회장, 부회장, 총무를 각각 1명씩 뽑는 경우의 수가 720일 때, n의 값

(5) 11명의 학생 중에서 r명을 뽑아 의자에 앉히는 방법의 수가 990일 때, r의 값

유형 08 이웃하는 경우의 순열

08 다음 경우의 수를 구하여라.

(1) 여자 2명, 남자 4명을 일렬로 세울 때, 남자 4명이 이웃하여 서는 경우의 수

> 풀이 남자 4명을 한 묶음으로 보면 총 3묶음이고, 3묶음을 일렬로 세우는 경우는 수는 3!
> 묶음 안의 남자 4명을 일렬로 세우는 경우는 수는 4!
> 따라서 곱의 법칙에 의하여 구하는 경우의 수는
> $3!\times4!=6\times24=$___

(2) 부모 2명, 자녀 3명이 일렬로 서서 사진을 찍을 때, 부모끼리 이웃하여 서는 경우의 수

(3) f, r, i, e, n, d를 일렬로 배열할 때, 자음끼리 이웃하는 경우의 수

(4) 축구 선수 3명, 농구 선수 3명이 일렬로 설 때, 축구 선수는 축구 선수끼리, 농구 선수는 농구 선수끼리 이웃하여 서는 경우의 수

풍쌤 POINT

'이웃한다' ➡ 한 묶음으로 생각하여 나열한다.
➡ 묶음 안에서 나열하는 경우를 생각한다.

유형 09 이웃하지 않는 경우의 순열

09 다음 경우의 수를 구하여라.

(1) 여자 2명, 남자 4명을 일렬로 세울 때, 여자끼리 이웃하지 않게 서는 경우의 수

> 풀이 남자 4명을 일렬로 세우는 방법의 수는 $4!$

∨ 남 ∨ 남 ∨ 남 ∨ 남 ∨

남자들 사이사이 및 양 끝의 5곳에 여자 2명을 세우는 방법의 수는 ${}_5P_2$
따라서 구하는 경우의 수는
$4! \times {}_5P_2 =$ ___ $\times$ ___ $=$ ___

(2) 부모 2명, 자녀 3명이 일렬로 서서 사진을 찍을 때, 부모끼리 이웃하지 않게 서는 경우의 수

(3) 서로 다른 노란색 깃발 3개와 파란색 깃발 3개를 일렬로 꽂을 때, 노란색 깃발끼리 이웃하지 않게 꽂는 방법의 수

(4) k, o, r, e, a, n, s를 일렬로 배열할 때, 모음끼리 이웃하지 않는 경우의 수

풍쌤 POINT
'이웃하지 않는다' ➡ 다른 것들을 나열한다.
➡ 사이사이 및 양 끝에 이웃하지 않는 것들을 놓는다.

유형 10 사전식 배열의 순열

10 다음을 구하여라.

(1) 4개의 문자 a, c, e, f를 사전식으로 acef부터 feca까지 배열할 때, face가 놓이는 순서

> 풀이 a□□□꼴인 단어의 개수는 $3!=6$
c□□□꼴인 단어의 개수는 $3!=6$
e□□□꼴인 단어의 개수는 $3!=6$
f□□□꼴인 단어에서 face의 순서는 첫 번째
따라서 face가 놓이는 순서는
$6+6+6+$ ___ $=$ ___(번째)

(2) 4개의 문자 e, n, o, s를 사전식으로 enos부터 sone까지 배열할 때, nose가 놓이는 순서

(3) 4개의 문자 a, i, t, x를 사전식으로 aitx부터 xtia까지 배열할 때, taxi가 놓이는 순서

(4) 4개의 문자 e, h, m, o를 사전식으로 ehmo부터 omhe까지 배열할 때, home이 놓이는 순서

원순열

1 원순열

서로 다른 n개를 원형으로 나열하는 순열

2 원순열의 수

서로 다른 n개를 원형으로 나열하는 경우의 수는 $(n-1)!$

3 다각형 순열

다각형의 둘레에 나열하는 순열의 수는

(원순열의 수)×(서로 다른 기준 위치의 수)

› 원형으로 나열할 때 회전 방향이 같은 순서의 나열은 모두 같은 것으로 본다.

› 서로 다른 n개에서 r개를 뽑아 원형으로 나열하는 방법의 수는 $\frac{{}_n\mathrm{P}_r}{r}$

› 다각형 순열에서는 다각형의 모양에 따라 기준 위치가 하나가 아니다.

정답과 풀이 004쪽

유형·11 원탁에 둘러앉는 경우의 수(1)

11 다음 경우의 수를 구하여라.

(1) 여학생 2명과 남학생 2명이 원탁에 둘러앉는 방법의 수

› 풀이 4명이 원탁에 둘러앉는 방법의 수이므로
$(4-1)!=3!=$__

(2) 어린이 5명이 원탁에 둘러앉는 방법의 수

(3) 선생님 2명과 학생 4명이 원탁에 둘러앉는 방법의 수

(4) 3쌍의 부부가 원탁에 둘러앉는 방법의 수

풍쌤 POINT

n명이 원탁에 둘러앉는 방법의 수는 $(n-1)!$

유형·12 원탁에 둘러앉는 경우의 수(2)

12 다음 경우의 수를 구하여라.

(1) 여학생 2명과 남학생 2명이 원탁에 둘러앉을 때, 여학생끼리 이웃하여 앉는 방법의 수

› 풀이 여학생 2명을 1명으로 생각하면 3명이 원탁에 둘러앉는 방법의 수는 $(3-1)!=2!$
여학생끼리 자리를 바꿔 앉는 경우의 수는 $2!$
따라서 구하는 방법의 수는 $2!\times2!=$__

(2) 선생님 2명과 학생 4명이 원탁에 둘러앉을 때, 선생님끼리 이웃하여 앉는 방법의 수

(3) 3쌍의 부부가 원탁에 둘러앉을 때, 부부끼리 이웃하여 앉는 방법의 수

풍쌤 POINT

n명이 원탁에 둘러앉을 때 $r(r<n)$명이 이웃하여 앉는 방법의 수는 $(n-r)!\times r!$

유형 13 원탁에 둘러앉는 경우의 수(3)

13 다음 경우의 수를 구하여라.

(1) 여학생 3명과 남학생 3명이 원탁에 둘러앉을 때, 여학생과 남학생이 교대로 앉는 방법의 수

> 풀이 여학생 3명이 원탁에 둘러앉는 방법의 수는 $(3-1)!=2!$
> 여학생과 여학생 사이의 3곳에 남학생이 앉는 방법의 수는 ${}_3P_3$
> 따라서 구하는 방법의 수는
> $2!\times{}_3P_3=$___

여 여 여

(2) 여학생 4명과 남학생 4명이 원 모양으로 설 때, 여학생과 남학생이 번갈아가며 서는 방법의 수

(3) 여학생 2명과 남학생 3명이 원탁에 둘러앉을 때, 여학생끼리 이웃하지 않게 앉는 방법의 수

(4) 어른 3명과 어린이 3명이 원탁에 둘러앉을 때, 어른끼리 이웃하지 않게 앉는 방법의 수

(5) 서로 다른 잡지 4권과 시집 3권을 원 모양으로 1권씩 놓을 때, 시집 3권을 이웃하지 않게 놓는 방법의 수

(6) 부모와 자녀 2명이 원탁에 둘러앉을 때, 부모가 서로 마주 보고 앉는 방법의 수

(7) 선생님 2명과 학생 4명이 원탁에 둘러앉을 때, 선생님이 서로 마주 보고 앉는 방법의 수

풍쌤 POINT

원형으로 배열할 때 이웃하지 않는 것이 있을 경우
① 이웃해도 상관없는 것을 원형으로 배열하기
② ①에서 배열한 것 사이에 이웃하지 않는 것을 나열하기
③ (①의 경우의 수)×(②의 경우의 수)

정답과 풀이 004쪽

14 다음 경우의 수를 $n!$을 이용하여 나타내어라.

(1) 오른쪽 그림과 같은 모양의 탁자에 6명이 둘러앉는 방법의 수

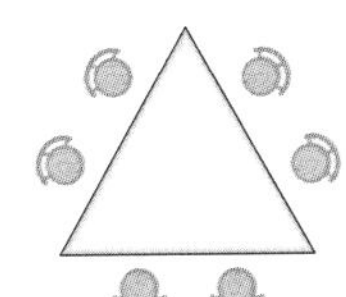

> 풀이 6명이 원형으로 둘러앉는 방법의 수는 $(6-1)!=5!$
> 그런데 주어진 모양의 탁자에서는 원형으로 둘러앉는 한 가지 방법에 대하여 2가지의 서로 다른 경우가 존재하므로 구하는 방법의 수는 ______

(2) 오른쪽 그림과 같은 모양의 탁자에 8명이 둘러앉는 방법의 수

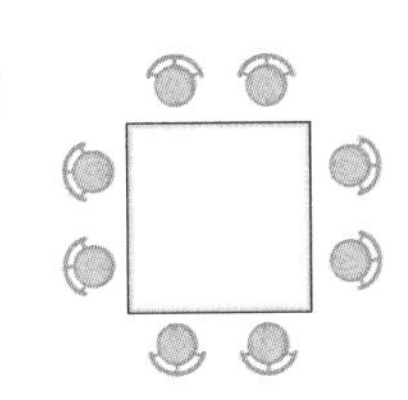

(3) 오른쪽 그림과 같은 모양의 탁자에 9명이 둘러앉는 방법의 수

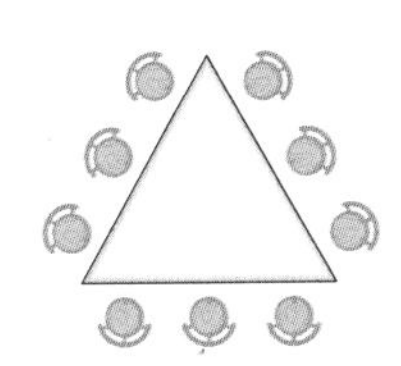

(4) 오른쪽 그림과 같은 모양의 탁자에 12명이 둘러앉는 방법의 수

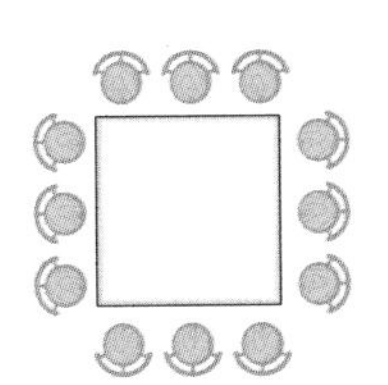

15 다음 경우의 수를 $n!$을 이용하여 나타내어라.

(1) 오른쪽 그림과 같은 모양의 탁자에 6명이 둘러앉는 방법의 수

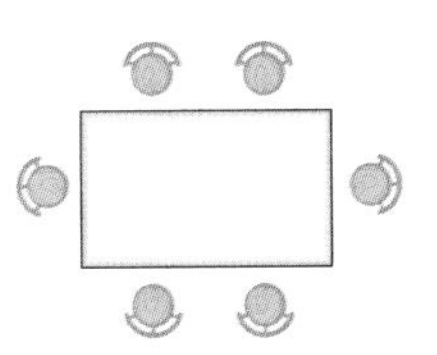

> 풀이 6명이 원형으로 둘러앉는 방법의 수는 $(6-1)!=5!$
> 그런데 주어진 모양의 탁자에서는 원형으로 둘러앉는 한 가지 방법에 대하여 3가지의 서로 다른 경우가 존재하므로 구하는 방법의 수는 ______

(2) 오른쪽 그림과 같은 모양의 탁자에 8명이 둘러앉는 방법의 수

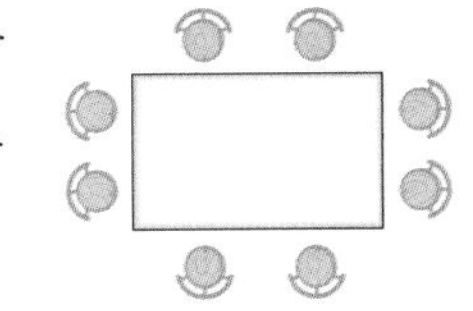

(3) 오른쪽 그림과 같은 모양의 탁자에 8명이 둘러앉는 방법의 수

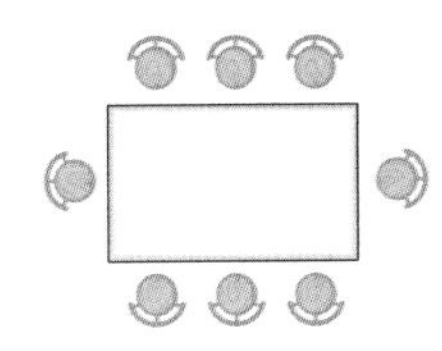

(4) 오른쪽 그림과 같은 모양의 탁자에 10명이 둘러앉는 방법의 수

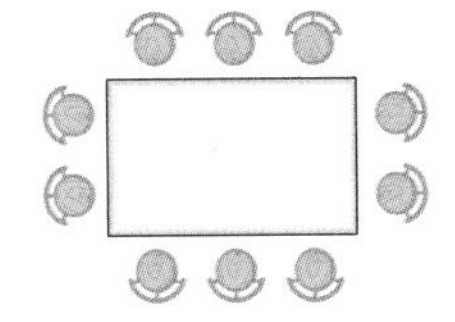

풍쌤 POINT

다각형 순열에서 ➡ (원순열의 수)×(서로 다른 기준 위치의 수)

정답과 풀이 005쪽

16 다음 경우의 수를 구하여라.

(1) 오른쪽 그림과 같이 정삼각형과 3개의 반원으로 이루어진 영역을 서로 다른 4가지 색을 모두 사용하여 색칠하는 방법의 수

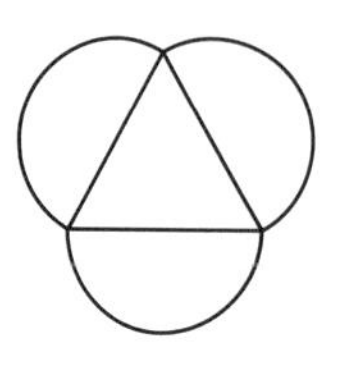

> 풀이 중앙의 삼각형을 칠하는 방법은 4가지이고, 나머지 3개의 반원을 칠하는 방법의 수는 중앙에 칠한 색을 제외한 나머지 3가지 색을 원형으로 나열하는 원순열의 수와 같으므로 $(3-1)!=2!$
> 따라서 구하는 방법의 수는 $4\times2!=$__

(2) 오른쪽 그림과 같이 5개의 영역으로 나누어진 정사각형을 서로 다른 5가지 색을 모두 사용하여 색칠하는 방법의 수 (단, 가운데 원을 제외한 4개의 도형은 모두 합동이다.)

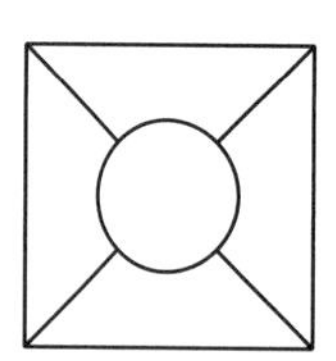

(3) 오른쪽 그림과 같이 정사각형과 4개의 정삼각형으로 이루어진 영역을 서로 다른 5가지 색을 모두 사용하여 색칠하는 방법의 수

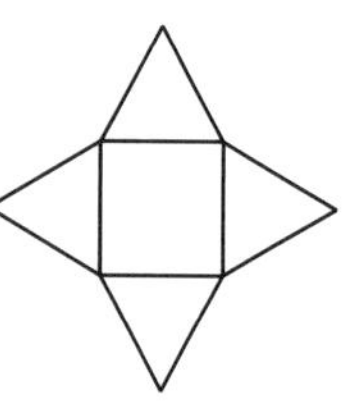

(4) 오른쪽 그림과 같이 6개의 영역으로 나누어진 원을 서로 다른 6가지 색을 모두 사용하여 색칠하는 방법의 수 (단, 가운데 원을 제외한 5개의 도형은 모두 합동이다.)

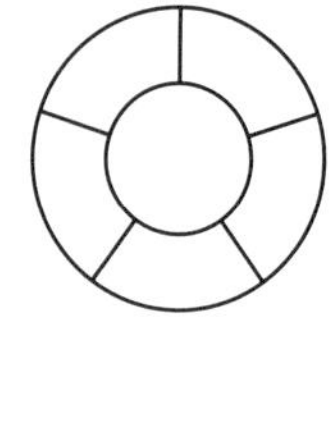

(5) 오른쪽 그림과 같은 정사각뿔의 각 면을 서로 다른 5가지 색을 모두 사용하여 색칠하는 방법의 수

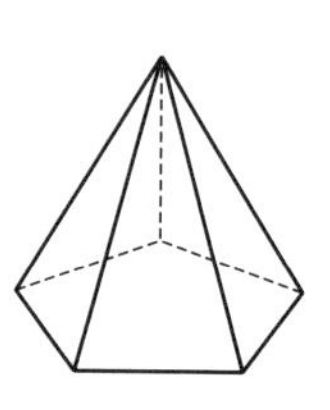

(6) 오른쪽 그림과 같은 정오각뿔의 각 면을 서로 다른 6가지 색을 모두 사용하여 색칠하는 방법의 수

풍쌤 POINT

도형을 색칠하는 방법의 수는
(중앙 부분을 색칠하는 방법의 수)
×(원순열을 이용하여 나머지 부분을 색칠하는 방법의 수)

중복순열

1 중복순열

서로 다른 n개에서 중복을 허락하여 r개를 택하는 순열을 중복순열이라 하고 ${}_n\Pi_r$로 나타낸다.

2 중복순열의 수

서로 다른 n개에서 r개를 택하는 중복순열의 수는

$${}_n\Pi_r=\underbrace{n\times n\times\cdots\times n}_{r\text{개}}=n^r$$

› ${}_n\Pi_r$: 중복 가능한 것의 개수 n, 택하는 것의 개수 r

› ${}_n\mathrm{P}_r$에서는 $0\le r\le n$이어야 하지만 ${}_n\Pi_r$에서는 $r>n$인 경우도 있다.

정답과 풀이 005쪽

유형 16 중복순열의 계산

17 다음을 계산하여라.

(1) ${}_4\Pi_2$

› 풀이 ${}_4\Pi_2=4^2=$___

(2) ${}_2\Pi_3$

(3) ${}_3\Pi_0$

(4) ${}_5\Pi_3$

(5) ${}_2\Pi_7$

유형 17 ${}_n\Pi_r$에서 n 또는 r의 값 구하기

18 다음 등식을 만족시키는 n 또는 r의 값을 구하여라. (단, n, r는 자연수이다.)

(1) ${}_3\Pi_r=81$

› 풀이 ${}_3\Pi_r=3^r=81=3^4$에서 $r=$___

(2) ${}_n\Pi_5=32$

(3) ${}_7\Pi_r=1$

(4) ${}_4\Pi_r=64$

(5) ${}_n\Pi_3=216$

유형 18 정수의 개수(1)

19 다음 정수의 개수를 구하여라.

(1) 4개의 숫자 1, 2, 3, 4에서 중복을 허락하여 만들 수 있는 세 자리 정수

> 풀이 서로 다른 4개에서 3개를 택하는 중복순열의 수와 같으므로 ${}_{4}\Pi_{3}=$___

(2) 2개의 숫자 1, 2에서 중복을 허락하여 만들 수 있는 세 자리 정수

(3) 2개의 숫자 1, 2에서 중복을 허락하여 만들 수 있는 다섯 자리 정수

(4) 3개의 숫자 1, 2, 3에서 중복을 허락하여 만들 수 있는 네 자리 정수

(5) 5개의 숫자 1, 2, 3, 4, 5에서 중복을 허락하여 만들 수 있는 세 자리 정수

풍쌤 POINT

n개의 숫자에서 중복을 허용하여 만들 수 있는 m자리 정수의 개수는 ${}_{n}\Pi_{m}=n^{m}$

유형 19 정수의 개수(2)

20 다음 정수의 개수를 구하여라.

(1) 4개의 숫자 0, 1, 2, 3에서 중복을 허락하여 만들 수 있는 세 자리 정수

> 풀이 백의 자리: 0이 올 수 없으므로 1, 2, 3의 3가지가 올 수 있다.
> 십의 자리: 중복을 허락하므로 4가지 모두 올 수 있다.
> 일의 자리: 중복을 허락하므로 4가지 모두 올 수 있다.
> 따라서 만들 수 있는 세 자리 정수의 개수는
> $3\times4\times4=$___

(2) 3개의 숫자 0, 1, 2에서 중복을 허락하여 만들 수 있는 세 자리 정수

(3) 3개의 숫자 0, 1, 2에서 중복을 허락하여 만들 수 있는 다섯 자리 정수

(4) 4개의 숫자 0, 1, 2, 3에서 중복을 허락하여 만들 수 있는 네 자리 정수

(5) 5개의 숫자 0, 1, 2, 3, 4에서 중복을 허락하여 만들 수 있는 세 자리 정수

풍쌤 POINT

맨 앞자리에는 0이 올 수 없음에 주의한다.

유형 20 신호의 개수

21 다음을 구하여라.

(1) 네 명의 학생이 ○, × 문제에 답할 때 나올 수 있는 경우의 수

> 풀이 서로 다른 2개에서 중복을 허락하여 4개를 택하는 중복순열의 수와 같으므로 ${}_{2}\Pi_{4}=$___

(2) 모스 부호 ·과 −를 사용하여 신호를 만들 때, ·과 −에서 6개를 뽑아 만들 수 있는 신호의 수

(3) 기호 ＊, ○, △를 사용하여 신호를 만들 때, ＊, ○, △에서 4개를 뽑아 만들 수 있는 신호의 수

(4) 한 줄로 늘어놓은 5개의 전구를 동시에 켜거나 꺼서 만들 수 있는 신호의 수 (단, 전구가 모두 꺼진 경우는 제외한다.)

유형 21 함수의 개수

22 다음을 구하여라.

(1) 두 집합 $X=\{a, b\}$, $Y=\{1, 2, 3\}$에 대하여
① X에서 Y로의 일대일함수의 개수
② X에서 Y로의 함수의 개수

> 풀이 ① 일대일함수의 개수는 서로 다른 3개에서 2개를 택하는 순열의 수와 같으므로 ${}_{3}P_{2}=3\times2=$___
> ② 함수의 개수는 서로 다른 3개에서 2개를 택하는 중복순열의 수와 같으므로 ${}_{3}\Pi_{2}=3^2=$___

(2) 두 집합 $X=\{a, b, c\}$, $Y=\{x, y, z\}$에 대하여
① X에서 Y로의 일대일함수의 개수
② X에서 Y로의 함수의 개수

(3) 두 집합 $X=\{1, 2, 3\}$, $Y=\{x, y, z, w\}$에 대하여
① X에서 Y로의 일대일함수의 개수
② X에서 Y로의 함수의 개수

(4) 두 집합 $X=\{1, 2\}$, $Y=\{a, b, c, d, e\}$에 대하여
① X에서 Y로의 일대일함수의 개수
② X에서 Y로의 함수의 개수

풍쌤 POINT
두 집합 X, Y에 대하여 $n(X)=r$, $n(Y)=m$일 때
① X에서 Y로의 일대일함수의 개수 ➡ ${}_{m}P_{r}$
② X에서 Y로의 함수의 개수 ➡ ${}_{m}\Pi_{r}$

유형 22 배정하는 경우의 수

정답과 풀이 006쪽

23 다음 경우의 수를 구하여라.

(1) 4명의 학생을 봉사 동아리와 댄스 동아리에 배정하는 방법의 수
(단, 한 명도 배정되지 않은 동아리가 있을 수도 있다.)

> 풀이 서로 다른 2개의 동아리에서 중복을 허락하며 4개를 택하는 중복순열의 수와 같으므로
> $_2\Pi_4=2^4=$___

(2) 서로 다른 학생 3명을 1반과 2반에 배정하는 방법의 수 (단, 한 명도 배정되지 않은 반이 있을 수도 있다.)

(3) 서로 다른 과일 3개를 파란 봉지, 노란 봉지, 검은 봉지에 담는 방법의 수
(단, 한 개도 담지 않은 봉지가 있을 수도 있다.)

(4) 서로 다른 휴대폰 4개를 서로 다른 3개의 서랍에 넣는 방법의 수
(단, 한 개도 넣지 않은 서랍이 있을 수도 있다.)

(5) 서로 다른 볼펜 5자루를 학생 3명에게 나누어 주는 방법의 수
(단, 볼펜을 받지 못하는 학생이 있을 수도 있다.)

(6) 서로 다른 편지 6통을 서로 다른 2개의 우체통에 넣는 방법의 수
(단, 한 통도 넣지 않은 우체통이 있을 수도 있다.)

(7) 5명의 사람이 2명의 후보에게 기명 투표하는 방법의 수 (단, 기권이나 무효는 없는 것으로 한다.)

(8) A, B, C, D, E, F, G 학생이 서로 다른 2종류의 버스에 타는 방법의 수
(단, 한 명도 타지 않은 버스가 있을 수도 있다.)

풍쌤 POINT

몇 명을 몇 군데에 배정하는 문제는 함수의 개수 문제의 변형 문제로 중복순열을 이용한다.

같은 것이 있는 순열

1 같은 것이 있는 순열

n개 중에서 같은 것이 각각 p개, q개, …, r개씩 있을 때, n개를 모두 일렬로 나열하는 방법의 수는

$$\frac{n!}{p!q!\cdots r!} \text{ (단, } p+q+\cdots+r=n\text{)}$$

보기

a, a, b를 일렬로 나열하는 방법의 수는 $\frac{3!}{2!}=3$

정답과 풀이 007쪽

유형 23 문자 또는 숫자 나열하기

24 다음 경우의 수를 구하여라.

(1) a, a, b, b를 일렬로 나열하는 방법의 수

> 풀이 a가 2개, b가 2개이므로 구하는 방법의 수는
> $\frac{4!}{2!2!}=$ ___

(2) 1, 2, 3, 3을 일렬로 나열하는 방법의 수

(3) a, a, a, a, c를 일렬로 나열하는 방법의 수

(4) 1, 1, 2, 2, 3을 일렬로 나열하는 방법의 수

풍쌤 POINT

같은 것이 있는 순열 ➡ $\frac{(\text{전체 개수})!}{(\text{같은 것의 개수})!}$

유형 24 정수의 개수(1)

25 다음 정수의 개수를 구하여라.

(1) 4개의 숫자 1, 1, 2, 2에서 3개의 숫자를 골라 만들 수 있는 세 자리 정수

> 풀이 (i) 1, 1, 2를 고르는 경우 만들 수 있는 세 자리 정수의 개수는 $\frac{3!}{2!}=3$
> (ii) 1, 2, 2를 고르는 경우 만들 수 있는 세 자리 정수의 개수는 $\frac{3!}{2!}=3$
> (i), (ii)에서 구하는 세 자리 정수의 개수는
> $3+$ ___ $=$ ___

(2) 5개의 숫자 1, 1, 1, 2, 2에서 3개의 숫자를 골라 만들 수 있는 세 자리 정수

(3) 5개의 숫자 1, 1, 2, 2, 2에서 4개의 숫자를 골라 만들 수 있는 네 자리 정수

(4) 6개의 숫자 1, 1, 1, 2, 2, 2에서 4개의 숫자를 골라 만들 수 있는 네 자리 정수

유형 25 정수의 개수(2)

26 다음 정수의 개수를 구하여라.

(1) 4개의 숫자 0, 1, 1, 2를 모두 써서 만들 수 있는 네 자리 정수

> 풀이 (i) 0, 1, 1, 2를 일렬로 나열하는 경우의 수는 $\frac{4!}{2!}=12$
>
> (ii) 0으로 시작하는 경우의 수는 1, 1, 2를 일렬로 나열하는 경우의 수와 같으므로 $\frac{3!}{2!}=3$
>
> (i), (ii)에서 구하는 네 자리 정수의 개수는
>
> 12－__＝__

(2) 5개의 숫자 0, 1, 2, 2, 2를 모두 써서 만들 수 있는 다섯 자리 정수

(3) 5개의 숫자 0, 1, 1, 2, 2를 모두 써서 만들 수 있는 다섯 자리 정수

(4) 5개의 숫자 0, 2, 2, 2, 4를 모두 써서 만들 수 있는 다섯 자리 정수

풍쌤 POINT

맨 앞 자리에는 0이 올 수 없다.

➡ 전체 경우의 수에서 0으로 시작하는 경우의 수를 뺀다.

유형 26 같은 것이 있는 문자의 나열

27 다음을 구하여라.

(1) a, a, b, c, c, c의 6개의 문자를 모두 써서 일렬로 나열할 때

① 모든 경우의 수

② 양 끝에 c가 오는 경우의 수

③ c가 모두 이웃하는 경우의 수

> 풀이 ① a가 2개, b가 1개, c가 3개이므로 구하는 경우의 수는 $\frac{6!}{2!3!}=$___
>
> ② c□□□□c와 같이 양 끝에 c를 놓은 후 중간에 a, a, b, c를 일렬로 나열하면 되므로 구하는 경우의 수는 $\frac{4!}{2!}=$___
>
> ③ c, c, c가 모두 이웃하므로 한 문자 C로 바꾸어 생각하면 a, a, b, C를 일렬로 나열하면 된다.
>
> 따라서 구하는 경우의 수는 $\frac{4!}{2!}=$___

(2) a, b, b, c, c의 5개의 문자를 모두 써서 일렬로 나열할 때

① 모든 경우의 수

② 양 끝에 b가 오는 경우의 수

③ b가 이웃하는 경우의 수

(3) a, a, a, b, b, b의 6개의 문자를 모두 써서 일렬로 나열할 때

① 모든 경우의 수

② 양 끝에 a가 오는 경우의 수

③ a가 모두 이웃하는 경우의 수

(4) sunny의 5개의 문자를 모두 써서 일렬로 나열할 때
① 모든 경우의 수
② 양 끝에 n이 오는 경우의 수
③ n이 이웃하는 경우의 수

(5) member의 6개의 문자를 모두 써서 일렬로 나열할 때
① 모든 경우의 수
② 양 끝에 e가 오는 경우의 수
③ e가 이웃하는 경우의 수

(6) good mom의 7개의 문자를 모두 써서 일렬로 나열할 때
① 모든 경우의 수
② 양 끝에 o가 오는 경우의 수
③ o가 모두 이웃하는 경우의 수

풍쌤 POINT
n개 중에 같은 것이 p개, q개, $\cdots$, r개 있을 때, n개를 일렬로 나열하는 방법의 수는 $\frac{n!}{p!q!\cdots r!}$ (단, $p+q+\cdots+r=n$)

유형 27 특정한 문자의 순서가 정해진 경우

28 다음을 구하여라.

(1) a, b, c, d, e의 5개의 문자를 일렬로 나열할 때, a가 b보다 앞에 오는 경우의 수

> 풀이 a, b의 순서가 정해져 있으므로 a, b를 모두 x로 생각하여 5개의 문자 x, x, c, d, e를 일렬로 나열한 후 2개의 x를 순서대로 a, b로 바꾸면 되므로 구하는 경우의 수는 $\frac{5!}{2!}=$___

(2) a, b, c, d, e의 5개의 문자를 일렬로 나열할 때, a, c, e는 이 순서로 나열하는 경우의 수

(3) a, a, b, c, d의 5개의 문자를 일렬로 나열할 때, b가 d보다 앞에 오는 경우의 수

(4) a, a, b, b, c, d의 6개의 문자를 일렬로 나열할 때, c가 d보다 앞에 오는 경우의 수

풍쌤 POINT
서로 다른 n개의 문자를 일렬로 나열할 때 $r(0<r\leq n)$개의 순서가 정해진 경우는 순서가 정해진 r개를 같은 것으로 생각하여 n개를 일렬로 나열한다. ➡ $\frac{n!}{r!}$

유형 · 28 최단 경로

29 그림과 같은 도로망이 있다. 다음을 구하여라.

(1)

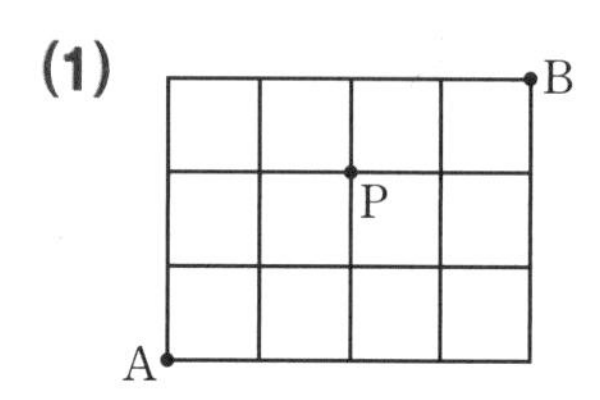

① A에서 B로 가는 최단 경로의 수

② A에서 P를 거쳐 B로 가는 최단 경로의 수

③ A에서 P를 거치지 않고 B로 가는 최단 경로의 수

> 풀이 오른쪽으로 한 칸 가는 것을 a, 위쪽으로 한 칸 가는 것을 b라 하자.
>
> ① A에서 B로 가는 최단 경로의 수는 a, a, a, a, b, b, b를 일렬로 나열하는 경우의 수와 같으므로
> $\frac{7!}{4!3!}=$___
>
> ② A → P의 최단 경로의 수: $\frac{4!}{2!2!}=6$
>
> P → B의 최단 경로의 수: $\frac{3!}{2!}=3$
>
> 따라서 A에서 P를 거쳐 B로 가는 최단 경로의 수는
> $6\times3=$___
>
> ③ A에서 B로 가는 최단 경로의 수에서 A에서 P를 거쳐 B로 가는 최단 경로의 수를 빼면 되므로 구하는 최단 경로의 수는 $35-18=$___

(2)

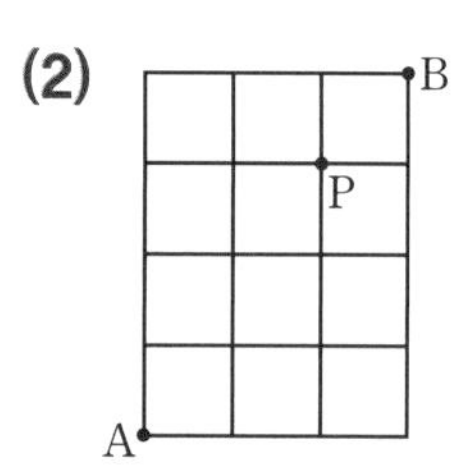

① A에서 B로 가는 최단 경로의 수

② A에서 P를 거쳐 B로 가는 최단 경로의 수

③ A에서 P를 거치지 않고 B로 가는 최단 경로의 수

(3)

B

P

A

① A에서 B로 가는 최단 경로의 수

② A에서 P를 거쳐 B로 가는 최단 경로의 수

③ A에서 P를 거치지 않고 B로 가는 최단 경로의 수

(4)

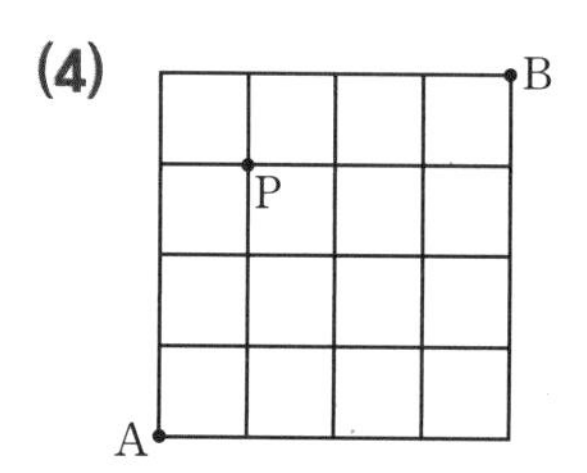

① A에서 B로 가는 최단 경로의 수

② A에서 P를 거쳐 B로 가는 최단 경로의 수

③ A에서 P를 거치지 않고 B로 가는 최단 경로의 수

(5)

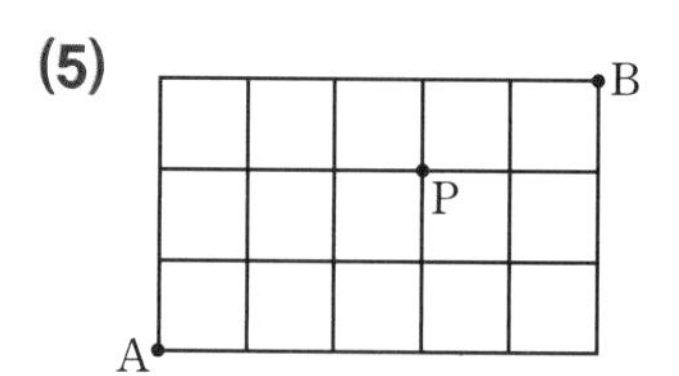

① A에서 B로 가는 최단 경로의 수

② A에서 P를 거쳐 B로 가는 최단 경로의 수

③ A에서 P를 거치지 않고 B로 가는 최단 경로의 수

30 그림과 같은 도로망이 있다. A에서 B까지 가는 최단 경로의 수를 구하여라.

(1)

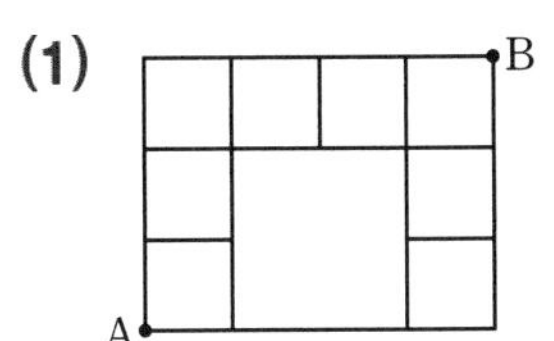

> 풀이 [방법 1] P B Q A R

(P를 지나는 경우)+(Q를 지나는 경우)
+(R를 지나는 경우)

$=(1\times1)+\left(\frac{3!}{2!}\times\frac{4!}{3!}\right)+\left(1\times\frac{4!}{3!}\right)$

$=1+$___$+4=$___

[방법 2]

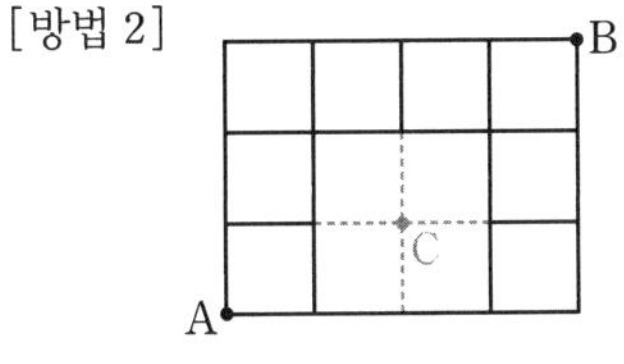

(전체 경우)−(C를 지나는 경우)

$=\frac{7!}{4!3!}-\frac{3!}{2!}\times\frac{4!}{2!2!}$

$=35-$___$=$___

(2) B A

(3)

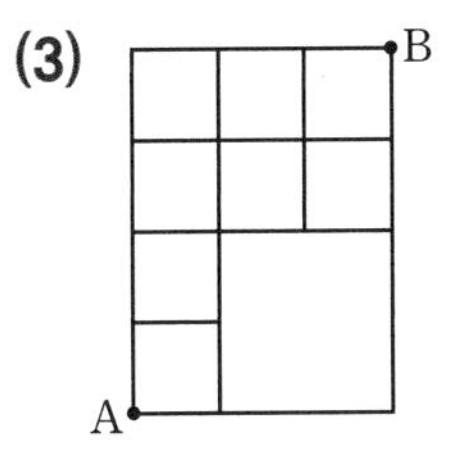

(4)

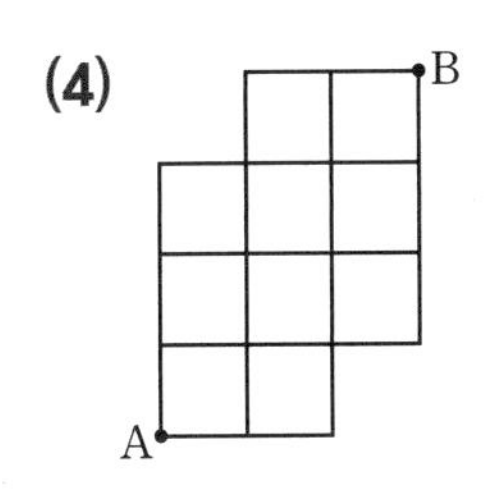

(5)

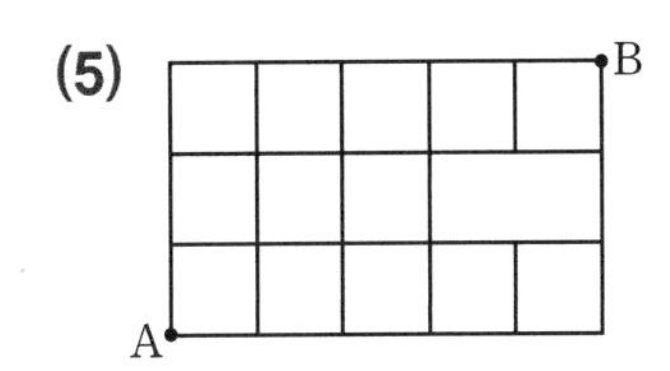

(6)

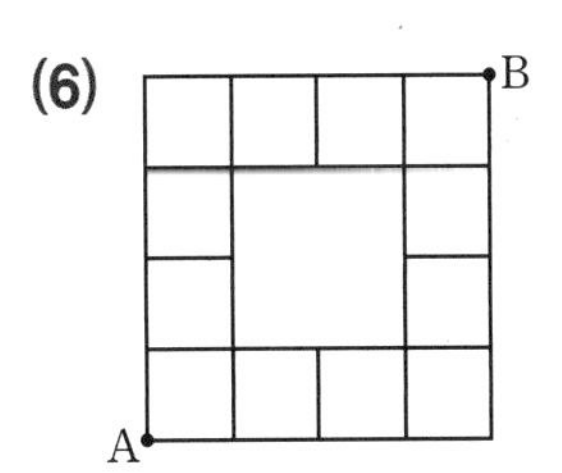

풍쌤 POINT

최단 경로 문제 ➡ 같은 것이 있는 순열 문제

조합

1 조합

서로 다른 n개에서 순서를 생각하지 않고 $r(0<r\le n)$개를 뽑는 것을 n개에서 r개를 택하는 조합이라 하고 ${}_{n}\mathrm{C}_{r}$로 나타낸다.

2 조합의 수

① ${}_{n}\mathrm{C}_{r}=\dfrac{{}_{n}\mathrm{P}_{r}}{r!}=\dfrac{n!}{r!(n-r)!}$ (단, $0\le r\le n$)

② ${}_{n}\mathrm{C}_{n}=1$, ${}_{n}\mathrm{C}_{0}=1$

③ ${}_{n}\mathrm{C}_{r}={}_{n}\mathrm{C}_{n-r}$ (단, $0\le r\le n$)

> ${}_{n}\mathrm{C}_{r}$
> $=\dfrac{{}_{n}\mathrm{P}_{r}}{r!}$
> $=\dfrac{n(n-1)(n-2)\cdots(n-r+1)}{r!}$
> $=\dfrac{n(n-1)\cdots(n-r+1)(n-r)!}{r!(n-r)!}$
> $=\dfrac{n!}{r!(n-r)!}$

유형 29 조합의 계산

31 다음을 계산하여라.

(1) ${}_{4}\mathrm{C}_{2}$

> 풀이 ${}_{4}\mathrm{C}_{2}=\dfrac{{}_{4}\mathrm{P}_{2}}{2!}=$ __

(2) ${}_{7}\mathrm{C}_{3}$

(3) ${}_{8}\mathrm{C}_{6}$

(4) ${}_{9}\mathrm{C}_{9}$

(5) ${}_{7}\mathrm{C}_{0}$

유형 30 조합의 식에서 n 또는 r의 값 구하기

32 다음 등식을 만족시키는 r의 값을 모두 구하여라.

(단, r는 자연수이다.)

(1) ${}_{7}\mathrm{C}_{r}={}_{7}\mathrm{C}_{5}$ (단, $r\ne5$)

> 풀이 ${}_{7}\mathrm{C}_{r}={}_{7}\mathrm{C}_{5}={}_{7}\mathrm{C}_{2}$이므로
> $r=$ __

(2) ${}_{8}\mathrm{C}_{r}={}_{8}\mathrm{C}_{3}$ (단, $r\ne3$)

(3) ${}_{9}\mathrm{C}_{r}={}_{9}\mathrm{C}_{4}$ (단, $r\ne4$)

(4) ${}_{6}\mathrm{C}_{2r}={}_{6}\mathrm{C}_{4}$

33 다음 등식을 만족시키는 n의 값을 구하여라. (단, n은 자연수이다.)

(1) ${}_{n}C_{3}={}_{n}C_{5}$

> 풀이 ${}_{n}C_{3}={}_{n}C_{n-3}$이므로 $n-3=5$ $\therefore n=$__

(2) ${}_{n}C_{4}={}_{n}C_{9}$

(3) ${}_{n}C_{6}={}_{n}C_{7}$

(4) ${}_{n}C_{8}={}_{n}C_{1}$

(5) ${}_{2n}C_{3}={}_{2n}C_{5}$

(6) ${}_{6n}C_{2}={}_{6n}C_{5n+1}$

(7) ${}_{3n}C_{n+1}={}_{3n}C_{9}$

34 다음 등식을 만족시키는 n의 값을 구하여라. (단, n은 자연수이다.)

(1) $6{}_{n}C_{2}={}_{n}P_{3}+2{}_{n}P_{2}$

> 풀이 $6\times\frac{n(n-1)}{2}=n(n-1)(n-2)+2n(n-1)$
> 그런데 $n\geq3$이므로 양변을 $n(n-1)$로 나누면
> $3=n-2+2$ $\therefore n=$__

(2) ${}_{n}P_{3}=4{}_{n}C_{2}+{}_{n}P_{2}$

(3) $12{}_{n}C_{3}=8{}_{n}C_{2}+{}_{n}P_{3}$

(4) $8{}_{n}P_{2}={}_{n}P_{3}+6{}_{n}C_{3}$

(5) $4{}_{n}C_{2}=5{}_{n}P_{2}-18{}_{n}C_{3}$

풍쌤 POINT

${}_{n}C_{s}={}_{n}C_{n-s}$이므로

${}_{n}C_{r}={}_{n}C_{s}$이면 $r=s$ 또는 $r=n-s$

유형·31 조합을 이용한 경우의 수

35 다음 경우의 수를 구하여라.

(1) 여학생 5명과 남학생 7명 중에서 여학생 3명과 남학생 2명을 뽑는 경우의 수

> 풀이 여학생 5명 중에서 3명을 뽑는 경우의 수는 ${}_5C_3$
> 남학생 7명 중에서 2명을 뽑는 경우의 수는 ${}_7C_2$
> 따라서 구하는 경우의 수는 ${}_5C_3 \times {}_7C_2 =$ ____

(2) 서로 다른 구슬 6개 중에서 3개를 뽑는 경우의 수

(3) 여학생 3명, 남학생 3명 중에서 대표 2명을 뽑는 경우의 수

(4) 서로 다른 사과 4개와 배 8개 중에서 사과 2개와 배 5개를 꺼내는 경우의 수

(5) 서로 다른 파란 구슬 7개와 노란 구슬 8개 중에서 파란 구슬과 노란 구슬을 각각 5개씩 뽑는 경우의 수

풍쌤 POINT
서로 다른 n개에서 순서에 상관없이 r개를 택할 때 ➡ ${}_nC_r$

유형·32 특정한 것을 포함할 때의 조합의 수

36 다음 경우의 수를 구하여라.

(1) A, B를 포함한 알파벳 8개 중에서 4개를 뽑을 때
① A, B를 모두 포함하는 경우의 수
② A, B를 모두 포함하지 않는 경우의 수

> 풀이 ① A, B를 미리 뽑아 놓고 나머지 6개 중에서 2개를 뽑으면 되므로 구하는 경우의 수는 ${}_6C_2 =$ ____
> ② A, B를 제외한 나머지 6개 중에서 4개를 뽑으면 되므로 구하는 경우의 수는 ${}_6C_4 =$ ____

(2) 서현이를 포함한 7명 중에서 3명을 뽑을 때
① 서현이가 포함되는 경우의 수
② 서현이가 포함되지 않는 경우의 수

(3) 윤하, 찬우가 포함된 9명 중에서 3명을 뽑을 때
① 윤하, 찬우가 모두 포함되는 경우의 수
② 윤하, 찬우가 모두 포함되지 않는 경우의 수

(4) 1부터 9까지의 숫자가 각각 적힌 9개의 구슬 중에서 4개를 뽑을 때
① 4의 배수를 모두 포함하는 경우의 수
② 4의 배수를 모두 포함하지 않는 경우의 수

(5) 종수와 지혜를 포함한 8명 중에서 3명을 뽑을 때, 종수는 포함되고 지혜는 포함되지 않는 경우의 수

(6) 여학생 5명, 남학생 5명 중에서 4명을 뽑을 때, 특정한 남학생 1명과 특정한 여학생 1명을 반드시 포함하는 경우의 수

(7) 1부터 7까지 7개의 숫자 중에서 3개의 숫자를 뽑을 때, 2는 반드시 포함하고 4는 포함하지 않는 경우의 수

(8) 1부터 10까지 10개의 자연수 중에서 4개의 자연수를 뽑을 때, 5, 10은 반드시 포함하고 7의 약수는 포함하지 않는 경우의 수

풍쌤 POINT

- n개에서 특정한 k개를 포함하여 r개를 뽑는 방법의 수
  ➡ ${}_{n-k}C_{r-k}$
- n개에서 특정한 k개를 제외하고 r개를 뽑는 방법의 수
  ➡ ${}_{n-k}C_{r}$

유형·33 '적어도'의 조건이 있을 때의 조합의 수

37 다음 경우의 수를 구하여라.

(1) 서로 다른 장미 5송이와 튤립 4송이 중에서 3송이를 뽑을 때, 장미와 튤립이 적어도 1송이씩 포함되는 경우의 수

> 풀이 전체 9송이 중에서 3송이를 뽑는 경우의 수는 ${}_9C_3=84$
> 장미 5송이 중에서 3송이를 뽑는 경우의 수는 ${}_5C_3=10$
> 튤립 4송이 중에서 3송이를 뽑는 경우의 수는 ${}_4C_3=4$
> 따라서 구하는 경우의 수는
> $84-10-$__$=$__

(2) 여학생 3명과 남학생 6명 중에서 3명을 뽑을 때, 여학생이 적어도 1명 포함되는 경우의 수

(3) 서로 다른 파란 구슬 6개와 노란 구슬 5개 중에서 3개를 뽑을 때, 파란 구슬과 노란 구슬이 적어도 1개씩 포함되는 경우의 수

(4) 축구 선수 4명과 농구 선수 7명 중에서 4명을 뽑을 때, 축구 선수와 농구 선수가 적어도 1명씩 포함되는 경우의 수

풍쌤 POINT

(사건 A가 적어도 1번 일어나는 경우의 수)
$=$(전체 경우의 수)$-$(사건 A가 일어나지 않는 경우의 수)

유형 34 뽑아서 나열하는 경우의 수

38 다음 경우의 수를 구하여라.

(1) 학생 7명 중에서 특정한 학생 1명을 포함하여 4명을 뽑아 일렬로 세우는 방법의 수

> 풀이 특정한 학생 1명을 미리 뽑아 놓고 나머지 6명 중에서 3명을 뽑는 경우의 수는 ${}_6C_3=20$
> 4명을 일렬로 세우는 방법의 수는 $4!=24$
> 따라서 구하는 경우의 수는
> $20\times$___$=$___

(2) 7가지의 무지개 색 중 빨강, 주황을 반드시 포함하여 5가지 색을 뽑아 일렬로 색칠하는 방법의 수

(3) 여학생 4명과 남학생 3명 중에서 여학생 2명과 남학생 2명을 뽑아 일렬로 세우는 방법의 수

(4) 여학생 3명과 남학생 5명 중에서 여학생 1명과 남학생 3명을 뽑아 원탁에 앉히는 방법의 수

풍쌤 POINT

m개 중에서 r개, n개 중에서 s개를 뽑아 일렬로 나열하는 경우의 수는 ${}_mC_r\times{}_nC_s\times(r+s)!$

유형 35 도형에서의 조합의 수

39 다음을 구하여라.

(1) 원 위에 있는 5개의 점으로 만들 수 있는 직선의 개수와 삼각형의 개수

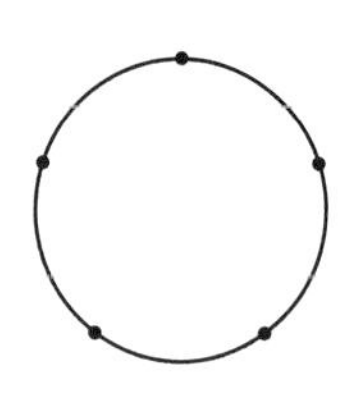

> 풀이 5개의 점 중에서 어느 세 점도 한 직선 위에 있지 않으므로 만들 수 있는 직선의 개수는 ${}_5C_2=$___
> 삼각형의 개수는 ${}_5C_3=$___

(2) 원 위에 있는 8개의 점으로 만들 수 있는 직선의 개수와 사각형의 개수

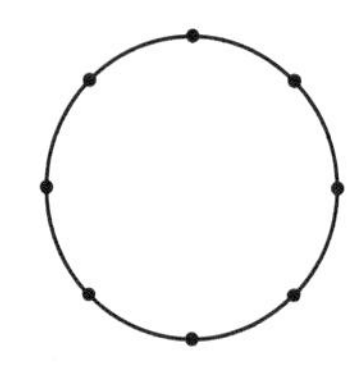

(3) 두 평행선 위에 있는 5개의 점으로 만들 수 있는 직선의 개수

(4) 반원 위에 있는 5개의 점 중에서 3개의 점을 꼭짓점으로 하는 삼각형의 개수

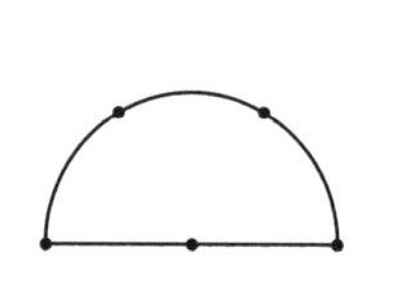

풍쌤 POINT

서로 다른 n개의 점 중에서 어느 세 점도 한 직선 위에 있지 않을 때

① 직선의 개수 ➡ ${}_nC_2$

② 삼각형의 개수 ➡ ${}_nC_3$

③ 사각형의 개수 ➡ ${}_nC_4$

중복조합

1 중복조합

서로 다른 n개에서 중복을 허락하여 r개를 택하는 조합을 중복조합이라 하고 ${}_{n}\mathrm{H}_{r}$로 나타낸다.

2 중복조합의 수

${}_{n}\mathrm{H}_{r}={}_{n+r-1}\mathrm{C}_{r}$

> ${}_{n}\mathrm{C}_{r}$에서는 $0\le r\le n$이어야 하지만 ${}_{n}\mathrm{H}_{r}$에서는 $r>n$인 경우도 있다.

정답과 풀이 012쪽

유형 36 중복조합의 계산

40 다음을 계산하여라.

(1) ${}_{3}\mathrm{H}_{5}$

> 풀이 ${}_{3}\mathrm{H}_{5}={}_{3+5-1}\mathrm{C}_{5}={}_{7}\mathrm{C}_{5}={}_{7}\mathrm{C}_{2}=$___

(2) ${}_{6}\mathrm{H}_{2}$

(3) ${}_{8}\mathrm{H}_{0}$

(4) ${}_{2}\mathrm{H}_{7}$

(5) ${}_{4}\mathrm{H}_{9}$

유형 37 중복조합의 식에서 n 또는 r의 값 구하기

41 다음 등식을 만족시키는 n 또는 r의 값을 모두 구하여라. (단, n, r는 자연수이다.)

(1) ${}_{2}\mathrm{H}_{4}={}_{5}\mathrm{C}_{r}$

> 풀이 ${}_{2}\mathrm{H}_{4}={}_{2+4-1}\mathrm{C}_{4}={}_{5}\mathrm{C}_{4}={}_{5}\mathrm{C}_{1}$이므로
> $r=$__ 또는 $r=$__

(2) ${}_{6}\mathrm{H}_{4}={}_{n}\mathrm{C}_{4}$

(3) ${}_{3}\mathrm{H}_{5}={}_{7}\mathrm{C}_{r}$

(4) ${}_{n}\mathrm{H}_{3}=20$

(5) ${}_{n}\mathrm{H}_{2}={}_{8}\mathrm{C}_{6}$

유형 38 중복조합을 이용한 경우의 수

42 다음 경우의 수를 구하여라.

(1) 서로 다른 김밥 3종류를 파는 분식점에서 김밥 8줄을 사는 방법의 수

> 풀이 서로 다른 3개에서 중복을 허락하여 8개를 택하는 중복조합의 수와 같으므로 구하는 경우의 수는
> ${}_3H_8={}_{10}C_8=$___

(2) 5개의 숫자 1, 2, 3, 4, 5에서 중복을 허락하여 4개의 숫자를 택하는 방법의 수

(3) 주스, 우유, 사이다, 콜라의 4종류의 음료수 중에서 7개를 사는 방법의 수

(4) 3명의 학생에게 같은 종류의 볼펜 9자루를 나누어 주는 방법의 수

(5) 2명의 후보가 출마한 회장 선거에서 10명의 학생이 각각 한 명의 후보에게 무기명으로 투표하는 방법의 수 (단, 기권이나 무효는 없다.)

풍쌤 POINT

- n개에서 중복을 허락하여 r개 택하기
- n명에게 물건 r개를 나누어 주기

➡ ${}_nH_r$

유형 39 전개식의 항의 개수

43 다음 식의 전개식에서 서로 다른 항의 개수를 구하여라.

(1) $(a+b+c)^4$

> 풀이 $(a+b+c)^4$의 전개식의 각 항은 모두
> $a^xb^yc^z(x+y+z=4)$의 꼴이다.
> 따라서 구하는 항의 개수는 3개의 문자 a, b, c에서 중복을 허락하여 4개를 뽑는 중복조합의 수와 같으므로
> ${}_3H_4={}_6C_4=$___

(2) $(a+b)^3$

(3) $(a+b)^5$

(4) $(a+b+c)^5$

(5) $(a+b+c)^8$

풍쌤 POINT

$(a+b+c)^n$의 전개식에서 서로 다른 항의 개수 ➡ ${}_3H_n$

정답과 풀이 012쪽

44 다음을 구하여라.

(1) 방정식 $x+y+z=5$에 대하여

① 음이 아닌 정수해의 순서쌍 (x, y, z)의 개수

② 양의 정수해의 순서쌍 (x, y, z)의 개수

> 풀이 방정식의 해를 x, y, z의 개수로 생각하면
>
> ① 음이 아닌 정수해의 개수는 3개의 문자 x, y, z에서 중복을 허락하여 5개를 뽑는 중복조합의 수와 같다.
> 따라서 구하는 순서쌍 (x, y, z)의 개수는
> ${}_3H_5={}_7C_5=$___
>
> ② 양의 정수해는 x, y, z를 적어도 하나씩 포함하는 것이므로 x, y, z를 각각 1개씩 미리 뽑았다고 생각하고 3개의 문자 x, y, z에서 중복을 허락하여 $(5-3)$개를 뽑는 중복조합의 수와 같다.
> 따라서 구하는 순서쌍 (x, y, z)의 개수는
> ${}_3H_{5-3}={}_3H_2={}_4C_2=$___

(2) 방정식 $x+y=6$에 대하여

① 음이 아닌 정수해의 순서쌍 (x, y)의 개수

② 양의 정수해의 순서쌍 (x, y)의 개수

(3) 방정식 $a+b=7$에 대하여

① 음이 아닌 정수해의 순서쌍 (a, b)의 개수

② 양의 정수해의 순서쌍 (a, b)의 개수

(4) 방정식 $x+y+z=4$에 대하여

① 음이 아닌 정수해의 순서쌍 (x, y, z)의 개수

② 양의 정수해의 순서쌍 (x, y, z)의 개수

(5) 방정식 $a+b+c=10$에 대하여

① 음이 아닌 정수해의 순서쌍 (a, b, c)의 개수

② 양의 정수해의 순서쌍 (a, b, c)의 개수

(6) 방정식 $x+y+z+w=8$에 대하여

① 음이 아닌 정수해의 순서쌍 (x, y, z, w)의 개수

② 양의 정수해의 순서쌍 (x, y, z, w)의 개수

(7) 방정식 $a+b+c+d=9$에 대하여

① 음이 아닌 정수해의 순서쌍 (a, b, c, d)의 개수

② 양의 정수해의 순서쌍 (a, b, c, d)의 개수

풍쌤 POINT

방정식 $x_1+x_2+\cdots+x_n=r$에 대하여

① 음이 아닌 정수해의 개수 ➡ ${}_nH_r$

② 양의 정수해의 개수 ➡ ${}_nH_{r-n}$

· 중단원 점검문제 ·

01

100보다 작은 자연수 중에서 3 또는 7로 나누어떨어지는 수의 개수를 구하여라.

02

집과 학교 사이에 그림과 같은 도로망이 있을 때, 집에서 학교로 가는 방법의 수를 구하여라.

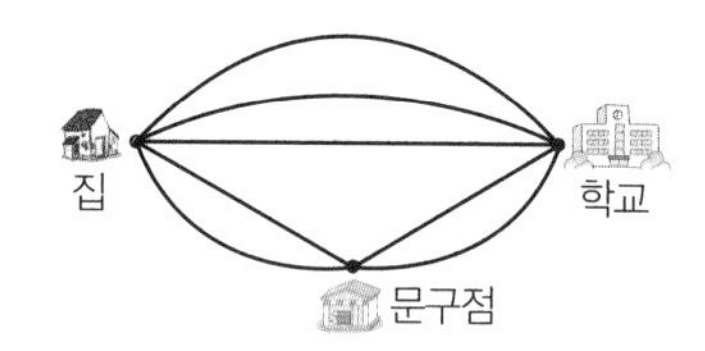

03

6명의 학생 중에서 계주 선수 4명을 뽑아 달리는 순서를 정하는 방법의 수를 구하여라.

04

a, b, c, d를 한 번씩 써서 일렬로 나열하여 문자열을 만들려고 한다. 사전식으로 $abcd$부터 $dcba$까지 배열할 때, 13번째에 오는 문자열을 구하여라.

05

정사각형 모양의 탁자 둘레에 서로 다른 의자 4개를 각 면에 하나씩 놓는 경우의 수를 구하여라.

06

부모를 포함한 가족 5명이 원탁에 앉을 때, 부모가 이웃하여 앉는 경우의 수를 구하여라.

07

3개의 숫자 0, 1, 2에서 중복을 허락하여 만들 수 있는 네 자리 정수의 개수를 구하여라.

08

두 집합 $X=\{1,\ 2,\ 3\}$, $Y=\{a,\ b,\ c,\ d\}$에 대하여 집합 X에서 Y로의 함수를 f라고 하자. $f(1)=c$를 만족시키는 함수 f의 개수를 구하여라.

09

3명의 학생이 영화, 독서, 로봇, 축구 동아리 중 어느 하나를 선택하는 경우의 수를 구하여라.

10

schools의 7개의 문자를 모두 써서 일렬로 나열할 때, 모음끼리 이웃하도록 나열하는 방법의 수를 구하여라.

11

그림과 같은 도로망이 있다. A에서 B까지 가는 최단 경로의 수를 구하여라.

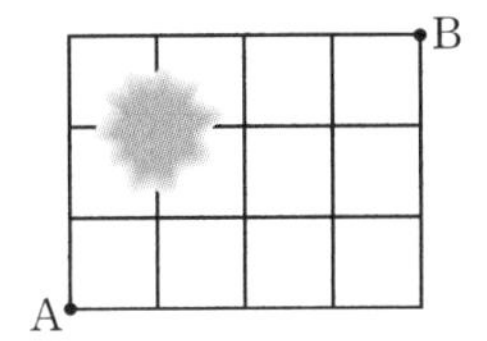

12

서로 다른 빨간 구슬 2개와 파란 구슬 8개에서 구슬 5개를 뽑을 때, 빨간 구슬을 모두 뽑을 경우의 수를 구하여라.

13

학생 7명 중에서 6명을 뽑아서 오른쪽 그림과 같은 모양의 탁자에 둘러앉히는 방법의 수를 구하여라.

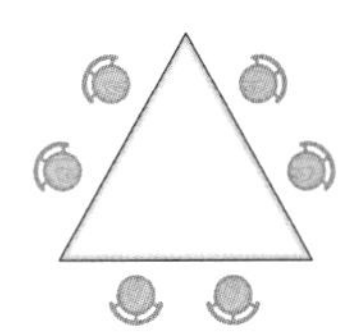

14

어느 세 점도 일직선 위에 있지 않은 9개의 점이 있다. 이 9개의 점으로 만들 수 있는 사각형의 개수를 구하여라.

15

사과, 배, 감, 참외, 복숭아 중에서 중복을 허용하여 3개를 봉지에 담는 방법의 수를 구하여라.

16

방정식 $x+y+z=9$를 만족시키는 자연수 해의 순서쌍 $(x,\ y,\ z)$의 개수를 구하여라.

이항정리

1 이항정리

n이 자연수일 때, $(a+b)^n$을 전개한 식

$$(a+b)^n={}_nC_0a^n+{}_nC_1a^{n-1}b+\cdots+{}_nC_ra^{n-r}b^r+\cdots+{}_nC_nb^n$$

을 이항정리라고 한다.

이때 각 항의 계수 ${}_nC_0$, ${}_nC_1$, $\cdots$, ${}_nC_r$, $\cdots$, ${}_nC_n$을 이항계수라고 한다.

2 $(a+b)^n$의 전개식

$(a+b)^n$의 전개식에서 $a^{n-r}b^r$의 계수는 ${}_nC_r$와 같다. (단, $0<r<n$)

› ${}_nC_r={}_nC_{n-r}$이므로 $(a+b)^n$의 전개식에서 $a^{n-r}b^r$과 a^rb^{n-r}의 계수는 같다.

› $(a+b)^n$의 전개식에서 ${}_nC_ra^{n-r}b^r$은 r번째 항이 아니라 $(r+1)$번째 항이다.

유형·01 이항정리를 이용한 식의 전개

01 이항정리를 이용하여 다음 식을 전개하여라.

(1) $(a-b)^3$

› 풀이 $(a-b)^3={}_3C_0a^3+{}_3C_1a^2(-b)+{}_3C_2a(-b)^2+{}_3C_3(-b)^3$
$=$________

(2) $(x+y)^4$

(3) $(x-2)^4$

(4) $(x-y)^5$

(5) $(2a+1)^5$

유형·02 $(a+b)^n$의 전개식

02 다음을 구하여라.

(1) $(a+2b)^6$의 전개식에서 a^2b^4의 계수

› 풀이 $(a+2b)^6$의 전개식에서 a^2b^4항은 a를 2번, $2b$를 4번 곱한 경우이므로
${}_6C_4a^2(2b)^4={}_6C_4 2^4a^2b^4$
따라서 a^2b^4의 계수는 ${}_6C_42^4=15\times16=$____

(2) $(a-3b)^4$의 전개식에서 a^2b^2의 계수

(3) $(2a+b)^5$의 전개식에서 a^3b^2의 계수

(4) $(a-2b)^6$의 전개식에서 ab^5의 계수

풍쌤 POINT

$(a+bx)^n$의 전개식에서 x^r항은 bx를 r번 곱할 때 나타나므로
${}_nC_ra^{n-r}(bx)^r={}_nC_ra^{n-r}b^rx^r$

유형 · 03 항의 계수가 주어질 때, 미지수 구하기

03 다음을 구하여라.

(1) $\left(x-\frac{2}{x}\right)^4$의 전개식에서 상수항

> 풀이 $\left(x-\frac{2}{x}\right)^4$의 전개식에서 상수항은 x를 2번, $-\frac{2}{x}$를 2번 곱한 경우이므로
> ${}_4C_2x^2\left(-\frac{2}{x}\right)^2={}_4C_2(-2)^2x^2\left(\frac{1}{x}\right)^2$
> 따라서 상수항은 ${}_4C_2(-2)^2=6\times4=$___

(2) $\left(2x+\frac{1}{x}\right)^4$의 전개식에서 상수항

(3) $\left(3x-\frac{1}{x}\right)^6$의 전개식에서 x^2의 계수

(4) $\left(2x^2-\frac{1}{x}\right)^6$의 전개식에서 상수항

(5) $\left(x^2-\frac{3}{x}\right)^6$의 전개식에서 x^3의 계수

풍쌤 POINT
상수항을 구할 때는 먼저 주어진 식의 전개식에서 각 항을 몇 번씩 곱해야 상수항이 나타나는지 알아본다.

04 다음을 구하여라.

(1) $\left(ax+\frac{1}{x}\right)^4$의 전개식에서 x^2의 계수가 108일 때, 상수 a의 값

> 풀이 $\left(ax+\frac{1}{x}\right)^4$의 전개식에서 x^2항은 ax를 3번, $\frac{1}{x}$을 1번 곱한 경우이므로
> ${}_4C_1(ax)^3\left(\frac{1}{x}\right)={}_4C_1a^3x^2$
> 따라서 x^2의 계수는 ${}_4C_1a^3=4a^3$
> 이때 $4a^3=108$이므로
> $a^3=27$ $\quad\therefore a=$___

(2) $\left(x+\frac{a}{x}\right)^4$의 전개식에서 $\frac{1}{x^2}$의 계수가 32일 때, 상수 a의 값

(3) $\left(ax^2+\frac{1}{x}\right)^3$의 전개식에서 x^3의 계수가 75일 때, 상수 a의 값 (단, $a>0$)

(4) $\left(ax-\frac{1}{x}\right)^5$의 전개식에서 x의 계수가 80일 때, 상수 a의 값

풍쌤 POINT
전개식에서 특정 항의 계수를 구한 다음 미지수를 구한다.

유형 04 $(ax+b)^n(cx+d)$의 전개식

05 다음을 구하여라.

(1) $(1+x)^3(1+2x)$의 전개식에서 x의 계수

> 풀이 $(1+x)^3$ …… ㉠
>
> $(1+x)^3(1+2x)$의 전개식에서 x항은 ㉠의 x항과 1, ㉠의 1과 $2x$가 곱해질 때 나타난다.
>
> (i) ㉠에서 x항은 1을 2번, x를 1번 곱한 경우이므로
> ${}_3C_1 1^2 x=3x$
>
> (ii) ㉠의 1과 $2x$의 곱은 $2x$
>
> (i), (ii)에서 구하는 x의 계수는
> $3+$__$=$__

(2) $(x+2)^4(x+1)$의 전개식에서 x^3의 계수

(3) $(x-1)^6(2x+1)$의 전개식에서 x^4의 계수

■ 풍쌤 POINT

$(ax+b)^n(cx+d)$의 전개식에서 x^r항은 $(ax+b)^n$의 전개식에서 x^{r-1}항과 cx, x^r항과 d가 곱해질 때 나타난다.

유형 05 $(a+b)(c+d)^n$의 전개식

06 다음을 구하여라.

(1) $(x^2+1)\left(x+\frac{1}{x}\right)^7$의 전개식에서 x^3의 계수

> 풀이 $\left(x+\frac{1}{x}\right)^7$ …… ㉠
>
> $(x^2+1)\left(x+\frac{1}{x}\right)^7$의 전개식에서 x^3항은 x^2과 ㉠의 x항, 1과 ㉠의 x^3항이 곱해질 때 나타난다.
>
> (i) ㉠에서 x항은 x를 4번, $\frac{1}{x}$을 3번 곱한 경우이므로
> ${}_7C_3 x^4\left(\frac{1}{x}\right)^3=35x$
>
> (ii) ㉠에서 x^3항은 x를 5번, $\frac{1}{x}$을 2번 곱한 경우이므로
> ${}_7C_2 x^5\left(\frac{1}{x}\right)^2=21x^3$
>
> (i), (ii)에서 구하는 x^3의 계수는
> $35+$___$=$___

(2) $(x+2)\left(x-\frac{1}{x}\right)^8$의 전개식에서 x^3의 계수

(3) $(x^2+1)\left(x+\frac{1}{x}\right)^9$의 전개식에서 x^5의 계수

■ 풍쌤 POINT

$(a+b)(c+d)^n$의 전개식은 $a(c+d)^n+b(c+d)^n$으로 바꾸어 생각한다.

파스칼의 삼각형

1 파스칼의 삼각형

$n=0, 1, 2, 3, \cdots$일 때, $(a+b)^n$의 전개식에서 이항계수를 다음과 같이 삼각형 모양으로 차례로 나열한 것을 **파스칼의 삼각형**이라고 한다.

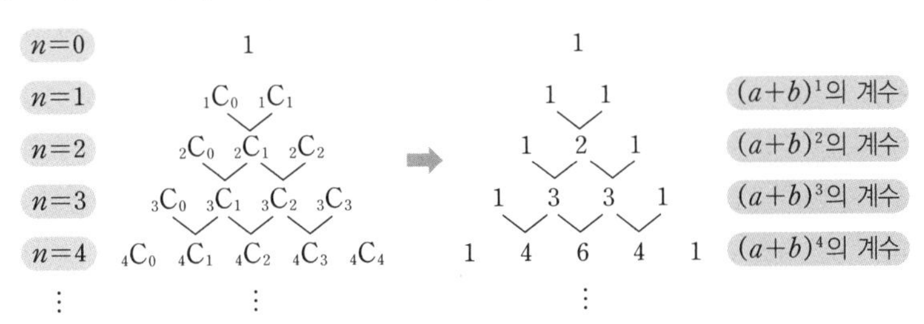

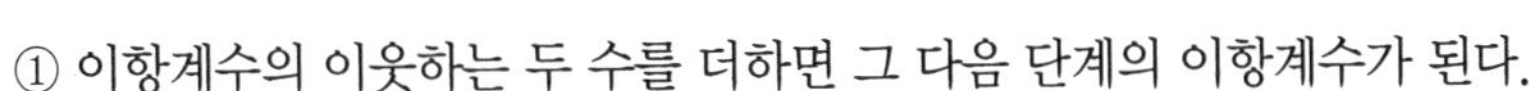

① 이항계수의 이웃하는 두 수를 더하면 그 다음 단계의 이항계수가 된다.

➡ $_nC_r={}_{n-1}C_{r-1}+{}_{n-1}C_r$

② 이항계수의 배열은 좌우 대칭이다. ➡ $_nC_r={}_nC_{n-r}$

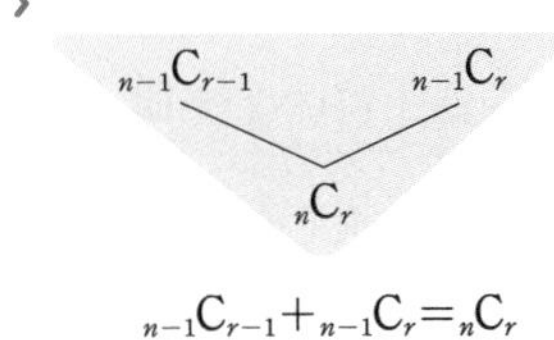

$_{n-1}C_{r-1}+{}_{n-1}C_r={}_nC_r$

유형 06 파스칼의 삼각형

정답과 풀이 016쪽

07 파스칼의 삼각형을 이용하여 다음을 $_nC_r$ 꼴로 나타내어라.

(1) $_2C_0+{}_2C_1+{}_3C_2$

> 풀이 $_2C_0+{}_2C_1+{}_3C_2={}_3C_1+{}_3C_2=$____

(2) $_3C_2+{}_3C_3+{}_4C_4$

(3) $_4C_3+{}_4C_2+{}_5C_2$

08 파스칼의 삼각형을 이용하여 다음을 $_nC_r$ 꼴로 나타내어라.

(1) $_3C_0+{}_4C_1+{}_5C_2+{}_6C_3+\cdots+{}_{10}C_7$

> 풀이 $_3C_0+{}_4C_1+{}_5C_2+{}_6C_3+\cdots+{}_{10}C_7$
> $={}_4C_0+{}_4C_1+{}_5C_2+{}_6C_3+\cdots+{}_{10}C_7$
> $={}_5C_1+{}_5C_2+{}_6C_3+\cdots+{}_{10}C_7$
> $={}_6C_2+{}_6C_3+\cdots+{}_{10}C_7$
> $=\cdots={}_{10}C_6+{}_{10}C_7=$____

(2) $_2C_0+{}_3C_1+{}_4C_2+{}_5C_3+\cdots+{}_8C_6$

(3) $_3C_3+{}_4C_3+{}_5C_3+{}_6C_3+\cdots+{}_9C_3$

풍쌤 POINT

$_{n-1}C_{r-1}+{}_{n-1}C_r={}_nC_r$

이항계수의 성질

1 이항계수의 성질

n이 자연수일 때

① ${}_nC_0+{}_nC_1+{}_nC_2+\cdots+{}_nC_n=2^n$

② ${}_nC_0-{}_nC_1+{}_nC_2-\cdots+(-1)^n{}_nC_n=0$

③ ${}_nC_0+{}_nC_2+{}_nC_4+{}_nC_6+\cdots=2^{n-1}$

${}_nC_1+{}_nC_3+{}_nC_5+{}_nC_7+\cdots=2^{n-1}$ (단, $n\geq2$)

> $(1+x)^n={}_nC_0+{}_nC_1x+{}_nC_2x^2+\cdots+{}_nC_nx^n$
> 이 식의 양변에
> (i) $x=1$을 대입하면 왼쪽의 ①이 성립한다.
> (ii) $x=-1$을 대입하면 왼쪽의 ②가 성립한다.

유형 07 이항계수의 성질

09 다음 값을 구하여라.

(1) ${}_7C_1+{}_7C_2+{}_7C_3+\cdots+{}_7C_7$

> 풀이 ${}_7C_0+{}_7C_1+{}_7C_2+{}_7C_3+\cdots+{}_7C_7=2^7$이므로
> ${}_7C_1+{}_7C_2+{}_7C_3+\cdots+{}_7C_7=2^7-{}_7C_0=$____

(2) ${}_6C_0+{}_6C_1+{}_6C_2+\cdots+{}_6C_6$

(3) ${}_9C_0+{}_9C_1+{}_9C_2+\cdots+{}_9C_9$

(4) ${}_8C_1+{}_8C_2+{}_8C_3+\cdots+{}_8C_8$

10 다음 값을 구하여라.

(1) ${}_7C_0-{}_7C_1+{}_7C_2-\cdots+{}_7C_6$

> 풀이 ${}_7C_0-{}_7C_1+{}_7C_2-\cdots+{}_7C_6-{}_7C_7=0$이므로
> ${}_7C_0-{}_7C_1+{}_7C_2-\cdots+{}_7C_6={}_7C_7=$__

(2) ${}_6C_0-{}_6C_1+{}_6C_2-\cdots+{}_6C_6$

(3) ${}_9C_0-{}_9C_1+{}_9C_2-\cdots-{}_9C_9$

(4) ${}_{10}C_0-{}_{10}C_1+{}_{10}C_2-\cdots-{}_{10}C_9$

유형·08 이항계수의 성질의 활용

11 다음 값을 구하여라.

(1) ${}_{10}C_2+{}_{10}C_4+{}_{10}C_6+{}_{10}C_8+{}_{10}C_{10}$

> 풀이 ${}_{10}C_0+{}_{10}C_2+{}_{10}C_4+{}_{10}C_6+{}_{10}C_8+{}_{10}C_{10}=2^{10-1}=2^9$이므로
> ${}_{10}C_2+{}_{10}C_4+{}_{10}C_6+{}_{10}C_8+{}_{10}C_{10}=2^9-{}_{10}C_0=$____

(2) ${}_8C_0+{}_8C_2+{}_8C_4+{}_8C_6+{}_8C_8$

(3) ${}_9C_1+{}_9C_3+{}_9C_5+{}_9C_7+{}_9C_9$

(4) ${}_{11}C_3+{}_{11}C_5+{}_{11}C_7+{}_{11}C_9+{}_{11}C_{11}$

(5) ${}_{12}C_2+{}_{12}C_4+{}_{12}C_6+{}_{12}C_8+{}_{12}C_{10}+{}_{12}C_{12}$

풍쌤 POINT

${}_nC_0+{}_nC_2+{}_nC_4+\cdots=2^{n-1}$

${}_nC_1+{}_nC_3+{}_nC_5+\cdots=2^{n-1}$

12 다음 부등식을 만족시키는 자연수 n의 값을 구하여라.

(1) $200<{}_nC_1+{}_nC_2+{}_nC_3+\cdots+{}_nC_n<500$

> 풀이 ${}_nC_0+{}_nC_1+{}_nC_2+\cdots+{}_nC_n=2^n$이고 ${}_nC_0=1$이므로
> ${}_nC_1+{}_nC_2+{}_nC_3+\cdots+{}_nC_n=2^n-1$
> 즉, 주어진 부등식은
> $200<2^n-1<500$ $\therefore 201<2^n<501$
> 그런데 $2^8=256$, $2^9=512$이므로
> $n=$__

(2) $100<{}_nC_0+{}_nC_1+{}_nC_2+\cdots+{}_nC_n<200$

(3) $1000<{}_nC_0+{}_nC_1+{}_nC_2+\cdots+{}_nC_n<2000$

(4) $500<{}_nC_1+{}_nC_2+{}_nC_3+\cdots+{}_nC_n<800$

(5) $2000<{}_nC_1+{}_nC_2+{}_nC_3+\cdots+{}_nC_n<3000$

풍쌤 POINT

${}_nC_0+{}_nC_1+{}_nC_2+\cdots+{}_nC_n=2^n$

13 다음 식의 값을 거듭제곱 꼴로 나타내어라.

(1) ${}_{59}C_{30}+{}_{59}C_{31}+{}_{59}C_{32}+\cdots+{}_{59}C_{59}$

> 풀이 ${}_{59}C_0+{}_{59}C_1+{}_{59}C_2+\cdots+{}_{59}C_{59}=2^{59}$이므로
> ${}_{59}C_0+{}_{59}C_1+{}_{59}C_2+\cdots+{}_{59}C_{29}$
> $={}_{59}C_{30}+{}_{59}C_{31}+{}_{59}C_{32}+\cdots+{}_{59}C_{59}$
> $=\frac{1}{2}\times 2^{59}=$___

(2) ${}_{19}C_0+{}_{19}C_1+{}_{19}C_2+\cdots+{}_{19}C_9$

(3) ${}_{41}C_0+{}_{41}C_1+{}_{41}C_2+\cdots+{}_{41}C_{20}$

(4) ${}_{39}C_{20}+{}_{39}C_{21}+{}_{39}C_{22}+\cdots+{}_{39}C_{39}$

(5) ${}_{21}C_{11}+{}_{21}C_{12}+{}_{21}C_{13}+\cdots+{}_{21}C_{21}$

14 다음 식을 만족시키는 자연수 n의 값을 구하여라.

(1) ${}_nC_1+{}_nC_3+{}_nC_5+\cdots+{}_nC_n=64$

> 풀이 ${}_nC_1+{}_nC_3+{}_nC_5+\cdots+{}_nC_n=2^{n-1}$이므로
> $2^{n-1}=64=2^6$ $\therefore n=$__

(2) ${}_nC_0+{}_nC_2+{}_nC_4+\cdots+{}_nC_n=32$

(3) ${}_nC_1+{}_nC_3+{}_nC_5+\cdots+{}_nC_n=128$

(4) ${}_nC_1+{}_nC_3+{}_nC_5+\cdots+{}_nC_n=256$

(5) ${}_nC_2+{}_nC_4+{}_nC_6+\cdots+{}_nC_n=31$

풍쌤 POINT

${}_nC_0+{}_nC_2+{}_nC_4+\cdots+{}_nC_n=2^{n-1}$

${}_nC_1+{}_nC_3+{}_nC_5+\cdots+{}_nC_n=2^{n-1}$ (단, $n\geq 2$)

·중단원 점검문제·

정답과 풀이 017쪽

01

$(2x-y)^6$의 전개식에서 x^2y^4의 계수를 구하여라.

02

$(x+a)^5$의 전개식에서 x^2의 계수와 x^3의 계수가 같을 때, 양수 a의 값을 구하여라.

03

$\left(x^2+\dfrac{2}{x}\right)^7$의 전개식에서 x^5의 계수를 구하여라.

04

$\left(2x+\dfrac{a}{x}\right)^5$의 전개식에서 $\dfrac{1}{x}$의 계수가 320일 때, 상수 a의 값을 구하여라.

05

$\left(x-\dfrac{a}{x^2}\right)^6$의 전개식에서 상수항이 15일 때, 양수 a의 값을 구하여라.

06

$(x+1)^7(x-2)$의 전개식에서 x^6의 계수를 구하여라.

07

$(x+a)(x+1)^9$의 전개식에서 x^8의 계수가 45일 때, 상수 a의 값을 구하여라.

08

$(x^2+1)\left(x+\dfrac{1}{x}\right)^6$의 전개식에서 x^6의 계수를 구하여라.

09

${}_{4}C_{2}+{}_{4}C_{1}+{}_{5}C_{1}+{}_{6}C_{1}$을 ${}_{n}C_{r}$ 꼴로 나타내어라.

10

파스칼의 삼각형에서 색칠한 부분에 있는 수의 합을 ${}_{n}C_{r}$ 꼴로 나타내어라.

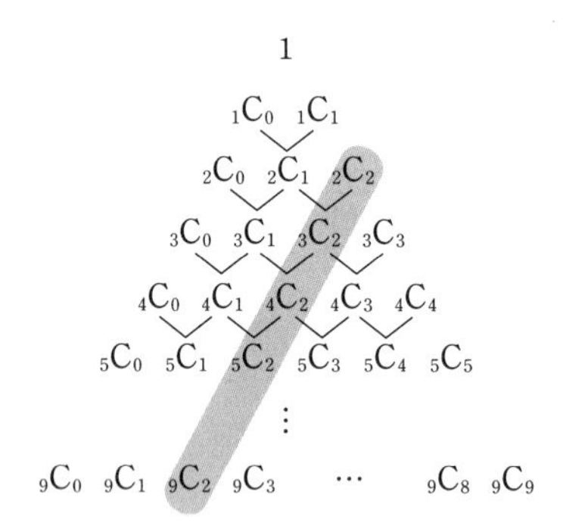

11

${}_{10}C_{0}+{}_{10}C_{1}+{}_{10}C_{2}+\cdots+{}_{10}C_{9}$의 값을 구하여라.

12

다음 식의 값을 구하여라.

$${}_{8}C_{0}-{}_{8}C_{1}+{}_{8}C_{2}-\cdots-{}_{8}C_{7}$$

13

다음 식의 값을 구하여라.

$${}_{8}C_{0}+{}_{8}C_{2}+{}_{8}C_{4}+{}_{8}C_{6}+{}_{8}C_{8}-({}_{7}C_{1}+{}_{7}C_{3}+{}_{7}C_{5}+{}_{7}C_{7})$$

14

부등식 ${}_{n}C_{1}+{}_{n}C_{2}+{}_{n}C_{3}+\cdots+{}_{n}C_{n}<2000$을 만족시키는 자연수 n의 값 중에서 최댓값을 구하여라.

15

${}_{31}C_{0}+{}_{31}C_{1}+{}_{31}C_{2}+\cdots+{}_{31}C_{15}$의 값을 2^{n} 꼴로 나타내어라.

16

다음 식의 값이 2^{20}일 때, 자연수 n의 값을 구하여라.

$${}_{n}C_{1}+{}_{n}C_{3}+{}_{n}C_{5}+\cdots+{}_{n}C_{n}$$

Ⅱ 확률

시행과 사건

1 시행

주사위나 동전을 던지는 것과 같이 같은 조건에서 여러 번 반복할 수 있고, 그 결과가 우연에 의하여 결정되는 실험이나 관찰

2 표본공간과 사건

① 표본공간: 어떤 시행에서 일어날 수 있는 모든 결과의 집합
② 사건: 시행의 결과로 표본공간의 부분집합
③ 근원사건: 표본공간의 부분집합 중에서 한 개의 원소로만 이루어진 집합
④ 전사건: 반드시 일어나는 사건, 즉 표본공간
⑤ 공사건: 결코 일어나지 않는 사건, 즉 공집합

3 합사건, 곱사건, 여사건, 배반사건

① 합사건: A 또는 B가 일어나는 사건, $A\cup B$
② 곱사건: A와 B가 동시에 일어나는 사건, $A\cap B$
③ 여사건: 사건 A가 일어나지 않는 사건, A^C
④ 배반사건: 두 사건 A, B가 동시에 일어나지 않을 때, 즉 $A\cap B=\varnothing$일 때 사건 A와 B는 서로 배반사건이라고 한다.

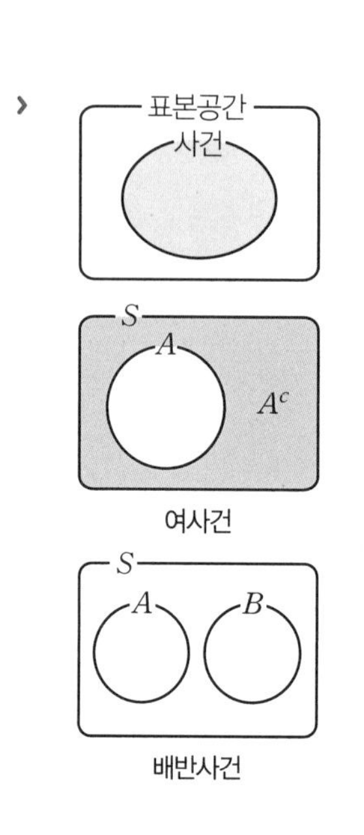

유형 01 표본공간과 사건

01 한 개의 주사위를 던지는 시행에서 다음을 구하여라.

(1) 표본공간

> 풀이 한 개의 주사위를 던질 때, 나올 수 있는 눈은 1, 2, 3, 4, 5, 6이므로 표본공간은 ____________이다.

(2) 짝수의 눈이 나올 사건

(3) 5의 약수의 눈이 나올 사건

풍쌤 POINT
(표본공간)=(모든 시행의 결과의 집합)

유형 02 근원사건, 전사건, 공사건

02 1부터 10까지의 자연수가 하나씩 적힌 10개의 공에서 한 개의 공을 꺼낼 때, 다음 사건은 근원사건, 전사건, 공사건 중 어느 것인지 (   ) 안에 써넣어라.

(1) 공에 적힌 수가 10 이하인 사건 (   )

> 풀이 한 개의 공을 꺼낼 때, 공에 적힌 수는 모두 10 이하이다. 즉, 반드시 일어나는 사건이므로 ______이다.

(2) 공에 적힌 수가 12인 사건 (   )

(3) 공에 적힌 수가 두 자리 수인 사건 (   )

풍쌤 POINT
① A가 근원사건 ➡ $n(A)=1$
② (전사건)=(표본공간) ③ (공사건)=$\varnothing$

유형 03 합사건, 곱사건, 여사건

03 다음을 구하여라.

(1) 한 개의 주사위를 던지는 시행에서 소수의 눈이 나오는 사건을 A, 짝수의 눈이 나오는 사건을 B라고 할 때

① $A\cup B$　　② $A\cap B$

③ A^C　　④ B^C

> 풀이 표본공간을 S라고 하면 $S=\{1, 2, 3, 4, 5, 6\}$,
> $A=\{2, 3, 5\}$, $B=\{2, 4, 6\}$
> ① $A\cup B=\{2, 3, 4, 5, 6\}$
> ② $A\cap B=$ ____
> ③ $A^C=$ ______
> ④ $B^C=$ ______

(2) 1부터 9까지의 자연수가 하나씩 적힌 9장의 카드 중 한 장의 카드를 뽑는 시행에서 홀수의 집합을 A, 3의 배수의 집합을 B라고 할 때

① $A\cup B$　　② $A\cap B$

③ A^C　　④ B^C

(3) 1부터 10까지의 자연수가 하나씩 적힌 10개의 공 중 한 개의 공을 뽑는 시행에서 8의 약수의 집합을 A, 4의 배수의 집합을 B라고 할 때

① $A\cup B$　　② $A\cap B$

③ A^C　　④ B^C

풍쌤 POINT

① $A\cup B$: A 또는 B가 일어나는 사건
② $A\cap B$: A와 B가 동시에 일어나는 사건
③ A^C: 사건 A가 일어나지 않는 사건

유형 04 배반사건

04 1부터 10까지의 자연수가 하나씩 적힌 10개의 공에서 한 개의 공을 꺼낼 때, 다음 두 사건 A, B가 서로 배반사건인지 아닌지 구하여라.

(1) A: 홀수가 적힌 공이 나오는 사건
B: 4의 배수가 적힌 공이 나오는 사건

> 풀이 $A=\{1, 3, 5, 7, 9\}$, $B=\{4, 8\}$에서 $A\cap B=\varnothing$
> 따라서 두 사건 A, B는 서로 ______이다.

(2) A: 짝수가 적힌 공이 나오는 사건
B: 7의 배수가 적힌 공이 나오는 사건

(3) A: 소수가 적힌 공이 나오는 사건
B: 2의 약수가 적힌 공이 나오는 사건

(4) A: 3의 배수가 적힌 공이 나오는 사건
B: 4 미만인 수가 적힌 공이 나오는 사건

(5) A: 6보다 큰 수가 적힌 공이 나오는 사건
B: 5의 약수가 적힌 공이 나오는 사건

풍쌤 POINT

두 사건 A, B가 서로 배반사건 ➡ $A\cap B=\varnothing$

확률의 뜻

1 수학적 확률

어떤 시행에서 표본공간 S의 각 근원사건이 일어날 가능성이 같을 때, 사건 A가 일어날 확률 $\mathrm{P}(A)$는

$$\mathrm{P}(A)=\frac{n(A)}{n(S)}=\frac{(\text{사건 }A\text{가 일어나는 경우의 수})}{(\text{일어날 수 있는 모든 경우의 수})}$$

2 통계적 확률

같은 시행을 n번 반복하여 사건 A가 일어날 횟수를 r_n이라 할 때, n이 한없이 커짐에 따라 상대도수 $\frac{r_n}{n}$이 일정한 값 p에 가까워지면 p를 사건 A의 통계적 확률이라고 한다.

› 기하학적 확률은 도형에서의 확률로 $\frac{(\text{일부분 영역의 크기})}{(\text{전체 영역의 크기})}$ 즉, $\frac{(\text{해당 길이})}{(\text{전체 길이})}$ 또는 $\frac{(\text{해당 넓이})}{(\text{전체 넓이})}$로 계산한다.

유형 05 수학적 확률

05 다음 확률을 구하여라.

(1) 한 개의 동전과 한 개의 주사위를 동시에 던질 때, 동전은 뒷면, 주사위는 6의 약수의 눈이 나올 확률

› 풀이 (ⅰ) 한 개의 동전과 한 개의 주사위를 동시에 던질 때, 일어날 수 있는 모든 경우의 수는 $2\times6=12$

(ⅱ) 동전은 뒷면, 주사위는 6의 약수의 눈이 나오는 경우는 (뒷, 1), (뒷, 2), (뒷, 3), (뒷, 6)으로 4가지

(ⅰ), (ⅱ)에서 구하는 확률은 ____

(2) 서로 다른 두 개의 주사위를 동시에 던질 때, 나오는 두 눈의 수의 합이 5일 확률

(3) 서로 다른 네 개의 동전을 동시에 던질 때, 모두 같은 면이 나올 확률

(4) 서로 다른 두 개의 주사위를 동시에 던질 때, 나오는 두 눈의 수의 차가 1 이하일 확률

(5) 서로 다른 두 개의 주사위를 동시에 던질 때, 나오는 두 눈의 수의 곱이 8의 배수일 확률

(6) 서로 다른 두 개의 동전과 한 개의 주사위를 동시에 던질 때, 동전은 서로 다른 면이 나오고 주사위는 소수의 눈이 나올 확률

풍쌤 POINT

$$(\text{확률})=\frac{(\text{해당 경우의 수})}{(\text{전체 경우의 수})}$$

유형·06 순열을 이용하는 확률

06 다음 확률을 구하여라.

(1) house의 5개의 문자를 일렬로 나열할 때, 모음이 이웃할 확률

> 풀이 (i) 5개의 문자를 일렬로 나열하는 모든 경우의 수는 $5!$
> (ii) 모음 o, u, e가 이웃하는 경우의 수는 모음 3개를 한 묶음으로 생각하여 나열한 후 모음끼리 자리를 바꾸는 경우의 수와 같으므로 $3!\times3!$
> (i), (ii)에서 구하는 확률은 $\frac{3!\times3!}{5!}=$ ____

(2) 남학생 2명, 여학생 4명이 한 줄로 설 때, 남학생 2명이 양 끝에 설 확률

(3) 부모를 포함한 가족 5명이 의자에 일렬로 나란히 앉을 때, 부모가 이웃하여 앉을 확률

(4) 서로 다른 소설책 4권과 과학책 3권을 책꽂이에 일렬로 꽂을 때, 소설책과 과학책을 번갈아 꽂을 확률

풍쌤 POINT

전체 경우의 수
➡ 서로 다른 n개를 순서를 생각하여 일렬로 나열하는 방법의 수
➡ $n!=n(n-1)(n-2)\cdots2\times1$

유형·07 원순열을 이용하는 확률

07 다음 확률을 구하여라.

(1) A, B, C, D, E, F의 6명이 원탁에 둘러앉을 때, A, B가 이웃하여 앉을 확률

> 풀이 (i) 6명이 원탁에 둘러앉는 모든 경우의 수는 $(6-1)!=5!$
> (ii) A, B가 이웃하여 앉는 경우의 수는 A, B를 한 묶음으로 생각하여 원탁에 앉힌 후 A, B가 서로 자리를 바꾸는 경우의 수와 같으므로 $(5-1)!\times2!=4!\times2!$
> (i), (ii)에서 구하는 확률은 $\frac{4!\times2!}{5!}=$ ____

(2) 여학생 3명, 남학생 2명이 원탁에 둘러앉을 때, 여학생끼리 이웃하여 앉을 확률

(3) 축구 선수 4명, 농구 선수 4명이 원탁에 둘러앉을 때, 축구 선수와 농구 선수가 번갈아 앉을 확률

(4) 오른쪽 그림과 같은 원 모양에 빨강, 노랑, 파랑, 검정, 주황, 하양의 6가지 색을 모두 한 번씩 칠할 때, 빨강과 주황을 이웃하여 칠할 확률

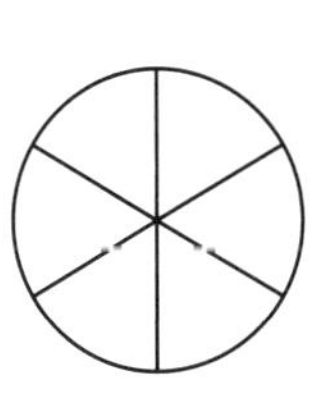

풍쌤 POINT

전체 경우의 수
➡ 서로 다른 n개를 원형으로 배열하는 경우의 수
➡ $(n-1)!$

유형·08 중복순열을 이용하는 확률

08 다음 확률을 구하여라.

(1) 3개의 숫자 1, 2, 3에서 중복을 허락하여 세 자리 정수를 만들 때, 200보다 큰 수일 확률

> 풀이 (i) 중복을 허락하여 만들 수 있는 모든 세 자리 수는
> $_3\Pi_3=$___
> (ii) 200보다 큰 세 자리 수는 2□□, 3□□이므로
> $_3\Pi_2\times2=$___
> (i), (ii)에서 구하는 확률은 ___

(2) 4개의 숫자 1, 2, 3, 4에서 중복을 허락하여 세 자리 정수를 만들 때, 300보다 작은 수일 확률

(3) 두 집합 $X=\{1, 2, 3\}$, $Y=\{a, b, c\}$에 대하여 X에서 Y로의 함수를 만들 때, 일대일함수일 확률

(4) 2명의 학생을 1반, 2반, 3반 중에서 임의로 각각 한 반에 배정할 때, 서로 다른 반에 배정될 확률

풍쌤 POINT

전체 경우의 수

➡ 서로 다른 n개에서 r개를 택하는 중복순열의 수

➡ $_n\Pi_r=n^r$

유형·09 같은 것이 있는 순열을 이용하는 확률

09 다음 확률을 구하여라.

(1) a, b, b, c, c를 일렬로 나열할 때, b가 양 끝에 올 확률

> 풀이 (i) a, b, b, c, c를 일렬로 나열하는 모든 경우의 수는
> $\frac{5!}{2!2!}=$___
> (ii) b가 양 끝에 오는 경우의 수는 양 끝에 b를 놓고 중간에 a, c, c를 일렬로 나열하면 되므로 $\frac{3!}{2!}=$___
> (i), (ii)에서 구하는 확률은 ___

(2) 5개의 숫자 1, 1, 2, 3, 3을 일렬로 나열할 때, 2가 맨 앞에 올 확률

(3) a, b, b, c, c, c를 일렬로 나열할 때, c가 모두 이웃할 확률

(4) tomato의 6개의 문자를 모두 일렬로 나열할 때, a가 m보다 앞에 올 확률

풍쌤 POINT

전체 경우의 수

➡ 같은 것이 있는 순열의 수

➡ $\frac{(\text{전체 개수})!}{(\text{같은 것의 개수})!}$

유형 · 10 조합을 이용하는 확률(1)

10 다음 확률을 구하여라.

(1) A, B, C, D, E, F 6명의 학생 중에서 대표 3명을 뽑을 때, A가 반드시 뽑힐 확률

> 풀이 (i) 6명의 학생 중에서 대표 3명을 뽑는 모든 경우의 수는 ${}_6C_3=$___
> (ii) A가 반드시 뽑혀야 하므로 A를 미리 뽑아 놓고 나머지 5명 중 대표 2명을 뽑는 경우의 수는 ${}_5C_2=$___
> (i), (ii)에서 구하는 확률은 ___

(2) 흰 공 2개, 검은 공 6개가 들어 있는 주머니에서 4개의 공을 꺼낼 때, 흰 공 1개, 검은 공 3개가 나올 확률

(3) 여학생 5명, 남학생 3명 중에서 계주 선수 4명을 뽑을 때, 여학생 수와 남학생 수가 같을 확률

(4) 1부터 9까지의 자연수가 하나씩 적힌 9개의 공이 들어 있는 주머니에서 4개의 공을 꺼낼 때, 4개 모두 홀수일 확률

풍쌤 POINT
학생 또는 공을 뽑을 때 순서를 생각하지 않는 경우는 조합을 이용한다.

유형 · 11 조합을 이용하는 확률(2)

11 다음 확률을 구하여라.

(1) 8개의 제비 중에서 당첨 제비가 5개 있다. 이 중에서 3개의 제비를 뽑을 때, 당첨 제비가 2개 뽑힐 확률

> 풀이 (i) 8개의 제비 중에서 3개의 제비를 뽑는 모든 경우의 수는 ${}_8C_3=$___
> (ii) 당첨 제비가 아닌 제비는 3개 있으므로 당첨 제비가 2개 뽑힐 경우의 수는 ${}_5C_2\times{}_3C_1=$___
> (i), (ii)에서 구하는 확률은 ___

(2) 흰 공 3개, 검은 공 4개가 들어 있는 주머니에서 3개의 공을 꺼낼 때, 검은 공이 적어도 1개 뽑힐 확률

(3) 10개의 제비 중에서 당첨 제비가 7개 있다. 이 중에서 4개의 제비를 뽑을 때, 3개만 당첨될 확률

(4) 여학생 4명, 남학생 5명 중에서 대표 4명을 뽑을 때, 여학생이 적어도 1명 뽑힐 확률

풍쌤 POINT
전체 경우의 수
➡ 서로 다른 n개에서 r개를 순서에 상관없이 뽑는 조합의 수
➡ ${}_nC_r=\frac{{}_nP_r}{r!}$

유형 12 통계적 확률(1)

12 다음 확률을 구하여라.

(1) 어느 야구 선수가 타석에 100번 섰을 때, 홈런을 12개 쳤다고 한다. 이 선수가 타석에 한 번 설 때, 홈런을 치지 못할 확률

> 풀이 타석에 100번 섰을 때, 홈런을 치지 못한 횟수는 $100-12=$___이므로 구하는 확률은 ___

(2) 상자에서 구슬을 한 개씩 500번 꺼냈을 때, 흰 구슬은 100개였다. 이 상자에서 구슬을 한 개 꺼낼 때, 흰 구슬을 꺼낼 확률

(3) 어느 자동차 공장에서 생산한 자동차 1000대 중에서 불량품은 2대였다. 이 공장에서 생산한 자동차가 정상품일 확률

(4) 어느 농구 선수가 슛을 100번 던졌을 때, 2점슛은 45개, 3점슛은 15개 성공하였다. 이 선수가 슛을 한 번 던질 때, 2점슛 또는 3점슛을 넣을 확률

풍쌤 POINT

사건 A가 n번 중에서 r번 일어날 때, 사건 A가 일어날 확률
➡ $\frac{r}{n}$

유형 13 통계적 확률(2)

13 주머니 속에 흰 공, 파란 공, 검은 공이 합하여 7개 들어 있다. 이 주머니에서 공을 2개씩 꺼내어 색을 확인하고 다시 주머니에 넣는 시행을 반복하였을 때, 다음을 구하여라.

(1) 7번에 1번 꼴로 2개 모두 흰 공이 나왔을 때, 흰 공의 개수

> 풀이 흰 공이 n개 들어 있다고 하면 2개 모두 흰 공이 나올 확률은 $\frac{{}_nC_2}{{}_7C_2}$이므로 $\frac{{}_nC_2}{{}_7C_2}=\frac{1}{7}$, ${}_nC_2=\frac{1}{7}\times{}_7C_2$
> ________ $=\frac{1}{7}\times\frac{7\times6}{2}$
> $\therefore n=$___

(2) 21번에 1번 꼴로 2개 모두 파란 공이 나왔을 때, 파란 공의 개수

14 상자 안에 당첨 제비와 당첨 제비가 아닌 것이 합하여 8개 들어 있다. 이 상자에서 제비를 2개씩 꺼내어 확인하고 다시 상자에 넣는 시행을 반복하였을 때, 다음을 구하여라.

(1) 14번에 5번 꼴로 2개 모두 당첨 제비가 나왔을 때, 당첨 제비의 개수

(2) 28번에 3번 꼴로 2개 모두 당첨 제비가 아닌 제비가 나왔을 때, 당첨 제비가 아닌 제비의 개수

정답과 풀이 022쪽

유형 14 기하학적 확률(1)

15 다음 확률을 구하여라.

(1) 오른쪽 그림과 같이 반지름의 길이가 4인 원 안의 임의의 점 P를 택할 때, $\overline{\mathrm{OP}} \geq 2$일 확률

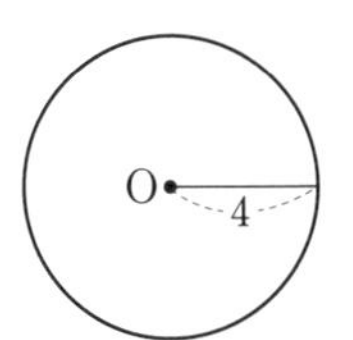

> **풀이** 전체 경우는 반지름의 길이가 4인 원 전체이고, $\overline{\mathrm{OP}} \geq 2$인 경우는 오른쪽 그림의 색칠한 부분이므로

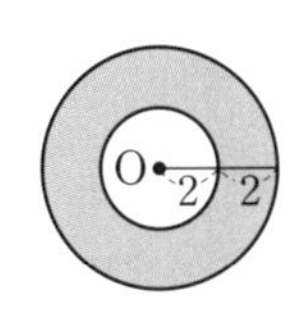

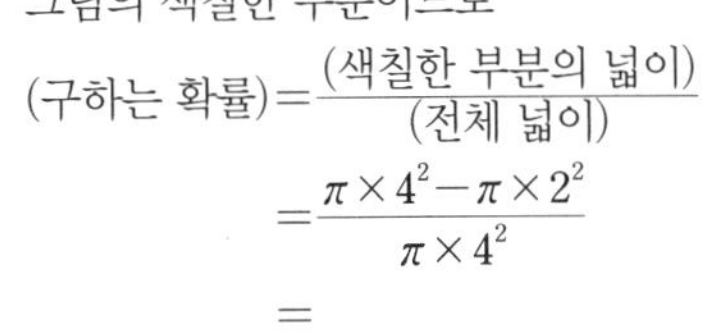

$$(\text{구하는 확률}) = \frac{(\text{색칠한 부분의 넓이})}{(\text{전체 넓이})} = \frac{\pi \times 4^2 - \pi \times 2^2}{\pi \times 4^2} = \_\_\_$$

(2) 오른쪽 그림과 같은 과녁에 활을 쏠 때, 색칠한 부분에 맞힐 확률 (단, 활은 과녁에 벗어나지 않고, 경계선에 맞지 않는다.)

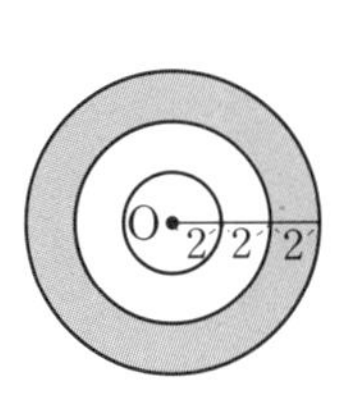

(3) 오른쪽 그림과 같이 반지름의 길이가 8인 원 안의 임의의 점 P를 택할 때, $4 \leq \overline{\mathrm{OP}} \leq 6$일 확률

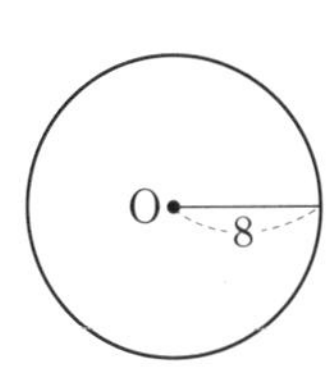

유형 15 기하학적 확률(2)

16 다음 확률을 구하여라.

(1) $-1 \leq a \leq 5$일 때, 이차방정식 $x^2+2ax+3a=0$이 실근을 가질 확률

> **풀이** 이차방정식 $x^2+2ax+3a=0$이 실근을 가질 조건은
> $\frac{D}{4}=a^2-3a \geq 0$, $a(a-3) \geq 0$ $\quad \therefore a \leq 0$ 또는 $a \geq 3$

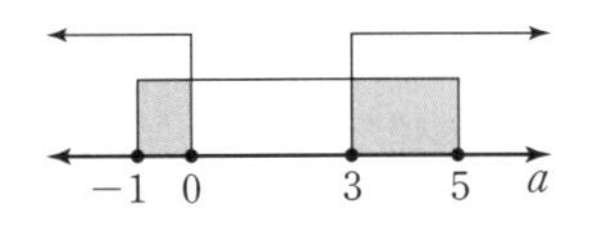

따라서 전체 구간의 길이는 $5-(-1)=6$이고 색칠한 부분의 길이는 $\{0-(-1)\}+(5-3)=3$이므로 구하는 확률은 ___

(2) $2 \leq a \leq 8$일 때, 이차방정식 $x^2-ax+a=0$이 실근을 가질 확률

(3) $-4 \leq a \leq 4$일 때, 이차방정식 $x^2+2ax+4=0$이 양의 실근을 가질 확률

풍쌤 POINT

길이, 넓이, 부피 등 연속적으로 변하여 그 개수를 구할 수 없을 때는 길이, 넓이, 부피 등의 비율이 확률이 된다.

확률의 덧셈정리

1 확률의 기본 성질

① 임의의 사건 A에 대하여 $0\le \mathrm{P}(A)\le 1$

② 전사건 S에 대하여 $\mathrm{P}(S)=1$

③ 공사건 $\varnothing$에 대하여 $\mathrm{P}(\varnothing)=0$

2 확률의 덧셈정리

① 두 사건 A, B에 대하여 $\mathrm{P}(A\cup B)=\mathrm{P}(A)+\mathrm{P}(B)-\mathrm{P}(A\cap B)$

② 두 사건 A, B가 배반사건, 즉 $A\cap B=\varnothing$이면

$$\mathrm{P}(A\cup B)=\mathrm{P}(A)+\mathrm{P}(B)$$

› 표본공간 S의 임의의 사건 A에 대하여 $\varnothing\subset A\subset S$이므로
$0\le n(A)\le n(S)$
$0\le \dfrac{n(A)}{n(S)}\le 1$
$\therefore 0\le \mathrm{P}(A)\le 1$

› 두 사건 A, B가 서로 배반사건이면 $A\cap B=\varnothing$이므로
$\mathrm{P}(A\cap B)=0$

유형 16 확률의 기본 성질

17 다음을 구하여라.

(1) 한 개의 주사위를 던지는 시행에서

① 6보다 큰 수의 눈이 나올 확률

› 풀이 주사위를 던질 때, 6보다 큰 수의 눈이 나오는 사건은 공사건이므로 구하는 확률은 ___

② 한 자리 수의 눈이 나올 확률

(2) 노란 공 3개, 파란 공 2개가 들어 있는 주머니에서 한 개의 공을 꺼낼 때

① 노란 공이나 파란 공이 나올 확률

② 빨간 공이 나올 확률

풍쌤 POINT

전사건 S, 공사건 $\varnothing$에 대하여 $\mathrm{P}(S)=1$, $\mathrm{P}(\varnothing)=0$

18 1부터 10까지의 자연수가 하나씩 적힌 10개의 공에서 임의로 한 개의 공을 꺼낼 때, 다음 확률을 구하여라.

(1) 짝수가 적힌 공을 꺼낼 확률

› 풀이 1부터 10까지의 자연수 중에서 짝수는 5개이므로 구하는 확률은 ___

(2) 홀수가 적힌 공을 꺼낼 확률

(3) 짝수 또는 홀수가 적힌 공을 꺼낼 확률

(4) 짝수이면서 홀수인 수가 적힌 공을 꺼낼 확률

유형 17 확률의 덧셈정리

19 표본공간 S의 두 사건 A, B에 대하여 다음을 구하여라.

(1) $S=A\cup B$, $\mathrm{P}(A)=\frac{2}{5}$, $\mathrm{P}(A\cap B)=\frac{1}{10}$일 때, $\mathrm{P}(B)$의 값

> 풀이 $\mathrm{P}(S)=\mathrm{P}(A\cup B)=1$이므로
> $\mathrm{P}(A\cup B)=\mathrm{P}(A)+\mathrm{P}(B)-\mathrm{P}(A\cap B)$에서
> $\mathrm{P}(B)=\mathrm{P}(A\cup B)-\mathrm{P}(A)+\mathrm{P}(A\cap B)$
> $=1-\frac{2}{5}+\frac{1}{10}$
> $=$____

(2) $\mathrm{P}(A)=\frac{1}{2}$, $\mathrm{P}(B)=\frac{1}{3}$, $\mathrm{P}(A\cap B)=\frac{1}{6}$일 때, $\mathrm{P}(A\cup B)$의 값

(3) $\mathrm{P}(B)=\frac{3}{10}$, $\mathrm{P}(A\cap B)=\frac{1}{5}$, $\mathrm{P}(A\cup B)=\frac{7}{10}$일 때, $\mathrm{P}(A)$의 값

(4) $S=A\cup B$, $\mathrm{P}(A)=\frac{7}{10}$, $\mathrm{P}(A\cap B)=\frac{1}{5}$일 때, $\mathrm{P}(B)$의 값

풍쌤 POINT
두 사건 A, B에 대하여 $S=A\cup B$이면 $\mathrm{P}(A\cup B)=1$
즉, $\mathrm{P}(A)+\mathrm{P}(B)-\mathrm{P}(A\cap B)=1$

유형 18 확률의 덧셈정리—배반사건이 아닌 경우

20 1부터 15까지의 자연수가 하나씩 적힌 15장의 카드 중에서 한 장의 카드를 꺼낼 때, 다음을 구하여라.

(1) 2의 배수 또는 3의 배수가 적힌 카드가 나올 확률

> 풀이 2의 배수가 적힌 카드가 나오는 사건을 A, 3의 배수가 적힌 카드가 나오는 사건을 B라고 하면
> $A=\{2, 4, 6, 8, 10, 12, 14\}$, $B=\{3, 6, 9, 12, 15\}$,
> $A\cap B=\{6, 12\}$
> 따라서 $n(A)=7$, $n(B)=5$, $n(A\cap B)=2$이므로
> $\mathrm{P}(A\cup B)=\mathrm{P}(A)+\mathrm{P}(B)-\mathrm{P}(A\cap B)$
> $=\frac{7}{15}+\frac{5}{15}-\frac{2}{15}$
> $=$____

(2) 3의 배수 또는 4의 배수가 적힌 카드가 나올 확률

(3) 5의 배수이거나 두 자리 수가 적힌 카드가 나올 확률

(4) 4의 약수이거나 10의 약수가 적힌 카드가 나올 확률

풍쌤 POINT
두 사건 A, B에 대하여
$\mathrm{P}(A\cup B)=\mathrm{P}(A)+\mathrm{P}(B)-\mathrm{P}(A\cap B)$

유형 · 19 확률의 덧셈정리 – 배반사건인 경우

21 서로 다른 두 개의 주사위를 동시에 던질 때, 다음을 구하여라.

(1) 두 주사위의 눈의 수의 합이 8이거나 차가 4일 확률

> 풀이 눈의 수의 합이 8인 사건을 A, 눈의 수의 차가 4인 사건을 B라고 하면
> $A=\{(2, 6), (3, 5), (4, 4), (5, 3), (6, 2)\}$
> $B=\{(1, 5), (2, 6), (5, 1), (6, 2)\}$
> $A\cap B=\{(2, 6), (6, 2)\}$
> 따라서 $n(A)=5$, $n(B)=4$, $n(A\cap B)=2$이므로
> $\mathrm{P}(A\cup B)=\mathrm{P}(A)+\mathrm{P}(B)-\mathrm{P}(A\cap B)$
> $=\frac{5}{36}+\frac{4}{36}-\frac{2}{36}$
> $=$ ____

(2) 두 주사위의 눈의 수의 합이 5이거나 곱이 4일 확률

(3) 두 주사위의 눈의 수가 같거나 합이 10일 확률

(4) 두 주사위의 눈의 수의 합이 10 이상이거나 차가 0일 확률

풍쌤 POINT
두 사건 A, B에 대하여 $A\cap B\neq\varnothing$이면
$\mathrm{P}(A\cup B)=\mathrm{P}(A)+\mathrm{P}(B)-\mathrm{P}(A\cap B)$

22 다음을 구하여라.

(1) 500원짜리 동전 2개, 100원짜리 동전 5개가 들어 있는 주머니에서 두 개의 동전을 동시에 꺼낼 때, 2개 모두 같은 금액의 동전이 나올 확률

> 풀이 모두 500원짜리 동전이 나오는 사건을 A, 모두 100원짜리 동전이 나오는 사건을 B라고 하면
> $\mathrm{P}(A)=\frac{{}_2\mathrm{C}_2}{{}_7\mathrm{C}_2}=\frac{1}{21}$, $\mathrm{P}(B)=\frac{{}_5\mathrm{C}_2}{{}_7\mathrm{C}_2}=\frac{10}{21}$
> 이때 두 사건 A, B는 배반사건이므로 구하는 확률은
> $\mathrm{P}(A\cup B)=\mathrm{P}(A)+\mathrm{P}(B)=$ ____

(2) 노란 공 4개, 붉은 공 3개가 들어 있는 주머니에서 세 개의 공을 동시에 꺼낼 때, 3개 모두 같은 색의 공이 나올 확률

(3) today의 5개의 문자를 일렬로 나열할 때, d가 맨 앞에 오거나 y가 맨 앞에 올 확률

(4) 사과 3개, 배 2개, 감 4개 중에서 두 개의 과일을 살 때, 모두 같은 과일을 살 확률

풍쌤 POINT
두 사건 A, B에 대하여 $A\cap B=\varnothing$이면
$\mathrm{P}(A\cup B)=\mathrm{P}(A)+\mathrm{P}(B)$

여사건의 확률

1 여사건의 확률

임의의 사건 A와 그 여사건 A^C에 대하여 $\mathrm{P}(A^C)=1-\mathrm{P}(A)$

참고 사건 A와 그 여사건 A^C은 서로 배반사건이므로 확률의 덧셈정리에 의하여
$\mathrm{P}(A\cup A^C)=\mathrm{P}(A)+\mathrm{P}(A^C)$
이때 $\mathrm{P}(A\cup A^C)=1$이므로 $\mathrm{P}(A^C)=1-\mathrm{P}(A)$

보기 사건 A의 확률이 $\frac{3}{8}$이면
사건 A^C의 확률은
$1-\frac{3}{8}=\frac{5}{8}$이다.

정답과 풀이 024쪽

유형 20 여사건의 확률 — '아닌'을 포함

23 1부터 40까지의 자연수가 하나씩 적힌 40장의 카드에서 임의로 한 장의 카드를 뽑을 때, 다음 확률을 구하여라.

(1) 카드에 적힌 수가 4의 배수가 아닐 확률

> 풀이 카드에 적힌 수가 4의 배수인 사건을 A라고 하면
> $A=\{4, 8, 12, \cdots, 40\}$
> $n(A)=10$이므로 $\mathrm{P}(A)=\frac{10}{40}=\frac{1}{4}$
> 따라서 구하는 확률은
> $\mathrm{P}(A^C)=1-\mathrm{P}(A)=$ ____

(2) 카드에 적힌 수가 40의 약수가 아닐 확률

(3) 카드에 적힌 수가 소수가 아닐 확률

풍쌤 POINT
~일 사건이 A이면 ~이 아닐 사건은 A^C이고
$\mathrm{P}(A^C)=1-\mathrm{P}(A)$

유형 21 여사건의 확률 — '이상, 이하'를 포함

24 서로 다른 두 개의 주사위를 동시에 던질 때, 다음 확률을 구하여라.

(1) 두 눈의 수의 합이 4 이상일 확률

> 풀이 두 눈의 수의 합이 2 또는 3인 사건을 A라고 하면
> $A=\{(1, 1), (1, 2), (2, 1)\}$
> $n(A)=3$이므로 $\mathrm{P}(A)=\frac{3}{36}=\frac{1}{12}$
> 따라서 구하는 확률은
> $\mathrm{P}(A^C)=1-\mathrm{P}(A)=$ ____

(2) 두 눈의 수의 곱이 20 이하일 확률

(3) 두 눈의 수의 차가 3 이하일 확률

풍쌤 POINT
'~ 이상' 또는 '~ 이하'의 조건을 만족시키는 경우가 많을 때는 여사건의 경우를 생각한다.

유형·22 여사건의 확률 – '적어도'를 포함

25 다음 확률을 구하여라.

(1) 빨간 구슬 3개를 포함하여 9개의 구슬이 들어 있는 상자에서 3개의 구슬을 동시에 꺼낼 때, 적어도 한 개가 빨간 구슬일 확률

> 풀이 적어도 한 개가 빨간 구슬인 사건을 A라고 하면 A^C은 3개 모두 빨간 구슬이 아닌 사건이다.
> $\mathrm{P}(A^C)=\frac{{}_6\mathrm{C}_3}{{}_9\mathrm{C}_3}=\frac{20}{84}=\frac{5}{21}$
> 따라서 구하는 확률은
> $\mathrm{P}(A)=1-\mathrm{P}(A^C)=$ ____

(2) 8개의 제비 중 5개의 당첨 제비가 들어 있는 상자에서 3개의 제비를 동시에 꺼낼 때, 적어도 한 개가 당첨 제비일 확률

(3) house의 5개의 문자를 일렬로 나열할 때, 적어도 한쪽 끝에 모음이 놓일 확률

(4) 흰 공 5개, 파란 공 4개가 들어 있는 상자에서 4개의 공을 동시에 꺼낼 때, 파란 공을 적어도 2개 꺼낼 확률

풍쌤 POINT

'적어도'를 포함하는 사건의 확률은 여사건의 확률을 이용한다.

유형·23 여사건의 확률(1)

26 다음을 구하여라.

(1) 서로 다른 두 개의 주사위를 동시에 던질 때, 두 눈의 수의 곱이 짝수일 확률

> 풀이 두 눈의 수의 곱이 짝수인 사건을 A라고 하면 A^C은 두 눈의 수의 곱이 홀수인 사건이다.
> 두 눈의 수의 곱이 홀수일 확률은 두 눈의 수가 모두 홀수일 확률과 같으므로
> $\mathrm{P}(A^C)=\frac{9}{36}=\frac{1}{4}$
> 따라서 구하는 확률은
> $\mathrm{P}(A)=1-\mathrm{P}(A^C)=$ ____

(2) 1부터 8까지의 자연수가 하나씩 적힌 8장의 카드에서 2장의 카드를 뽑을 때, 카드에 적힌 두 수의 곱이 짝수일 확률

(3) 서로 다른 세 개의 주사위를 동시에 던질 때, 세 눈의 수의 곱이 짝수일 확률

(4) 1부터 10까지의 자연수가 하나씩 적힌 10장의 카드에서 3장의 카드를 뽑을 때, 카드에 적힌 세 수의 곱이 짝수일 확률

풍쌤 POINT

(짝수)×(짝수)=(짝수)
(짝수)×(홀수)=(짝수) ― 곱이 짝수
(홀수)×(짝수)=(짝수)
(홀수)×(홀수)=(홀수) ― 곱이 홀수

유형 24 여사건의 확률(2)

27 표본공간 S의 두 사건 A, B에 대하여 다음을 구하여라.

(1) $\mathrm{P}(A)=0.3$, $\mathrm{P}(B)=0.4$, $\mathrm{P}(A\cap B)=0.1$일 때

① $\mathrm{P}(A^C)$

② $\mathrm{P}(A^C\cap B^C)$

> 풀이 ① $\mathrm{P}(A^C)=1-\mathrm{P}(A)=$___
>
> ② $\mathrm{P}(A\cup B)=0.3+0.4-0.1=0.6$이므로
>
> $\mathrm{P}(A^C\cap B^C)=\mathrm{P}((A\cup B)^C)$
>
> $=1-\mathrm{P}(A\cup B)=$___

(2) $\mathrm{P}(A)=0.2$, $\mathrm{P}(B)=0.6$, $\mathrm{P}(A\cap B)=0.1$일 때

① $\mathrm{P}(B^C)$

② $\mathrm{P}(A^C\cap B^C)$

(3) $\mathrm{P}(A^C)=0.5$, $\mathrm{P}(B)=0.3$, $\mathrm{P}(A\cap B)=0.2$일 때

① $\mathrm{P}(A)$

② $\mathrm{P}(A^C\cap B^C)$

(4) $\mathrm{P}(A)=0.6$, $\mathrm{P}(B^C)=0.4$, $\mathrm{P}(A\cap B)=0.3$일 때

① $\mathrm{P}(B)$

② $\mathrm{P}(A^C\cap B^C)$

풍쌤 POINT

$\mathrm{P}(A^C\cap B^C)=\mathrm{P}((A\cup B)^C)=1-\mathrm{P}(A\cup B)$

28 1부터 30까지의 자연수가 하나씩 적힌 30장의 카드 중에서 한 장의 카드를 꺼낼 때, 다음 확률을 구하여라.

(1) 카드에 적힌 수가 4의 배수도 6의 배수도 아닐 확률

> 풀이 카드에 적힌 수가 4의 배수인 사건을 A, 6의 배수인 사건을 B라고 하면 카드에 적힌 수가 4의 배수도 6의 배수도 아닐 확률은
>
> $\mathrm{P}(A^C\cap B^C)=\mathrm{P}((A\cup B)^C)=1-\mathrm{P}(A\cup B)$
>
> 이때 $\mathrm{P}(A)=\frac{7}{30}$, $\mathrm{P}(B)=\frac{5}{30}$, $\mathrm{P}(A\cap B)=\frac{2}{30}$
>
> 이므로
>
> $\mathrm{P}(A\cup B)=\mathrm{P}(A)+\mathrm{P}(B)-\mathrm{P}(A\cap B)$
>
> $=\frac{7}{30}+\frac{5}{30}-\frac{2}{30}=\frac{1}{3}$
>
> 따라서 구하는 확률은
>
> $\mathrm{P}(A^C\cap B^C)=1-\mathrm{P}(A\cup B)=$___

(2) 카드에 적힌 수가 3의 배수도 5의 배수도 아닐 확률

(3) 카드에 적힌 수가 짝수도 7의 배수도 아닐 확률

(4) 카드에 적힌 수가 홀수도 18의 약수도 아닐 확률

·중단원 점검문제·

01

한 개의 주사위를 던지는 시행에서 홀수의 눈이 나오는 사건을 A, 4의 배수의 눈이 나오는 사건을 B라고 할 때, 나음을 구하여라.

(1) $A \cup B$
(2) $A^C \cap B^C$

02

1부터 9까지의 수가 하나씩 적힌 9개의 공에서 한 개의 공을 꺼낼 때, 홀수가 나오는 사건을 A, 6의 약수가 나오는 사건을 B, 5의 배수가 나오는 사건을 C라고 하자. 이때 A, B, C 중 서로 배반사건인 두 사건을 구하여라.

03

서로 다른 두 개의 주사위를 동시에 던질 때, 나오는 두 눈의 수의 곱이 8의 배수일 확률을 구하여라.

04

A, B, C, D, E, F의 6명이 일렬로 설 때, C가 맨 앞에 서고 D가 맨 뒤에 설 확률을 구하여라.

05

1, 2, 3, 4의 4개의 숫자를 한 번씩 사용하여 만들 수 있는 네 자리 수 중에서 임의로 1개를 택할 때, 3400보다 클 확률을 구하여라.

06

3쌍의 부부가 원탁에 둘러앉을 때, 부부끼리 이웃하여 앉을 확률을 구하여라.

07

3통의 편지를 4개의 우체통 중에서 임의로 한 개를 택하여 넣을 때, 서로 다른 우체통에 넣을 확률을 구하여라.

08

빨간 공 3개, 노란 공 2개, 흰 공 1개를 일렬로 나열할 때, 흰 공이 맨 앞에 올 확률을 구하여라.

09

그림과 같은 도로망이 있다. A에서 B로 최단 경로로 갈 때, P를 거쳐서 갈 확률을 구하여라.

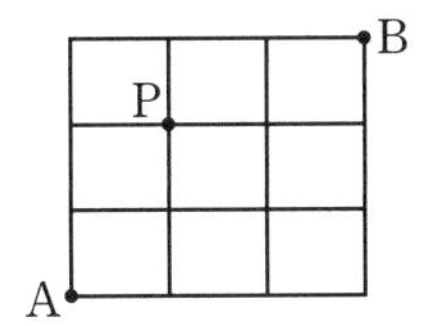

10

표본공간을 S, 공사건을 $\varnothing$이라고 할 때, 임의의 두 사건 A, B에 대하여 보기에서 옳은 것만을 있는 대로 골라라.

보기
ㄱ. $0<\mathrm{P}(A)<1$
ㄴ. $\mathrm{P}(A)+\mathrm{P}(B)=\mathrm{P}(S)$
ㄷ. $\mathrm{P}(S)+\mathrm{P}(\varnothing)=1$

11

두 개의 주사위를 동시에 던질 때, 두 눈의 수의 합이 8이거나 곱이 12일 확률을 구하여라.

12

사과 3개, 배 4개가 들어 있는 상자에서 두 개의 과일을 동시에 꺼낼 때, 두 개 모두 같은 과일일 확률을 구하여라.

13

희라, 철규를 포함한 다섯 명의 학생을 일렬로 세울 때, 희라와 철규가 이웃하지 않을 확률을 구하여라.

14

서로 다른 네 개의 동전을 동시에 던질 때, 뒷면이 적어도 1개 나올 확률을 구하여라.

15

표본공간 S의 두 사건 A, B에 대하여 $\mathrm{P}(A)=\frac{1}{2}$, $\mathrm{P}(B)=\frac{1}{4}$, $\mathrm{P}(A\cap B)=\frac{1}{6}$일 때, $\mathrm{P}(A^C\cap B^C)$을 구하여라.

16

1부터 40까지의 자연수가 하나씩 적힌 40장의 카드 중에서 한 장의 카드를 꺼낼 때, 카드에 적힌 수가 홀수도 5의 배수도 아닐 확률을 구하여라.

조건부확률

1 조건부확률

확률이 0이 아닌 사건 A에 대하여 사건 A가 일어났을 때, 사건 B가 일어날 확률을 사건 A가 일어났을 때의 사건 B의 조건부확률이라 하고 $\mathrm{P}(B|A)$로 나타낸다.

$$\mathrm{P}(B|A)=\frac{\mathrm{P}(A\cap B)}{\mathrm{P}(A)} \text{ (단, } \mathrm{P}(A)>0)$$

$$\mathrm{P}(B|A)=\frac{n(A\cap B)}{n(A)}=\frac{\frac{n(A\cap B)}{n(S)}}{\frac{n(A)}{n(S)}}=\frac{\mathrm{P}(A\cap B)}{\mathrm{P}(A)}$$

유형 01 조건부확률의 계산(1)

01 다음을 구하여라.

(1) 두 사건 A, B에 대하여 $\mathrm{P}(A)=\frac{1}{3}$, $\mathrm{P}(B)=\frac{1}{2}$, $\mathrm{P}(A\cap B)=\frac{2}{9}$일 때, $\mathrm{P}(B|A)$와 $\mathrm{P}(A|B)$

풀이 $\mathrm{P}(B|A)=\frac{\mathrm{P}(A\cap B)}{\mathrm{P}(A)}=$ ___

$\mathrm{P}(A|B)=\frac{\mathrm{P}(A\cap B)}{\mathrm{P}(B)}=$ ___

(2) 두 사건 A, B에 대하여 $\mathrm{P}(A)=\frac{3}{4}$, $\mathrm{P}(B)=\frac{5}{8}$, $\mathrm{P}(A\cap B)=\frac{1}{2}$일 때, $\mathrm{P}(B|A)$와 $\mathrm{P}(A|B)$

(3) 두 사건 A, B에 대하여 $\mathrm{P}(A)=\frac{4}{5}$, $\mathrm{P}(B)=\frac{2}{3}$, $\mathrm{P}(A\cap B)=\frac{1}{3}$일 때, $\mathrm{P}(B|A)$와 $\mathrm{P}(A|B)$

풍쌤 POINT

$\mathrm{P}(B|A)=\frac{\mathrm{P}(A\cap B)}{\mathrm{P}(A)}$, $\mathrm{P}(A|B)=\frac{\mathrm{P}(A\cap B)}{\mathrm{P}(B)}$

유형 02 조건부확률의 계산(2)

02 다음을 구하여라.

(1) 두 사건 A, B에 대하여 $\mathrm{P}(A)=0.8$, $\mathrm{P}(B)=0.6$, $\mathrm{P}(B|A)=0.5$일 때, $\mathrm{P}(A|B)$

풀이 $\mathrm{P}(B|A)=\frac{\mathrm{P}(A\cap B)}{\mathrm{P}(A)}$에서

$\mathrm{P}(A\cap B)=\mathrm{P}(B|A)\mathrm{P}(A)=0.5\times0.8=0.4$

$\therefore \mathrm{P}(A|B)=\frac{\mathrm{P}(A\cap B)}{\mathrm{P}(B)}=$ ___

(2) 두 사건 A, B에 대하여 $\mathrm{P}(A)=0.5$, $\mathrm{P}(B)=0.7$, $\mathrm{P}(B|A)=0.4$일 때, $\mathrm{P}(A|B)$

(3) 두 사건 A, B에 대하여 $\mathrm{P}(A)=0.7$, $\mathrm{P}(B)=0.6$, $\mathrm{P}(A|B)=0.5$일 때, $\mathrm{P}(B|A)$

풍쌤 POINT

$\mathrm{P}(A)$, $\mathrm{P}(B)$, $\mathrm{P}(B|A)$의 값이 주어지면 $\mathrm{P}(A\cap B)$를 구할 수 있다.

유형 03 조건부확률의 계산(3)

03 다음을 구하여라.

(1) 두 사건 A, B는 서로 배반이고 $\mathrm{P}(A)=0.4$, $\mathrm{P}(B)=0.5$일 때, $\mathrm{P}(B|A^C)$와 $\mathrm{P}(A|B^C)$

> 풀이 두 사건 A, B가 배반사건이므로 $\mathrm{P}(A\cap B)=0$
>
> $\mathrm{P}(B|A^C)=\dfrac{\mathrm{P}(B\cap A^C)}{\mathrm{P}(A^C)}$
>
> $=\dfrac{\mathrm{P}(B)-\mathrm{P}(A\cap B)}{1-\mathrm{P}(A)}=$ ____
>
> $\mathrm{P}(A|B^C)=\dfrac{\mathrm{P}(A\cap B^C)}{\mathrm{P}(B^C)}$
>
> $=\dfrac{\mathrm{P}(A)-\mathrm{P}(A\cap B)}{1-\mathrm{P}(B)}=$ ____

(2) 두 사건 A, B는 서로 배반이고 $\mathrm{P}(A)=0.6$, $\mathrm{P}(B)=0.3$일 때, $\mathrm{P}(B|A^C)$와 $\mathrm{P}(A|B^C)$

(3) 두 사건 A, B는 서로 배반이고 $\mathrm{P}(A)=0.7$, $\mathrm{P}(B)=0.2$일 때, $\mathrm{P}(B|A^C)$와 $\mathrm{P}(A|B^C)$

(4) 두 사건 A, B는 서로 배반이고 $\mathrm{P}(A)=0.3$, $\mathrm{P}(B)=0.4$일 때, $\mathrm{P}(B|A^C)$와 $\mathrm{P}(A|B^C)$

풍쌤 POINT

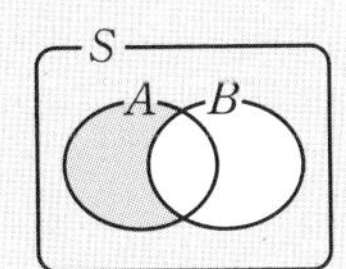

$\mathrm{P}(A\cap B^C)=\mathrm{P}(A)-\mathrm{P}(A\cap B)$

유형 04 조건부확률(1)

04 다음을 구하여라.

(1) 한 개의 주사위를 던져서 소수의 눈이 나왔을 때, 짝수일 확률

> 풀이 소수의 눈이 나오는 사건을 A, 짝수의 눈이 나오는 사건을 B라고 하면 구하는 확률은 $\mathrm{P}(B|A)$이다.
>
> $A=\{2, 3, 5\}$, $B=\{2, 4, 6\}$, $A\cap B=\{2\}$에서
>
> $\mathrm{P}(A)=\dfrac{3}{6}=\dfrac{1}{2}$, $\mathrm{P}(A\cap B)=\dfrac{1}{6}$이므로
>
> $\mathrm{P}(B|A)=\dfrac{\mathrm{P}(A\cap B)}{\mathrm{P}(A)}=$ ____

(2) 한 개의 주사위를 던져서 홀수의 눈이 나왔을 때, 6의 약수일 확률

(3) 서로 다른 두 개의 주사위를 동시에 던져서 눈의 수가 같은 것이 나왔을 때, 두 눈의 수의 합이 10일 확률

(4) 500원짜리 동전 1개, 100원짜리 동전 1개, 50원짜리 동전 1개를 동시에 던져서 뒷면이 1개 나왔을 때, 50원짜리 동전일 확률

풍쌤 POINT

$\mathrm{P}(B|A)$

➡ A라는 조건 하에 B의 확률

➡ A 안에서의 $A\cap B$의 비율

유형·05 조건부확률(2)

05 다음 표는 가, 나 두 장난감 공장의 정상품과 불량품 수를 조사한 것이다. 다음을 구하여라.

(단위: 개)

	가	나	합계
정상품	36	44	80
불량품	4	16	20
합계	40	60	100

(1) 100개의 장난감 중 임의로 뽑은 한 개의 장난감이 가 회사의 제품일 때, 정상품일 확률

> 풀이 임의로 뽑은 한 개의 장난감이 가 회사의 제품인 사건을 A, 정상품인 사건을 B라고 하면 구하는 확률은 $\mathrm{P}(B|A)$이다.
> 이때 $\mathrm{P}(A)=\frac{40}{100}$, $\mathrm{P}(A\cap B)=\frac{36}{100}$이므로
> $\mathrm{P}(B|A)=\frac{\mathrm{P}(A\cap B)}{\mathrm{P}(A)}=$ ____

(2) 100개의 장난감 중 임의로 뽑은 한 개의 장난감이 나 회사의 제품일 때, 불량품일 확률

(3) 100개의 장난감 중 임의로 뽑은 한 개의 장난감이 불량품일 때, 가 회사의 제품일 확률

(4) 100개의 장난감 중 임의로 뽑은 한 개의 장난감이 정상품일 때, 나 회사의 제품일 확률

06 다음 표는 어느 학교 학생들이 좋아하는 반려동물을 조사한 것이다. 다음을 구하여라.

(단위: 명)

	남학생	여학생	합계
강아지	32	48	80
고양이	28	12	40
합계	60	60	120

(1) 120명의 학생 중 임의로 뽑은 한 학생이 여학생이었을 때, 강아지를 좋아할 확률

(2) 120명의 학생 중 임의로 뽑은 한 학생이 남학생이었을 때, 고양이를 좋아할 확률

(3) 120명의 학생 중 임의로 뽑은 한 학생이 강아지를 좋아할 때, 남학생일 확률

(4) 120명의 학생 중 임의로 뽑은 한 학생이 고양이를 좋아할 때, 여학생일 확률

풍쌤 POINT

사건 A가 일어났다는 조건 하에서 사건 B가 일어날 확률

➡ $\mathrm{P}(B|A)=\frac{\mathrm{P}(A\cap B)}{\mathrm{P}(A)}$

정답과 풀이 029쪽

07 다음을 구하여라.

(1) 어느 도시의 사람 중 70 %는 어른이고, 안경을 쓴 어른은 전체의 40 %이다. 이 도시의 사람 중 임의로 뽑은 한 사람이 어른이었을 때, 안경을 쓴 사람일 확률

> 풀이 어른을 뽑는 사건을 A, 안경을 쓴 사람을 뽑는 사건을 B라고 하면 구하는 확률은 $\mathrm{P}(B|A)$이다.
> 이때 $\mathrm{P}(A)=\frac{70}{100}$, $\mathrm{P}(A\cap B)=\frac{40}{100}$이므로
> $\mathrm{P}(B|A)=\frac{\mathrm{P}(A\cap B)}{\mathrm{P}(A)}=$ ___

(2) 어느 학교의 학생 중 여학생은 전체의 50 %이고 봄에 태어난 여학생은 전체의 20 %였다. 이 학교의 학생 중 임의로 뽑은 한 학생이 여학생일 때, 봄에 태어난 학생일 확률

(3) 어느 학교의 학생 중 축구를 좋아하는 학생은 전체의 80 %이고, 축구를 좋아하는 남학생은 전체의 50 %이다. 이 학교의 학생 중 임의로 뽑은 한 학생이 축구를 좋아할 때, 남학생일 확률

풍쌤 POINT
'~일 때, ~일 확률' ➡ 조건부확률

08 네 번에 한 번의 비율로 우산을 잃어버리는 학생이 있다. 이 학생이 A, B, C의 집을 차례로 방문하였다가 우산을 잃어버리고 집에 돌아왔을 때, 다음을 구하여라.

(1) 우산을 잃어버리는 사건을 E라 하고 A, B, C의 집에 가는 사건을 각각 A, B, C라고 할 때,
$\mathrm{P}(A\cap E)$, $\mathrm{P}(B\cap E)$, $\mathrm{P}(C\cap E)$

> 풀이 우산을 잃어버릴 확률은 $\frac{1}{4}$이고 잃어버리지 않을 확률은 $1-\frac{1}{4}=\frac{3}{4}$이다.
> $\mathrm{P}(A\cap E)=\frac{1}{4}$, $\mathrm{P}(B\cap E)=\frac{3}{4}\times\frac{1}{4}=$ ___,
> $\mathrm{P}(C\cap E)=\frac{3}{4}\times\frac{3}{4}\times\frac{1}{4}=$ ___

(2) 우산을 잃어버리는 사건을 E라고 할 때, $\mathrm{P}(E)$

(3) A의 집에 우산을 놓고 왔을 확률 $\mathrm{P}(A|E)$

(4) B의 집에 우산을 놓고 왔을 확률 $\mathrm{P}(B|E)$

(5) C의 집에 우산을 놓고 왔을 확률 $\mathrm{P}(C|E)$

확률의 곱셈정리

1 확률의 곱셈정리

두 사건 A, B에 대하여 $\mathrm{P}(A)>0$, $\mathrm{P}(B)>0$일 때

$$\mathrm{P}(A\cap B)=\mathrm{P}(A)\mathrm{P}(B|A)=\mathrm{P}(B)\mathrm{P}(A|B)$$

› $\mathrm{P}(B|A)=\dfrac{\mathrm{P}(A\cap B)}{\mathrm{P}(A)}$에서 $\mathrm{P}(A\cap B)=\mathrm{P}(A)\mathrm{P}(B|A)$

유형·07 확률의 곱셈정리의 계산

09 다음을 구하여라.

(1) 두 사건 A, B에 대하여 $\mathrm{P}(A)=\frac{3}{5}$, $\mathrm{P}(B)=\frac{1}{4}$, $\mathrm{P}(B|A)=\frac{1}{3}$일 때

① $\mathrm{P}(A\cap B)$

② $\mathrm{P}(A|B)$

› 풀이 ① $\mathrm{P}(A\cap B)=\mathrm{P}(A)\mathrm{P}(B|A)=$ ____

② $\mathrm{P}(A|B)=\dfrac{\mathrm{P}(A\cap B)}{\mathrm{P}(B)}=$ ____

(2) 두 사건 A, B에 대하여 $\mathrm{P}(A)=\frac{1}{2}$, $\mathrm{P}(B)=\frac{5}{8}$, $\mathrm{P}(B|A)=\frac{1}{2}$일 때

① $\mathrm{P}(A\cap B)$

② $\mathrm{P}(A|B)$

(3) 두 사건 A, B에 대하여 $\mathrm{P}(A)=\frac{1}{2}$, $\mathrm{P}(B)=\frac{2}{5}$, $\mathrm{P}(A|B)=\frac{1}{4}$일 때

① $\mathrm{P}(A\cap B)$

② $\mathrm{P}(B|A)$

유형·08 확률의 곱셈정리(1)

10 다음 확률을 아래의 순서대로 구하여라.

(1) 500원짜리 동전 3개, 100원짜리 동전 4개 중에서 임의로 한 개씩 2개의 동전을 꺼낼 때, 2개 모두 500원짜리 동전일 확률 (단, 꺼낸 동전은 다시 넣지 않는다.)

① 첫 번째에 500원짜리 동전을 꺼낼 확률

② 첫 번째에 500원짜리 동전을 꺼냈을 때, 두 번째에 500원짜리 동전을 꺼낼 확률

③ 2개 모두 500원짜리 동전을 꺼낼 확률

› 풀이 첫 번째에 500원짜리 동전을 꺼내는 사건을 A, 두 번째에 500원짜리 동전을 꺼내는 사건을 B라고 하면

① 첫 번째에 500원짜리 동전을 꺼낼 확률은 $\mathrm{P}(A)=$ ____

② 첫 번째에 500원짜리 동전을 꺼냈을 때, 두 번째에 500원짜리 동전을 꺼낼 확률은 $\mathrm{P}(B|A)=$ ____

③ 2개 모두 500원짜리 동전을 꺼낼 확률은 $\mathrm{P}(A\cap B)=\mathrm{P}(A)\mathrm{P}(B|A)=$ ____

(2) 흰 공 4개, 파란 공 5개가 들어 있는 주머니에서 임의로 한 개씩 2개의 공을 꺼낼 때, 2개 모두 파란 공일 확률 (단, 꺼낸 공은 다시 넣지 않는다.)

① 첫 번째에 파란 공을 꺼낼 확률

② 첫 번째에 파란 공을 꺼냈을 때, 두 번째에 파란 공을 꺼낼 확률

③ 2개 모두 파란 공을 꺼낼 확률

(3) 당첨 제비 3개를 포함하여 제비가 10개 있다. 갑, 을의 순서로 임의로 제비를 1개씩 뽑을 때, 두 사람 모두 당첨 제비를 뽑을 확률

(단, 뽑은 제비는 다시 넣지 않는다.)

① 갑이 당첨 제비를 뽑을 확률

② 갑이 당첨 제비를 뽑았을 때, 을이 당첨 제비를 뽑을 확률

③ 두 사람 모두 당첨 제비를 뽑을 확률

(4) 노란 구슬 4개, 파란 구슬 6개가 들어 있는 주머니에서 갑, 을의 순서로 임의로 구슬을 1개씩 꺼낼 때, 두 사람 모두 노란 구슬을 꺼낼 확률

(단, 꺼낸 구슬은 다시 넣지 않는다.)

① 갑이 노란 구슬을 꺼낼 확률

② 갑이 노란 구슬을 꺼냈을 때, 을이 노란 구슬을 꺼낼 확률

③ 두 사람 모두 노란 구슬을 꺼낼 확률

(5) 자음이 적힌 카드 7장, 모음이 적힌 카드 4장 중에서 임의로 한 장씩 2장의 카드를 꺼낼 때, 2장 모두 모음이 적힌 카드를 꺼낼 확률

(단, 꺼낸 카드는 다시 넣지 않는다.)

① 첫 번째에 모음이 적힌 카드를 꺼낼 확률

② 첫 번째에 모음이 적힌 카드를 꺼냈을 때, 두 번째에 모음이 적힌 카드를 꺼낼 확률

③ 2장 모두 모음이 적힌 카드를 꺼낼 확률

유형·09 확률의 곱셈정리(2)

11 다음 확률을 아래의 순서대로 구하여라.

(1) 500원짜리 동전 3개, 100원짜리 동전 4개가 들어 있는 지갑에서 임의로 한 개씩 2개의 동전을 꺼낼 때, 두 번째에 500원짜리 동전을 꺼낼 확률

(단, 꺼낸 동전은 다시 넣지 않는다.)

① 첫 번째와 두 번째 모두 500원짜리 동전을 꺼낼 확률

② 첫 번째에 100원짜리 동전을 꺼내고, 두 번째에 500원짜리 동전을 꺼낼 확률

③ 두 번째에 500원짜리 동전을 꺼낼 확률

> 풀이 첫 번째에 500원짜리 동전을 꺼내는 사건을 A, 두 번째에 500원짜리 동전을 꺼내는 사건을 B라고 하면

$\mathrm{P}(A)=\frac{3}{7}$, $\mathrm{P}(A^C)=\frac{4}{7}$,

$\mathrm{P}(B|A)=\frac{2}{6}=\frac{1}{3}$, $\mathrm{P}(B|A^C)=\frac{3}{6}=\frac{1}{2}$

① 첫 번째와 두 번째 모두 500원짜리 동전을 꺼낼 확률은 $\mathrm{P}(A\cap B)$이므로

$\mathrm{P}(A\cap B)=\mathrm{P}(A)\mathrm{P}(B|A)=$ ____

② 첫 번째에 100원짜리 동전, 두 번째에 500원짜리 동전을 꺼낼 확률은 $\mathrm{P}(A^C\cap B)$이므로

$\mathrm{P}(A^C\cap B)=\mathrm{P}(A^C)\mathrm{P}(B|A^C)=$ ____

③ 두 번째에 500원짜리 동전을 꺼낼 확률은 $\mathrm{P}(B)$이므로

$\mathrm{P}(B)=\mathrm{P}(A\cap B)+\mathrm{P}(A^C\cap B)=$ ____

(2) 흰 공 4개, 파란 공 5개가 들어 있는 주머니에서 임의로 한 개씩 2개의 공을 꺼낼 때, 두 번째에 꺼낸 공이 파란 공일 확률 (단, 꺼낸 공은 다시 넣지 않는다.)

① 첫 번째와 두 번째 모두 파란 공을 꺼낼 확률

② 첫 번째에 흰 공을 꺼내고, 두 번째에 파란 공을 꺼낼 확률

③ 두 번째에 파란 공을 꺼낼 확률

(3) 당첨 제비 3개를 포함하여 제비가 10개 있다. 갑, 을의 순서로 임의로 제비를 1개씩 뽑을 때, 을이 당첨 제비를 뽑을 확률 (단, 뽑은 제비는 다시 넣지 않는다.)

① 갑과 을이 모두 당첨 제비를 뽑을 확률

② 갑이 당첨 제비를 뽑지 않고, 을이 당첨 제비를 뽑을 확률

③ 을이 당첨 제비를 뽑을 확률

(4) 노란 구슬 4개, 파란 구슬 6개가 들어 있는 주머니에서 갑, 을의 순서로 임의로 구슬을 1개씩 꺼낼 때, 을이 노란 구슬을 꺼낼 확률

(단, 꺼낸 구슬은 다시 넣지 않는다.)

① 갑과 을이 모두 노란 구슬을 꺼낼 확률

② 갑이 파란 구슬을 꺼내고, 을이 노란 구슬을 꺼낼 확률

③ 을이 노란 구슬을 꺼낼 확률

(5) 자음이 적힌 카드 7장, 모음이 적힌 카드 4장 중에서 임의로 한 장씩 2장의 카드를 꺼낼 때, 두 번째에 꺼낸 카드가 모음이 적힌 카드일 확률

(단, 꺼낸 카드는 다시 넣지 않는다.)

① 첫 번째와 두 번째 모두 모음이 적힌 카드를 꺼낼 확률

② 첫 번째에 자음이 적힌 카드를 꺼내고, 두 번째에 모음이 적힌 카드를 꺼낼 확률

③ 두 번째에 모음이 적힌 카드를 꺼낸 확률

12 다음 확률을 아래의 순서대로 구하여라.

(1) 날씨가 흐렸을 때 다음날 비가 올 확률은 0.7이고, 날씨가 흐리지 않았을 때 다음날 비가 올 확률은 0.1이다. 오늘 날씨가 흐릴 확률이 0.4일 때, 내일 비가 올 확률

① 오늘 날씨가 흐리고, 내일 비가 올 확률

② 오늘 날씨가 흐리지 않고, 내일 비가 올 확률

③ 내일 비가 올 확률

풀이 오늘 날씨가 흐린 사건을 A, 내일 비가 오는 사건을 E라고 하면

$\mathrm{P}(A)=0.4$, $\mathrm{P}(E|A)=0.7$,

$\mathrm{P}(A^C)=0.6$, $\mathrm{P}(E|A^C)=0.1$

① 오늘 날씨가 흐리고, 내일 비가 올 확률은 $\mathrm{P}(A\cap E)$이므로

$\mathrm{P}(A\cap E)=\mathrm{P}(A)\mathrm{P}(E|A)=$____

② 오늘 날씨가 흐리지 않고, 내일 비가 올 확률은 $\mathrm{P}(A^C\cap E)$이므로

$\mathrm{P}(A^C\cap E)=\mathrm{P}(A^C)\mathrm{P}(E|A^C)=$____

③ 내일 비가 올 확률은 $\mathrm{P}(E)$이므로

$\mathrm{P}(E)=\mathrm{P}(A\cap E)+\mathrm{P}(A^C\cap E)=$____

(2) 물건의 정상, 불량 여부를 판정하는 기계가 정상인 물건을 정상으로 판정할 확률은 0.9이고, 불량인 물건을 정상으로 판정할 확률은 0.1이다. 정상품의 비율이 0.8인 물건에서 한 개를 택하여 이 기계가 판정했을 때, 그 물건을 정상으로 판정할 확률

① 정상인 물건을 택하여 정상으로 판정할 확률

② 불량인 물건을 택하여 정상으로 판정할 확률

③ 택한 물건을 정상으로 판정할 확률

(3) 어떤 프로축구팀은 전체 경기 중 40 %가 홈 경기이고, 홈 경기에서 이길 확률은 70 %, 원정 경기에서 이길 확률은 50 %이다. 이 프로축구팀이 경기를 한 번 했을 때, 이길 확률

① 홈 경기이고, 그 경기에서 이길 확률

② 원정 경기이고, 그 경기에서 이길 확률

③ 경기를 한 번 했을 때, 이길 확률

(4) 은서는 비가 내리는 날에 낮잠을 잘 확률은 50 %이고, 비가 내리지 않는 날에 낮잠을 잘 확률은 20 %이다. 내일 비가 내릴 확률이 60 %일 때, 은서가 내일 낮잠을 잘 확률

① 내일 비가 내리고, 낮잠을 잘 확률

② 내일 비가 내리지 않고, 낮잠을 잘 확률

③ 내일 낮잠을 잘 확률

풍쌤 POINT

두 사건 A, E에 대하여 $A\cap E$와 $A^{C}\cap E$는 서로 배반사건,
즉 $E=(A\cap E)\cup(A^{C}\cap E)$이므로
$\mathrm{P}(E)=\mathrm{P}(A\cap E)+\mathrm{P}(A^{C}\cap E)$

유형 10 곱셈정리와 조건부확률

13 갑과 을이 똑같은 물건을 조립하는데 갑은 전체 물건의 60 %, 을은 전체 물건의 40 %를 조립하고, 그중 각각 5 %, 3 %는 잘못 조립된 물건이다. 두 사람이 조립한 물건 중 임의로 한 개를 뽑아 검사할 때, 다음을 구하여라.

(1) 뽑은 물건이 잘못 조립된 물건일 확률

> 풀이 갑과 을이 조립한 물건인 사건을 각각 A, B라 하고, 잘못 조립된 물건인 사건을 E라고 하면
> $\mathrm{P}(A)=0.6$, $\mathrm{P}(B)=0.4$,
> $\mathrm{P}(E|A)=0.05$, $\mathrm{P}(E|B)=0.03$
> 따라서 구하는 확률은
> $\mathrm{P}(E)=\mathrm{P}(A\cap E)+\mathrm{P}(B\cap E)$
> $=\mathrm{P}(A)\mathrm{P}(E|A)+\mathrm{P}(B)\mathrm{P}(E|B)$
> $=$____$+$____$=$____

(2) 뽑은 물건이 잘못 조립한 물건일 때, 갑이 조립했을 확률

(3) 뽑은 물건이 잘못 조립한 물건일 때, 을이 조립했을 확률

풍쌤 POINT

① $\mathrm{P}(E)=\mathrm{P}(A\cap E)+\mathrm{P}(A^{C}\cap E)$

② $\mathrm{P}(A\cap E)=\mathrm{P}(A)\mathrm{P}(E|A)$

③ $\mathrm{P}(A|B)=\dfrac{\mathrm{P}(A\cap B)}{\mathrm{P}(B)}$

14 어떤 야구팀은 날씨가 맑을 때 경기에서 이길 확률은 70 %이고, 날씨가 맑지 않을 때 경기에서 이길 확률은 30 %라고 한다. 내일 날씨가 맑을 확률이 40 %일 때, 다음을 구하여라.

(1) 이 팀이 내일 경기에서 이길 확률

(2) 이 팀이 내일 경기에서 이겼을 때, 날씨가 맑을 확률

(3) 이 팀이 내일 경기에서 이겼을 때, 날씨가 맑지 않을 확률

(4) 이 팀이 내일 경기에서 질 확률

(5) 이 팀이 내일 경기에서 졌을 때, 날씨가 맑을 확률

(6) 이 팀이 내일 경기에서 졌을 때, 날씨가 맑지 않을 확률

15 어떤 의사가 독감에 걸린 사람을 독감에 걸렸다고 진단할 확률은 80 %이고, 독감에 걸리지 않은 사람을 독감에 걸렸다고 오진할 확률은 10 %이다. 독감에 걸린 사람의 비율이 30 %인 집단에서 임의로 한 사람을 택하여 이 의사가 진단했을 때, 다음을 구하여라.

(1) 이 사람이 독감에 걸렸다고 진단 받을 확률

(2) 이 사람이 독감에 걸렸다고 진단 받았을 때, 독감에 걸린 사람일 확률

(3) 이 사람이 독감에 걸렸다고 진단 받았을 때, 독감에 걸리지 않은 사람일 확률

(4) 이 사람이 독감에 걸리지 않았다고 진단 받을 확률

(5) 이 사람이 독감에 걸리지 않았다고 진단 받았을 때, 독감에 걸린 사람일 확률

(6) 이 사람이 독감에 걸리지 않았다고 진단 받았을 때, 독감에 걸리지 않은 사람일 확률

사건의 독립과 종속

1 사건의 독립

두 사건 A, B에 대하여 사건 A가 일어나거나 일어나지 않는 것이 사건 B가 일어날 확률에 영향을 주지 않을 때, 사건 A와 B는 서로 독립이라고 한다. 즉,

$$\mathrm{P}(B|A)=\mathrm{P}(B|A^C)=\mathrm{P}(B)$$

2 사건의 종속

두 사건 A, B에 대하여 사건 A가 일어나거나 일어나지 않는 것이 사건 B가 일어날 확률에 영향을 줄 때, 사건 A와 B는 서로 종속이라고 한다. 즉,

$$\mathrm{P}(B|A)\neq\mathrm{P}(B|A^C)$$

2 독립인 사건의 곱셈정리

두 사건 A와 B가 서로 독립이기 위한 필요충분조건은

$$\mathrm{P}(A\cap B)=\mathrm{P}(A)\mathrm{P}(B)\ (\text{단, } \mathrm{P}(A)>0,\ \mathrm{P}(B)>0)$$

› 독립인 사건은 서로 영향을 주지 않는 사건이므로 두 사건 A, B가 서로 독립이면 A^C과 B, A와 B^C, A^C과 B^C은 각각 서로 독립이다.

정답과 풀이 033쪽

유형 11 독립을 이용한 확률의 계산

16 두 사건 A, B가 서로 독립일 때, 다음을 구하여라.

(1) $\mathrm{P}(A)=0.4$, $\mathrm{P}(B)=0.3$일 때, $\mathrm{P}(A\cap B)$와 $\mathrm{P}(A\cup B)$

› 풀이 두 사건 A, B가 서로 독립이므로

$\mathrm{P}(A\cap B)=\mathrm{P}(A)\mathrm{P}(B)=$____

$\mathrm{P}(A\cup B)=\mathrm{P}(A)+\mathrm{P}(B)-\mathrm{P}(A\cap B)$

$=$____

(2) $\mathrm{P}(A)=0.2$, $\mathrm{P}(B)=0.5$일 때, $\mathrm{P}(A\cup B)$

(3) $\mathrm{P}(A)=0.5$, $\mathrm{P}(A\cup B)=0.8$일 때, $\mathrm{P}(B)$

유형 12 두 사건의 독립, 종속의 판별

17 두 사건 A, B가 서로 독립일 때, 다음 두 사건이 서로 독립인지 종속인지 판별하여라.

(1) 사건 A^C과 B

› 풀이 $\mathrm{P}(A^C\cap B)=\mathrm{P}(B)-\mathrm{P}(A\cap B)$

$=\mathrm{P}(B)-\mathrm{P}(A)\mathrm{P}(B)$

$=\mathrm{P}(B)\{1-\mathrm{P}(A)\}$

$=\mathrm{P}(B)\mathrm{P}(A^C)$

$=\mathrm{P}(A^C)\mathrm{P}(B)$

따라서 사건 A^C과 B는 서로 ____이다.

(2) 사건 A와 B^C

(3) 사건 A^C과 B^C

풍쌤 POINT

$\mathrm{P}(A\cap B)=\mathrm{P}(A)\mathrm{P}(B)$이면 두 사건 A, B는 서로 독립이다.

유형·13 서로 독립인 두 사건 알아보기

18 1부터 8까지의 자연수가 하나씩 적힌 8장의 카드 중에서 한 장의 카드를 뽑을 때, 카드에 적힌 수가 소수일 사건을 A, 3의 배수일 사건을 B, 6의 약수일 사건을 C라고 하자. 다음 두 사건이 서로 독립인지 종속인지 판별하여라.

(1) 사건 A와 B

> 풀이 $A=\{2, 3, 5, 7\}$, $B=\{3, 6\}$, $A\cap B=\{3\}$에서
> $\mathrm{P}(A)=\frac{4}{8}=\frac{1}{2}$, $\mathrm{P}(B)=\frac{2}{8}=\frac{1}{4}$, $\mathrm{P}(A\cap B)=\frac{1}{8}$
> 따라서 $\mathrm{P}(A\cap B)=\mathrm{P}(A)\mathrm{P}(B)$이므로 사건 A와 B는 서로 ____이다.

(2) 사건 A와 C

(3) 사건 B와 C

(4) 사건 A^C과 B

(5) 사건 B와 C^C

풍쌤 POINT

두 사건 A, B의 독립과 종속의 판정
➡ $\mathrm{P}(A\cap B)=\mathrm{P}(A)\mathrm{P}(B)$인지 확인

유형·14 두 사건이 독립일 때, 참, 거짓의 판별

19 두 사건 A, B가 서로 독립일 때, 다음 명제가 참인지 거짓인지 판별하여라.

(1) $\mathrm{P}(A|B)\mathrm{P}(B|A)=\mathrm{P}(A\cap B)$

> 풀이 $\mathrm{P}(A|B)\mathrm{P}(B|A)=\frac{\mathrm{P}(A\cap B)}{\mathrm{P}(B)}\times\frac{\mathrm{P}(B\cap A)}{\mathrm{P}(A)}$
> $=\frac{\mathrm{P}(A)\mathrm{P}(B)}{\mathrm{P}(B)}\times\frac{\mathrm{P}(B)\mathrm{P}(A)}{\mathrm{P}(A)}$
> $=\mathrm{P}(A)\mathrm{P}(B)=\mathrm{P}(A\cap B)$
> 따라서 주어진 명제는 ___이다.

(2) $\mathrm{P}(A|B)=\mathrm{P}(A|B^C)$

(3) $\mathrm{P}(A|B)\mathrm{P}(A)=\{\mathrm{P}(B)\}^2$

(4) $\mathrm{P}(A|B^C)+\mathrm{P}(A^C|B)=1$

(5) $1-\mathrm{P}(A\cup B)=\{1-\mathrm{P}(A)\}\{1-\mathrm{P}(B)\}$

풍쌤 POINT

두 사건 A, B가 서로 독립
➡ $\mathrm{P}(A\cup B)=\mathrm{P}(A)+\mathrm{P}(B)-\mathrm{P}(A\cap B)$
$=\mathrm{P}(A)+\mathrm{P}(B)-\mathrm{P}(A)\mathrm{P}(B)$

유형·15 독립인 사건의 확률

정답과 풀이 034쪽

20 갑, 을 두 사람이 농구 경기에서 슛을 쏘아 성공시킬 확률은 각각 $\frac{3}{5}$, $\frac{5}{8}$이다. 갑, 을이 한 번씩 슛을 쏠 때, 다음을 구하여라.

(1) 2명 모두 슛을 성공시킬 확률

> 풀이 슛을 쏘는 사건은 서로 독립이고, 각각 슛을 성공시켜야 하므로 구하는 확률은 $\frac{3}{5}\times\frac{5}{8}=$ ___

(2) 1명만 슛을 성공시킬 확률

(3) 2명 모두 슛을 성공시키지 못할 확률

(4) 적어도 1명이 슛을 성공시킬 확률

풍쌤 POINT

A, B가 서로 독립 ➡ $\mathrm{P}(A\cap B)=\mathrm{P}(A)\mathrm{P}(B)$

21 갑, 을 두 사람이 어떤 일을 끝마칠 확률은 각각 $50\,\%$, $80\,\%$이다. 두 사람이 동시에 이 일을 시작했을 때, 다음을 구하여라.

(1) 2명 모두 일을 끝마칠 확률

(2) 1명만 일을 끝마칠 확률

(3) 2명 모두 일을 끝마치지 못할 확률

(4) 적어도 1명이 일을 끝마칠 확률

22 갑, 을, 병 세 사람이 어떤 문제를 맞힐 확률이 각각 $\frac{1}{2}$, $\frac{4}{5}$, $\frac{2}{3}$일 때, 다음을 구하여라.

(1) 3명 모두 문제를 맞힐 확률

› 풀이 문제를 맞히는 사건은 서로 독립이고, 각각 문제를 맞혀야 하므로 구하는 확률은

$\frac{1}{2}\times\frac{4}{5}\times$___$=$___

(2) 2명만 문제를 맞힐 확률

(3) 1명만 문제를 맞힐 확률

(4) 3명 모두 문제를 틀릴 확률

(5) 적어도 1명이 문제를 맞힐 확률

풍쌤 POINT

세 사건 A, B, C가 서로 독립

➡ $\mathrm{P}(A\cap B\cap C)=\mathrm{P}(A)\mathrm{P}(B)\mathrm{P}(C)$

23 A, B, C 세 도시에서 내일 비가 올 확률이 각각 20 %, 50 %, 75 %일 때, 다음을 구하여라. (단, A, B, C 각 도시에 비가 오는 것은 서로 영향을 미치지 않는다.)

(1) 3도시 모두 내일 비가 올 확률

(2) 2도시만 내일 비가 올 확률

(3) 1도시만 내일 비가 올 확률

(4) 3도시 모두 내일 비가 오지 않을 확률

(5) 적어도 1도시에만 내일 비가 올 확률

유형·16 두 번의 시행이 있는 경우의 확률

정답과 풀이 035쪽

24 다음을 구하여라.

(1) 제비 10개 중 당첨 제비가 7개 들어 있는 주머니에서 임의로 제비를 한 개씩 두 번 꺼낼 때, 다음 각 경우에 두 번 모두 당첨 제비가 나올 확률

① 꺼낸 제비를 다시 넣는 경우

② 꺼낸 제비를 다시 넣지 않는 경우

> 풀이 ① 첫 번째 꺼낸 제비가 당첨 제비일 확률은 $\frac{7}{10}$이다.
그 후 꺼낸 제비를 다시 넣으므로 두 번째 꺼낸 제비가 당첨 제비일 확률도 $\frac{7}{10}$이다.
따라서 구하는 확률은 $\frac{7}{10}\times\frac{7}{10}=$____

② 첫 번째 꺼낸 제비가 당첨 제비일 확률은 $\frac{7}{10}$이다.
그 후 당첨 제비가 1개 빠지므로 두 번째 꺼낸 제비가 당첨 제비일 확률은 $\frac{6}{9}=\frac{2}{3}$이다.
따라서 구하는 확률은 $\frac{7}{10}\times\frac{2}{3}=$____

(2) 파란 공 2개, 노란 공 6개가 들어 있는 주머니에서 임의로 공을 한 개씩 두 번 꺼낼 때, 다음 각 경우에 두 번 모두 노란 공이 나올 확률

① 꺼낸 공을 다시 넣는 경우

② 꺼낸 공을 다시 넣지 않는 경우

(3) 검정 볼펜 5자루, 빨간 볼펜 3자루가 들어 있는 필통에서 임의로 볼펜을 한 자루씩 두 번 꺼낼 때, 다음 각 경우에 두 번 모두 검정 볼펜이 나올 확률

① 꺼낸 볼펜을 다시 넣는 경우

② 꺼낸 볼펜을 다시 넣지 않는 경우

(4) 사과 5개, 귤 4개가 들어 있는 봉지에서 임의로 과일을 한 개씩 두 번 꺼낼 때, 다음 각 경우에 두 번 모두 귤이 나올 확률

① 꺼낸 과일을 다시 넣는 경우

② 꺼낸 과일을 다시 넣지 않는 경우

(5) 수학 문제집 3권, 과학 문제집 6권이 들어 있는 상자에서 임의로 문제집을 한 권씩 두 번 꺼낼 때, 다음 각 경우에 서로 다른 과목의 문제집이 나올 확률

① 꺼낸 문제집을 다시 넣는 경우

② 꺼낸 문제집을 다시 넣지 않는 경우

(6) 흰 구슬 6개, 검은 구슬 4개가 들어 있는 주머니에서 임의로 구슬을 한 개씩 두 번 꺼낼 때, 다음 각 경우에 서로 다른 색의 구슬이 나올 확률

① 꺼낸 구슬을 다시 넣는 경우

② 꺼낸 구슬을 다시 넣지 않는 경우

풍쌤 POINT

두 번의 시행이 있는 경우의 확률은 꺼낸 것을 다시 넣는지, 넣지 않는지에 따라 두 번째 시행의 확률이 달라진다.

독립시행의 확률

1 독립시행

동일한 조건에서 어떤 시행을 반복할 때, 각 시행에서 일어나는 사건이 서로 독립이면 이런 시행을 독립시행이라고 한다.

> 동전이나 주사위를 여러 번 던지는 시행은 독립시행이다.

2 독립시행의 확률

1회의 시행에서 사건 A가 일어날 확률이 p일 때, 이 시행을 n회 반복하는 독립시행에서 사건 A가 r회 일어날 확률은

$${}_nC_r p^r (1-p)^{n-r} \text{ (단, } r=0, 1, 2, \cdots, n)$$

> $p \neq 0$일 때, $p^0=1$로 정의한다.
> 즉, ${}_nC_r p^r (1-p)^{n-r}$에서
> $r=0$일 때 $(1-p)^n$
> $r=n$일 때 p^n

유형 17 독립시행의 확률의 식

25 다음 확률을 ${}_nC_r p^r (1-p)^{n-r}$ 꼴로 나타내어라.

(1) 어떤 사람이 화살 한 발을 쏘아 과녁에 명중시킬 확률이 $\frac{2}{5}$일 때, 이 사람이 6발을 쏘아 4발을 명중시킬 확률

> 풀이 화살 한 발을 쏘아 과녁에 명중시킬 확률은 $\frac{2}{5}$이고, 명중시키지 못할 확률은 $1-\frac{2}{5}=\frac{3}{5}$이므로
> 구하는 확률은 ${}_6C_4\left(\frac{2}{5}\right)^4\left(\underline{\quad}\right)^2$

(2) 어떤 축구 선수의 슛 성공률이 $\frac{5}{9}$일 때, 이 선수가 슛을 10번 시도하여 7번 성공시킬 확률

(3) 어떤 학생이 퀴즈를 맞힐 확률이 0.7일 때, 이 학생이 퀴즈 12개를 풀어 10개를 맞힐 확률

유형 18 독립시행의 확률(1)

26 다음 확률을 구하여라.

(1) 한 개의 주사위를 5번 던질 때, 3의 배수의 눈이 4번 나올 확률

> 풀이 한 개의 주사위를 한 번 던질 때, 3의 배수의 눈이 나올 확률은 $\frac{2}{6}=\frac{1}{3}$이므로 구하는 확률은
> ${}_5C_4\left(\frac{1}{3}\right)^4\left(\frac{2}{3}\right)^1=\underline{\quad\quad}$

(2) 한 개의 동전을 6번 던질 때, 앞면이 3번 나올 확률

(3) 서로 다른 두 개의 동전을 동시에 5번 던질 때, 두 개 모두 뒷면이 2번 나올 확률

풍쌤 POINT

한 번 시행할 때의 확률 p를 구한 후 ${}_nC_r p^r (1-p)^{n-r}$을 이용한다.

정답과 풀이 037쪽

유형 19 '적어도'가 있는 독립시행의 확률

27 다음 확률을 구하여라.

(1) 어떤 양궁 선수가 한 발을 쏘아 명중시킬 확률이 $\frac{9}{10}$일 때, 이 양궁 선수가 3발을 쏘아 적어도 한 번은 명중시킬 확률

> 풀이 3발을 쏘아 모두 명중시키지 못할 확률은
> ${}_3C_0\left(\frac{9}{10}\right)^0\left(\frac{1}{10}\right)^3=$ ______
> 따라서 적어도 한 번은 명중시킬 확률은 ______

(2) 어떤 농구 선수의 자유투 성공률이 $\frac{3}{4}$일 때, 이 농구 선수가 3번의 자유투를 던져서 적어도 한 번은 성공시킬 확률

(3) 어떤 암의 치료 후 5년 생존률이 80 %일 때, 이 암의 치료 환자 4명 중 적어도 1명이 5년 후 생존할 확률

(4) 어떤 사람이 가위바위보에서 이길 확률이 0.5일 때, 이 사람이 4번 가위바위보를 하여 적어도 두 번은 이길 확률 (단, 비기는 경우는 없다.)

풍쌤 POINT
('적어도 ~인' 사건의 확률)$=1-$(반대인 사건의 확률)

유형 20 독립시행의 확률(2)

28 다음 확률을 구하여라.

(1) 3번 경기를 하여 1번 꼴로 이기는 축구팀이 있다. 이 팀이 예선 6경기에서 5경기 이상을 이겨야 본선에 진출할 수 있다고 할 때, 본선에 진출할 확률

> 풀이 축구 경기를 한 번 할 때, 이길 확률은 $\frac{1}{3}$이다.
> (i) 6경기 중 5경기를 이길 확률은
> ${}_6C_5\left(\frac{1}{3}\right)^5\left(\frac{2}{3}\right)^1=$ ______
> (ii) 6경기 중 6경기를 이길 확률은
> ${}_6C_6\left(\frac{1}{3}\right)^6\left(\frac{2}{3}\right)^0=$ ______
> (i), (ii)에서 구하는 확률은 ______

(2) 정답이 1개인 사지선다형 문제가 5개 출제된 시험에서 4개 이상을 맞혀야 이 시험에 통과된다고 한다. 어떤 학생이 문제를 전혀 읽지 않고 임의로 답하여 이 시험에 통과될 확률

(3) ○×퀴즈 문제가 7개 출제된 퀴즈대회에서 6개 이상을 맞혀야 상금을 받을 수 있다고 한다. 어떤 학생이 이 퀴즈대회에 참가하여 상금을 받을 확률

풍쌤 POINT
동일한 시행을 반복할 때 각 시행이 독립이면 ➡ 독립시행

29 동점 P가 동전을 한 번 던질 때마다 아래와 같은 규칙으로 움직인다. 점 P가 원점 O에서 출발할 때, 다음 확률을 구하여라.

(가) 앞면이 나오면 x축의 양의 방향으로 1만큼 이동한다.
(나) 뒷면이 나오면 y축의 양의 방향으로 1만큼 이동한다.

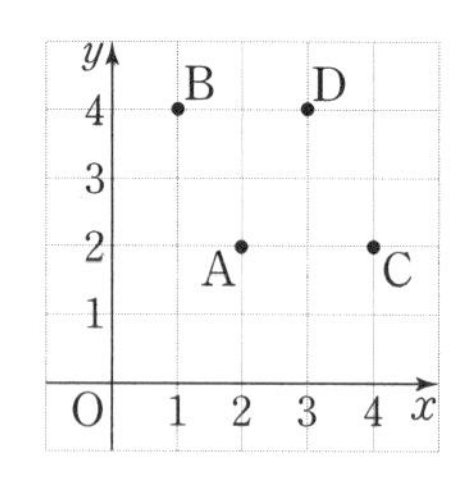

(1) 동전을 4번 던져서 동점 P가 점 A에 도착할 확률

> 풀이 점 O에서 점 A까지 가려면 x축의 양의 방향으로 2만큼, y축의 양의 방향으로 2만큼 가야 한다.
따라서 앞면이 2번, 뒷면이 2번 나오면 되므로 구하는 확률은
$_4C_2\left(\frac{1}{2}\right)^2\left(\frac{1}{2}\right)^2=$ ___

(2) 동전을 5번 던져서 동점 P가 점 B에 도착할 확률

(3) 동전을 6번 던져서 동점 P가 점 C에 도착할 확률

(4) 동전을 7번 던져서 동점 P가 점 D에 도착할 확률

풍쌤 POINT

점 O에서 $A(a, b)$까지 간다.
➡ 앞면이 a번, 뒷면이 b번 나온다.

30 동점 P가 한 변의 길이가 1인 정다각형의 변 위를 동전을 한 번 던질 때마다 아래와 같은 규칙으로 움직일 때, 다음 확률을 구하여라.

(가) 앞면이 나오면 시계 반대 방향으로 2만큼 이동한다.
(나) 뒷면이 나오면 시계 반대 방향으로 1만큼 이동한다.

(1) 동전을 3번 던질 때, 점 P가 처음 출발 위치로 돌아올 확률

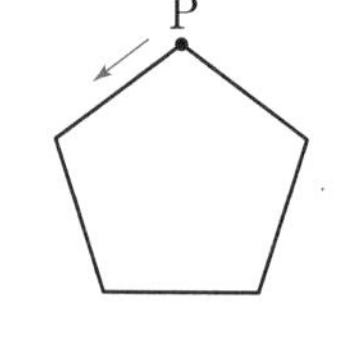

> 풀이 동전을 한 번 던질 때, 앞면이 나올 확률은 $\frac{1}{2}$이다.
점 P가 처음 출발 위치로 돌아오려면 5만큼 이동해야 하므로 앞면이 2번, 뒷면이 1번 나와야 한다.
따라서 구하는 확률은
$_3C_2\left(\frac{1}{2}\right)^2\left(\frac{1}{2}\right)^1=$ ___

(2) 동전을 5번 던질 때, 점 P가 처음 출발 위치로 돌아올 확률

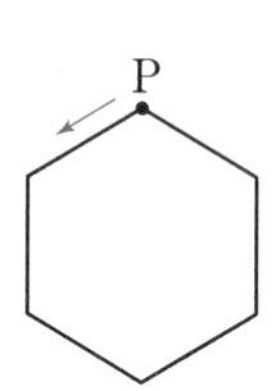

(3) 동전을 4번 던질 때, 점 P가 점 A의 위치에 있을 확률

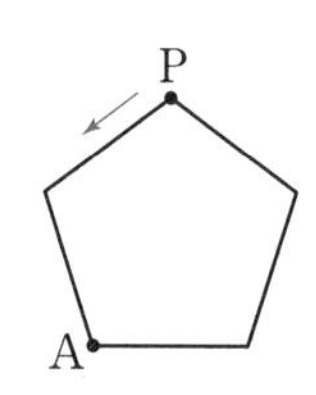

(4) 동전을 6번 던질 때, 점 P가 점 A의 위치에 있을 확률

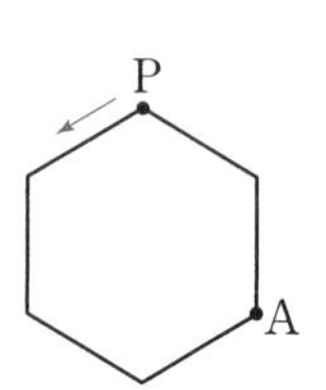

·중단원 점검문제·

정답과 풀이 038쪽

01

두 사건 A, B에 대하여 $\mathrm{P}(A)=\frac{3}{10}$, $\mathrm{P}(B)=\frac{2}{5}$, $\mathrm{P}(A|B)=\frac{1}{2}$일 때, $\mathrm{P}(B|A)$를 구하여라.

02

주머니에 1부터 10까지의 자연수가 하나씩 적힌 구슬이 들어 있다. 이 주머니에서 임의로 구슬을 한 개 꺼내서 구슬에 적힌 수가 짝수가 나왔을 때, 그것이 6의 약수일 확률을 구하여라.

03

다음 표는 어느 반의 안경 쓴 학생 수를 나타낸 것이다. 30명의 학생 중 임의로 뽑은 한 학생이 남학생일 때, 안경 쓴 학생일 확률을 구하여라.

(단위: 명)

	안경 씀	안경 안 씀	합계
여학생	9	7	16
남학생	6	8	14
합계	15	15	30

04

어느 반 학생의 $\frac{4}{5}$는 체육을 좋아하고, 체육을 좋아하는 남학생은 전체의 $\frac{1}{2}$이다. 이 반에서 임의로 뽑은 학생 한 명이 체육을 좋아할 때, 그 학생이 남학생일 확률을 구하여라.

05

두 사건 A, B에 대하여 $\mathrm{P}(A)=0.4$, $\mathrm{P}(B)=0.6$, $\mathrm{P}(A|B)=0.5$일 때, $\mathrm{P}(B|A)$를 구하여라.

06

흰색 탁구공 5개, 주황색 탁구공 3개가 들어 있는 상자에서 탁구공을 임의로 한 개씩 2번 꺼낼 때, 2개 모두 흰색 탁구공일 확률을 구하여라. (단, 꺼낸 탁구공은 다시 넣지 않는다.)

07

어느 야구 선수가 오늘 안타를 쳤을 때 내일 안타를 칠 확률은 0.4이고, 오늘 안타를 치지 못했을 때 내일 안타를 칠 확률은 0.7이다. 이 선수가 오늘 안타를 칠 확률이 0.6일 때, 내일 안타를 칠 확률을 구하여라.

08

가, 나 두 회사의 휴대폰 점유율은 각각 60 %, 40 %이고, 그 중 고가의 휴대폰이 차지하는 비율은 각각 50 %, 80 %이다. 어떤 사람이 고가의 휴대폰 한 개를 구입했을 때, 그 휴대폰이 나 회사의 휴대폰일 확률을 구하여라.

09

두 사건 A, B가 서로 독립이고, $\mathrm{P}(A)=\frac{1}{2}$, $\mathrm{P}(B)=\frac{3}{5}$일 때, $\mathrm{P}(A\cup B)$를 구하여라.

10

한 개의 주사위를 던져서 짝수의 눈이 나오는 사건을 A, 소수의 눈이 나오는 사건을 B, 3의 배수의 눈이 나오는 사건을 C라고 할 때, 보기에서 옳은 것만을 있는 대로 골라라.

보기

ㄱ. 사건 A와 B는 종속이다.
ㄴ. 사건 B와 C는 종속이다.
ㄷ. 사건 A와 C는 독립이다.
ㄹ. 사건 B와 C는 배반사건이다.

11

갑, 을 두 사람이 어떤 시험에 합격할 확률은 각각 0.8, 0.5이다. 두 사람 중 한 사람만 시험에 합격할 확률을 구하여라.

12

당첨 제비 8개를 포함하여 10개의 제비가 들어 있는 상자에서 임의로 제비를 한 개씩 두 번 꺼내려고 한다. 꺼낸 제비를 다시 넣지 않고 제비를 꺼낼 때, 두 번 모두 당첨 제비가 나올 확률을 a, 꺼낸 제비를 다시 넣고 제비를 꺼낼 때, 두 번 모두 당첨 제비가 나올 확률을 b라고 할 때 $a\div b$의 값을 구하여라.

13

한 개의 주사위를 6번 던질 때, 소수의 눈이 5번 이상 나올 확률을 구하여라.

14

어떤 질병에 대한 치료율이 0.8인 약물을 4명의 환자에게 투여했을 때, 적어도 한 명이 치료될 확률을 구하여라.

15

동점 P가 수직선 위의 0의 위치에서 출발하여 동전을 한 번 던져 앞면이 나오면 양의 방향으로 2만큼, 뒷면이 나오면 음의 방향으로 1만큼 움직인다. 동전을 5번 던질 때, 점 P가 1의 위치에 있을 확률을 구하여라.

P
−5 −4 −3 −2 −1 0 1 2 3 4 5

Ⅲ
통계

확률분포와 확률질량함수

1 이산확률변수와 확률분포

① 확률변수: 어떤 시행의 결과에 따라 변수 X가 취하는 값과 그 값을 취할 확률이 정해질 때, 이 변수 X를 **확률변수**라 하고, 확률변수 X가 어떤 값 x를 취할 확률을 기호로 $P(X=x)$와 같이 나타낸다.

② 이산확률변수: 확률변수 X가 가지는 값이 유한개이거나 자연수와 같이 셀 수 있을 때, 그 확률변수 X를 **이산확률변수**라고 한다.

③ 이산확률변수의 확률분포: 이산확률변수 X가 가질 수 있는 모든 값 x_1, x_2, x_3, $\cdots$, x_n에 그 값을 가질 확률 p_1, p_2, p_3, $\cdots$, p_n이 각각 대응할 때, 이 대응을 이산확률변수 X의 **확률분포**라고 한다.

› 이산확률변수 X의 확률분포는 다음 표와 같이 나타낸다.

X	x_1	x_2	$\cdots$	x_n	합계
$P(X=x_i)$	p_1	p_2	$\cdots$	p_n	1

2 확률질량함수

이산확률변수 X의 확률분포를 나타내는 함수

$$P(X=x_i)=p_i\ (i=1,\ 2,\ 3,\ \cdots,\ n)$$

를 이산확률변수 X의 **확률질량함수**라고 한다.

3 확률질량함수의 성질

① $0\le p_i\le 1\ (i=1,\ 2,\ 3,\ \cdots,\ n)$ ② $p_1+p_2+p_3+\cdots+p_n=1$

③ $P(x_i\le X\le x_j)=p_i+p_{i+1}+p_{i+2}+\cdots+p_j$

(i, $j=1$, 2, 3, $\cdots$, n이고 $i\le j$이다.)

› 확률분포에서 확률의 총합은 1이다.
➡ $p_1+p_2+p_3+\cdots+p_n=1$

› $P(X=a$ 또는 $X=b)$
$=P(X=a)+P(X=b)$

유형·01 이산확률변수의 뜻

01 다음 ( ) 안에 각 확률변수가 이산확률변수인 것은 ○표, 이산확률변수가 아닌 것은 ×표를 써넣어라.

(1) 두 개의 주사위를 동시에 던질 때, 나오는 눈의 수의 곱 ( )

(2) 10분 간격으로 운행되는 버스를 기다리는 시간 ( )

(3) 상자에서 귤을 꺼낼 때, 나오는 귤의 개수 ( )

풍쌤 POINT
이산확률변수 ➡ 확률변수 X의 값이 유한개이거나 셀 수 있다.

유형·02 확률분포를 보고 확률 구하기

02 이산확률변수 X의 확률분포가 아래와 같을 때, 다음 확률을 구하여라.

X	-2	-1	0	1	2	합계
$P(X=x)$	$\frac{1}{10}$	$\frac{1}{5}$	$\frac{1}{10}$	$\frac{2}{5}$	$\frac{1}{5}$	1

(1) $P(X^2=1)$

› 풀이 $P(X^2=1)=P(X=-1)+P(X=1)$
$=\frac{1}{5}+$___$=$___

(2) $P(X=-2$ 또는 $X=0)$

(3) $P(0\le X\le 2)$

정답과 풀이 040쪽

03 다음 도수분포표를 보고 확률변수 X의 확률분포를 표로 나타내어라.

(1) 20명의 학생이 갖고 있는 볼펜의 수를 나타낸 도수분포표이다. 이 중에서 한 명을 뽑을 때, 그 학생의 볼펜 수를 확률변수 X라고 하자.

볼펜 수(자루)	4	5	6	합계
학생 수(명)	2	11	7	20

⇨

X				합계
$P(X=x)$				

> 풀이 주어진 도수분포표에서 확률변수 X가 가질 수 있는 값은 4, 5, 6이고, 그 확률은 각각
> $P(X=4)=\frac{2}{20}=\frac{1}{10}$
> $P(X=5)=$ ____
> $P(X=6)=$ ____
> 따라서 확률변수 X의 확률분포를 표로 나타내면

X	4	5	6	합계
$P(X=x)$	$\frac{1}{10}$			

(2) 10명의 학생이 한달 동안 읽은 책의 수를 나타낸 도수분포표이다. 이 중에서 한 명을 뽑을 때, 그 학생이 읽은 책 수를 확률변수 X라고 하자.

책 수(권)	2	3	4	5	합계
학생 수(명)	3	4	2	1	10

⇨

X					합계
$P(X=x)$					

풍쌤 POINT

$$P(X=x)=\frac{(x\text{에 해당하는 학생 수})}{(\text{전체 학생 수})}$$

04 확률변수 X의 확률분포를 표로 나타낼 때, 다음을 구하여라.

(1) 두 개의 동전을 동시에 던져서 나오는 앞면의 개수를 확률변수 X라고 할 때

① X가 가질 수 있는 값

② 확률변수 X의 확률분포를 나타낸 표

X				합계
$P(X=x)$				

> 풀이 ① 확률변수 X는 앞면의 개수이므로 X가 가질 수 있는 값은 ____이다.
> ② $P(X=0)=$(앞면이 0개 나올 확률)$=\frac{1}{4}$
> $P(X=1)=$(앞면이 1개 나올 확률)$=$ ____
> $P(X=2)=$(앞면이 2개 나올 확률)$=$ ____

(2) 세 개의 동전을 동시에 던져서 나오는 뒷면의 개수를 확률변수 X라고 할 때

① X가 가질 수 있는 값

② 확률변수 X의 확률분포를 나타낸 표

X					합계
$P(X=x)$					

(3) 흰 공 3개, 검은 공 2개가 들어 있는 주머니에서 두 개의 공을 꺼낼 때, 나오는 흰 공의 개수를 확률변수 X라고 하자. 이때

① X가 가질 수 있는 값

② 확률변수 X의 확률분포를 나타낸 표

X				합계
$P(X=x)$				

유형 04 확률분포 구하기

05 여학생 3명, 남학생 4명 중에서 임의로 대표 2명을 뽑을 때, 뽑힌 여학생 수를 확률변수 X라고 하자. 다음 물음에 답하여라.

(1) 확률변수 X의 확률분포를 표로 나타내어라.

> 풀이 확률변수 X가 가질 수 있는 값은 0, 1, 2이다.
>
> $\mathrm{P}(X=0)=$(여학생 0명, 남학생 2명을 뽑을 확률)
>
> $=\frac{{}_3\mathrm{C}_0\times{}_4\mathrm{C}_2}{{}_7\mathrm{C}_2}=$ ___
>
> $\mathrm{P}(X=1)=$(여학생 1명, 남학생 1명을 뽑을 확률)
>
> $=\frac{{}_3\mathrm{C}_1\times{}_4\mathrm{C}_1}{{}_7\mathrm{C}_2}=$ ___
>
> $\mathrm{P}(X=2)=$(여학생 2명, 남학생 0명을 뽑을 확률)
>
> $=\frac{{}_3\mathrm{C}_2\times{}_4\mathrm{C}_0}{{}_7\mathrm{C}_2}=$ ___
>
> 따라서 확률변수 X의 확률분포를 표로 나타내면

X	0	1	2	합계
$\mathrm{P}(X=x)$				

(2) 확률 $\mathrm{P}(X\geq 1)$을 구하여라.

06 당첨 제비 4개를 포함하여 6개의 제비가 들어 있는 주머니에서 임의로 2개의 제비를 동시에 꺼낼 때, 나오는 당첨 제비의 개수를 확률변수 X라고 하자. 다음 물음에 답하여라.

(1) 확률변수 X의 확률분포를 표로 나타내어라.

(2) 확률 $\mathrm{P}(X\leq 1)$을 구하여라.

07 사과 4개, 귤 3개가 들어 있는 상자에서 임의로 3개를 동시에 꺼낼 때, 나오는 귤의 개수를 확률변수 X라고 하자. 다음 물음에 답하여라.

(1) 확률변수 X의 확률분포를 표로 나타내어라.

(2) 확률 $\mathrm{P}(2\leq X\leq 3)$을 구하여라.

(3) 확률 $\mathrm{P}(X^2-X=0)$을 구하여라.

08 각 면에 1부터 4까지의 수가 하나씩 적힌 서로 다른 정사면체 2개를 동시에 던질 때, 바닥에 닿은 면에 적힌 수의 차를 확률변수 X라고 하자. 다음 물음에 답하여라.

(1) 확률변수 X의 확률분포를 표로 나타내어라.

(2) 확률 $\mathrm{P}(X^2-3X=0)$을 구하여라.

(3) 확률 $\mathrm{P}(X^2-2X\leq 0)$을 구하여라.

풍쌤 POINT

확률변수 X가 가질 수 있는 값을 구한 다음 확률변수 X의 각 값에 대한 확률을 구한다.

유형 05 이산확률변수의 확률분포

09 확률변수 X의 확률분포가 주어진 표와 같을 때, 다음을 구하여라.

(1)

X	1	2	3	4
$\mathrm{P}(X=x)$	$\frac{1}{8}$	a	$\frac{1}{2}$	$\frac{a}{2}$

① 상수 a의 값
② $\mathrm{P}(X=1$ 또는 $X=2)$
③ $\mathrm{P}(3\le X\le 4)$

> 풀이 ① 확률의 총합은 1이므로
> $\frac{1}{8}+a+\frac{1}{2}+\frac{a}{2}=1 \quad \therefore a=$___
> ② $\mathrm{P}(X=1$ 또는 $X=2)=\mathrm{P}(X=1)+\mathrm{P}(X=2)$
> $=$___
> ③ $\mathrm{P}(3\le X\le 4)=\mathrm{P}(X=3)+\mathrm{P}(X=4)$
> $=$___

(2)

X	0	1	2	3
$\mathrm{P}(X=x)$	$\frac{1}{5}$	$3a$	$4a$	$\frac{1}{10}$

① 상수 a의 값
② $\mathrm{P}(X=2$ 또는 $X=3)$
③ $\mathrm{P}(X^2<2)$

(3)

X	-1	0	1
$\mathrm{P}(X=x)$	$\frac{1}{4}$	a	a^2

① 상수 a의 값
② $\mathrm{P}(X\le 0)$
③ $\mathrm{P}(X^2=1)$

풍쌤 POINT
확률분포에서 확률의 총합은 항상 1이다.

유형 06 확률질량함수

10 확률변수 X의 확률질량함수가 다음과 같을 때, 상수 k의 값을 구하여라.

(1) $\mathrm{P}(X=x)=kx^3\,(x=1,\,2,\,3)$

> 풀이 확률의 총합은 1이므로
> $\mathrm{P}(X=1)+\mathrm{P}(X=2)+\mathrm{P}(X=3)=1$에서
> $k\times1^3+k\times2^3+k\times3^3=1$
> $36k=1 \quad \therefore k=$___

(2) $\mathrm{P}(X=x)=\frac{k}{2}x^2\ (x=1,\,2,\,3)$

(3) $\mathrm{P}(X=x)=\frac{k}{x}\ (x=1,\,2,\,3)$

(4) $\mathrm{P}(X=x)=k\times2^x\ (x=1,\,2,\,3)$

풍쌤 POINT
$\mathrm{P}(X=x_i)=p_i\ (i=1,\,2,\,3,\,\cdots,\,n)$에서 p_i는 $X=x_i$일 때의 확률이므로 $p_1+p_2+p_3+\cdots+p_n=1$

11 확률변수 X의 확률질량함수가 다음과 같을 때, 확률을 구하여라.

(1) $P(X=x)=\frac{x}{10}$ $(x=1, 2, 3, 4)$일 때,
확률 $P(X^2-5X+4=0)$

> 풀이 $P(X^2-5X+4=0)=P(X=1$ 또는 $X=4)$
> $=P(X=1)+P(X=4)$
> $=\frac{1}{10}+$___$=$___

(2) $P(X=x)=\frac{x}{6}$ $(x=1, 2, 3)$일 때,
확률 $P(X\leq 2)$

(3) $P(X=x)=\frac{|x|}{8}$ $(x=-3, -1, 1, 3)$일 때,
확률 $P(|X|=3)$

(4) $P(X=x)=\frac{x^2}{14}$ $(x=1, 2, 3)$일 때,
확률 $P(X^2-3X+2=0)$

(5) $P(X=x)=\frac{x^2}{10}$ $(x=-2, -1, 1, 2)$일 때,
확률 $P(X^2-1\leq 0)$

12 확률변수 X의 확률질량함수가 다음과 같을 때, 확률을 구하여라.

(1) $P(X=x)=kx$ $(x=1, 2, 3)$일 때,
확률 $P(X^2-5X+6\leq 0)$

> 풀이 확률의 총합은 1이므로
> $P(X=1)+P(X=2)+P(X=3)=1$에서
> $k+2k+3k=1$ $\quad\therefore k=\frac{1}{6}$
> 즉, $P(X=x)=\frac{1}{6}x$이므로
> $P(X^2-5X+6\leq 0)=P(2\leq X\leq 3)$
> $=P(X=2)+P(X=3)$
> $=$___$+$___
> $=$___

(2) $P(X=x)=kx^2(x=-1, 1, 2)$일 때,
확률 $P(X^2=1)$

(3) $P(X=x)=k|x|(x=-3, -1, 1, 3)$일 때,
확률 $P(X^2>3)$

(4) $P(X=x)=\frac{x}{k}$ $(x=2, 3, 4)$일 때,
확률 $P(X^2-6X+8=0)$

풍쌤 POINT
먼저 (확률의 총합)$=1$임을 이용하여 k의 값을 구한다.

이산확률변수의 평균, 분산, 표준편차

1 이산확률변수의 평균(기댓값), 분산, 표준편차

이산확률변수 X의 확률질량함수가 $P(X=x_i)=p_i(i=1, 2, 3, \cdots, n)$일 때

① 평균(기댓값): $E(X)=x_1p_1+x_2p_2+x_3p_3+\cdots+x_np_n$

② 분산: $V(X)=E((X-m)^2)=E(X^2)-\{E(X)\}^2$ (단, $m=E(X)$)
(제곱의 평균)−(평균의 제곱)

③ 표준편차: $\sigma(X)=\sqrt{V(X)}$

› $V(X)$는 편차 $X-m$의 제곱의 평균이다.
$\sigma(X)$는 $V(X)$의 양의 제곱근이다.

유형·07 이산확률변수의 평균, 분산, 표준편차

정답과 풀이 043쪽

13 확률변수 X의 확률분포가 다음 표와 같을 때, X의 평균, 분산, 표준편차를 각각 구하여라.

(1)

X	1	2	3	합계
$P(X=x)$	$\frac{1}{5}$	$\frac{3}{5}$	$\frac{1}{5}$	1

› 풀이 평균: $E(X)=1\times\frac{1}{5}+2\times\frac{3}{5}+3\times\frac{1}{5}$

$=$ ____

분산: $E(X^2)=1^2\times\frac{1}{5}+2^2\times\frac{3}{5}+3^2\times\frac{1}{5}=\frac{22}{5}$

$\therefore V(X)=E(X^2)-\{E(X)\}^2$

$=$ ____

표준편차: $\sigma(X)=\sqrt{V(X)}=$ ____

(2)

X	0	1	2	합계
$P(X=x)$	$\frac{1}{4}$	$\frac{1}{2}$	$\frac{1}{4}$	1

(3)

X	1	3	5	합계
$P(X=x)$	$\frac{1}{3}$	$\frac{1}{3}$	$\frac{1}{3}$	1

(4)

X	0	1	2	3	합계
$P(X=x)$	$\frac{1}{8}$	$\frac{1}{8}$	$\frac{3}{8}$	$\frac{3}{8}$	1

(5)

X	1	2	3	4	합계
$P(X=x)$	$\frac{3}{10}$	$\frac{1}{2}$	$\frac{1}{10}$	$\frac{1}{10}$	1

유형 08 이산확률변수의 기댓값

14 확률변수 X가 다음과 같을 때, 확률변수 X의 확률분포를 표로 나타내고 $\mathrm{E}(X)$, $\mathrm{V}(X)$, $\sigma(X)$를 각각 구하여라.

(1) 한 개의 동전을 2번 던질 때, 앞면이 나오는 횟수를 확률변수 X라고 한다.

①

X				합계
$\mathrm{P}(X=x)$				

② $\mathrm{E}(X)$, $\mathrm{V}(X)$, $\sigma(X)$

(2) 한 개의 동전을 3번 던질 때, 뒷면이 나오는 횟수를 확률변수 X라고 한다.

①

X					합계
$\mathrm{P}(X=x)$					

② $\mathrm{E}(X)$, $\mathrm{V}(X)$, $\sigma(X)$

(3) 남학생 2명과 여학생 2명 중에서 임의로 대표 2명을 뽑을 때, 뽑힌 남학생의 수를 확률변수 X라고 한다.

①

X				합계
$\mathrm{P}(X=x)$				

② $\mathrm{E}(X)$, $\mathrm{V}(X)$, $\sigma(X)$

15 다음 표와 같이 상금이 주어진 복권 100장 중에서 한 장을 살 때, 상금의 기댓값을 구하여라.

(1)

등수	복권 매수	상금(원)
1등	10	10000
2등	20	5000
3등	30	2000
등외	40	0

> 풀이 복권 한 장에서 받을 수 있는 상금을 X원이라고 할 때, 확률변수 X의 확률분포를 표로 나타내면

X	0	2000	5000	10000	합계
$\mathrm{P}(X=x)$	$\frac{2}{5}$	$\frac{3}{10}$	$\frac{1}{5}$	$\frac{1}{10}$	1

$\therefore \mathrm{E}(X)=0\times\frac{2}{5}+2000\times\frac{3}{10}+5000\times\frac{1}{5}+10000\times\frac{1}{10}$

$=$ ____

따라서 확률변수 X의 기댓값은 ____원이다.

(2)

등수	복권 매수	상금(원)
1등	5	10000
2등	10	6000
3등	20	3000
등외	65	0

(3)

등수	복권 매수	상금(원)
1등	2	20000
2등	5	10000
3등	10	5000
등외	83	0

유형 09 이산확률변수의 표준편차

16 다음 기댓값을 구하여라.

(1) 500원짜리 동전 2개를 동시에 던져서 앞면이 나오면 앞면이 나온 동전의 금액만큼 받는다고 한다. 이 시행에서 받는 금액을 X원이라고 할 때, 확률변수 X의 기댓값

> 풀이 500원짜리 동전 2개를 던져서 받을 수 있는 금액은
(앞, 앞) ➡ $500+500=1000$(원)
(앞, 뒤) ➡ $500+0=500$(원)
(뒤, 앞) ➡ $0+500=500$(원)
(뒤, 뒤) ➡ $0+0=0$(원)
즉, 확률변수 X가 가질 수 있는 값은 0, 500, 1000이고 X의 확률분포를 표로 나타내면

X	0	500	1000	합계
$\mathrm{P}(X=x)$	$\frac{1}{4}$			

$\therefore \mathrm{E}(X)=0\times\frac{1}{4}+500\times$ ____ $+1000\times$ ____
$=$ ____
따라서 확률변수 X의 기댓값은 ____원이다.

(2) 100원짜리 동전 3개를 동시에 던져서 뒷면이 나오면 뒷면이 나온 동전의 금액만큼 받는다고 한다. 이 시행에서 받는 금액을 X원이라고 할 때, 확률변수 X의 기댓값

(3) 한 개의 주사위를 던져서 나온 눈의 수만큼 100원짜리 동전을 받는다고 한다. 이 시행에서 받는 금액을 X원이라고 할 때, 확률변수 X의 기댓값

풍쌤 POINT
(기댓값)=(평균)

17 다음 표준편차를 구하여라.

(1) 사이다 2개, 콜라 4개가 들어 있는 상자에서 임의로 두 개의 음료수를 동시에 꺼낸다. 이때 나오는 콜라의 개수를 X라고 할 때, 확률변수 X의 표준편차

> 풀이 확률변수 X가 가질 수 있는 값은 0, 1, 2이고, 그 확률을 각각 구하면
$\mathrm{P}(X=0)=$(사이다 2개, 콜라 0개를 꺼낼 확률)
$=\frac{{}_2\mathrm{C}_2\times{}_4\mathrm{C}_0}{{}_6\mathrm{C}_2}=\frac{1}{15}$
$\mathrm{P}(X=1)=$(사이다 1개, 콜라 1개를 꺼낼 확률)
$=\frac{{}_2\mathrm{C}_1\times{}_4\mathrm{C}_1}{{}_6\mathrm{C}_2}=\frac{8}{15}$
$\mathrm{P}(X=2)=$(사이다 0개, 콜라 2개를 꺼낼 확률)
$=\frac{{}_2\mathrm{C}_0\times{}_4\mathrm{C}_2}{{}_6\mathrm{C}_2}=\frac{2}{5}$
따라서 확률변수 X의 표준편차를 구하면
$\mathrm{E}(X)=0\times\frac{1}{15}+1\times\frac{8}{15}+2\times\frac{2}{5}=$ ____
$\mathrm{E}(X^2)=0^2\times\frac{1}{15}+1^2\times\frac{8}{15}+2^2\times\frac{2}{5}=$ ____
$\mathrm{V}(X)=\mathrm{E}(X^2)-\{\mathrm{E}(X)\}^2=$ ____
$\therefore \sigma(X)=\sqrt{\mathrm{V}(X)}=$ ____

(2) 노란 구슬 3개, 빨간 구슬 2개가 들어 있는 주머니에서 임의로 두 개의 구슬을 동시에 꺼낸다. 이때 나오는 노란 구슬의 개수를 X라고 할 때, 확률변수 X의 표준편차

(3) 당첨 제비가 2개 들어 있는 7개의 제비 중에서 임의로 두 개의 제비를 동시에 꺼낸다. 이때 나오는 당첨 제비의 개수를 X라고 할 때, 확률변수 X의 표준편차

풍쌤 POINT
확률분포 ➡ 평균 ➡ 분산 ➡ 표준편차

확률변수 $ax+b$의 평균, 분산, 표준편차

1 확률변수 $ax+b$의 평균, 분산, 표준편차

확률변수 X와 두 상수 a, b에 대하여 (단, $a\neq0$)

① $E(aX+b)=aE(X)+b$

② $V(aX+b)=a^2V(X)$

③ $\sigma(aX+b)=|a|\sigma(X)$

> $V(aX+b)=a^2V(X)$에서
> $\sqrt{V(aX+b)}=|a|\sqrt{V(X)}$
> $\therefore \sigma(aX+b)=|a|\sigma(X)$

유형·10 확률변수 $aX+b$의 평균, 분산, 표준편차

18 확률변수 X의 평균과 분산이 $E(X)=5$, $V(X)=2$일 때, 다음 확률변수의 평균, 분산, 표준편차를 각각 구하여라.

(1) $-3X+1$

> 풀이 평균: $E(-3X+1)=-3E(X)+1=$____
> 분산: $V(-3X+1)=(-3)^2V(X)=$___
> 표준편차: $\sigma(-3X+1)=|-3|\sigma(X)=$____

(2) $4X-1$

(3) $2X+3$

(4) $-5X-1$

풍쌤 POINT

$E(aX+b)=aE(X)+b$
$V(aX+b)=a^2V(X)$
$\sigma(aX+b)=|a|\sigma(X)$

19 다음 값을 구하여라.

(1) 확률변수 X의 평균과 분산이
$E(X)=3$, $V(X)=5$일 때, $E(3X^2-1)$

> 풀이 $E(3X^2-1)=3E(X^2)-1$이므로 $E(X^2)$을 구하면
> $V(X)=E(X^2)-\{E(X)\}^2$에서
> $5=E(X^2)-3^2$ $\therefore E(X^2)=14$
> $\therefore E(3X^2-1)=3E(X^2)-1=$___

(2) 확률변수 X의 평균과 분산이
$E(X)=1$, $V(X)=2$일 때, $E(4X^2+3)$

(3) 확률변수 X의 평균과 분산이
$E(X)=5$, $V(X)=1$일 때, $E(-2X^2+3)$

풍쌤 POINT

$V(X)=E(X^2)-\{E(X)\}^2$을 이용하여 먼저 $E(X^2)$을 구한다.

유형·11 확률분포가 주어진 경우

20 확률변수 X의 확률분포가 다음 표와 같을 때, 확률변수 Y의 평균, 분산, 표준편차를 각각 구하여라.

X	0	1	2	합계
$\mathrm{P}(X=x)$	$\frac{1}{4}$	$\frac{1}{2}$	$\frac{1}{4}$	1

(1) $Y=3X$

> 풀이 $\mathrm{E}(X)=0\times\frac{1}{4}+1\times\frac{1}{2}+2\times\frac{1}{4}=1$

$\mathrm{E}(X^2)=0^2\times\frac{1}{4}+1^2\times\frac{1}{2}+2^2\times\frac{1}{4}=\frac{3}{2}$

$\mathrm{V}(X)=\mathrm{E}(X^2)-\{\mathrm{E}(X)\}^2=\frac{1}{2}$

$\sigma(X)=\sqrt{\mathrm{V}(X)}=\frac{\sqrt{2}}{2}$

$\therefore\ \mathrm{E}(Y)=\mathrm{E}(3X)=3\mathrm{E}(X)=$ __

$\mathrm{V}(Y)=\mathrm{V}(3X)=3^2\mathrm{V}(X)=$ __

$\sigma(Y)=\sigma(3X)=|3|\sigma(X)=$ __

(2) $Y=2X+1$

(3) $Y=-X+4$

(4) $Y=5X-2$

풍쌤 POINT

확률변수 $aX+b$의 평균, 분산, 표준편차를 구하려면 먼저 X의 평균, 분산, 표준편차를 구해야 한다.

21 확률변수 X의 확률분포가 다음 표와 같을 때, 확률변수 Y의 평균, 분산, 표준편차를 각각 구하여라.

X	0	1	2	3	합계
$\mathrm{P}(X=x)$	$2a$	a	a	$2a$	1

(1) $Y=4X+1$

> 풀이 확률의 총합이 1이므로

$2a+a+a+2a=1\quad\therefore\ a=\frac{1}{6}$

$\mathrm{E}(X)=0\times\frac{2}{6}+1\times\frac{1}{6}+2\times\frac{1}{6}+3\times\frac{2}{6}=\frac{3}{2}$

$\mathrm{E}(X^2)=0^2\times\frac{2}{6}+1^2\times\frac{1}{6}+2^2\times\frac{1}{6}+3^2\times\frac{2}{6}=\frac{23}{6}$

$\mathrm{V}(X)=\mathrm{E}(X^2)-\{\mathrm{E}(X)\}^2=\frac{19}{12}$

$\sigma(X)=\sqrt{\mathrm{V}(X)}=\frac{\sqrt{57}}{6}$

$\therefore\ \mathrm{E}(Y)=\mathrm{E}(4X+1)=4\mathrm{E}(X)+1=$ __

$\mathrm{V}(Y)=\mathrm{V}(4X+1)=4^2\mathrm{V}(X)=$ __

$\sigma(Y)=\sigma(4X+1)=|4|\sigma(X)=$ __

(2) $Y=6X$

(3) $Y=3X-2$

(4) $Y=-2X+4$

풍쌤 POINT

먼저 확률의 총합이 1임을 이용하여 확률분포를 구한다.

유형 12 확률분포가 주어지지 않은 경우

정답과 풀이 047쪽

22 여학생 2명, 남학생 3명 중에서 임의로 대표 2명을 뽑을 때, 뽑힌 여학생의 수를 확률변수 X라고 하자. 이때 확률변수 $Y=-2X+3$의 평균과 분산을 각각 다음 순서대로 구하여라.

(1) 확률변수 X의 확률분포를 표로 나타내기

풀이 확률변수 X가 가질 수 있는 값은 0, 1, 2이고, 그 확률은 각각

$P(X=0)=\frac{{}_2C_0\times{}_3C_2}{{}_5C_2}=\frac{3}{10}$

$P(X=1)=\frac{{}_2C_1\times{}_3C_1}{{}_5C_2}=$ ____

$P(X=2)=\frac{{}_2C_2\times{}_3C_0}{{}_5C_2}=$ ____

따라서 확률변수 X의 확률분포를 표로 나타내면

X	0	1	2	합계
$P(X=x)$	$\frac{3}{10}$			

(2) $E(X)$와 $V(X)$ 구하기

(3) $E(-2X+3)$과 $V(-2X+3)$ 구하기

풍쌤 POINT

확률분포가 주어지지 않은 경우

➡ 확률분포를 표로 나타내기

➡ 확률변수 X의 평균과 분산 구하기

23 흰 공 4개, 파란 공 2개가 들어 있는 주머니에서 임의로 두 개의 공을 꺼낼 때, 그 속에 포함된 흰 공의 개수를 확률변수 X라고 하자. 이때 확률변수 $Y=3X+1$의 평균과 분산을 각각 다음 순서대로 구하여라.

(1) 확률변수 X의 확률분포를 표로 나타내기

(2) $E(X)$와 $V(X)$ 구하기

(3) $E(3X+1)$과 $V(3X+1)$ 구하기

24 당첨 제비 3개를 포함하여 제비가 6개 들어 있는 주머니에서 임의로 두 개의 제비를 꺼낼 때, 그 속에 포함된 당첨 제비의 개수를 확률변수 X라고 하자. 이때 확률변수 $Y=-5X+6$의 평균과 분산을 각각 다음 순서대로 구하여라.

(1) 확률변수 X의 확률분포를 표로 나타내기

(2) $E(X)$와 $V(X)$ 구하기

(3) $E(-5X+6)$과 $V(-5X+6)$ 구하기

이항분포

1 이항분포

한 번의 시행에서 사건 A가 일어날 확률을 p, 일어나지 않을 확률을 q라고 할 때, n번의 독립시행에서 사건 A가 일어나는 횟수를 X라고 하면 확률변수 X의 확률분포는 다음과 같다.

① 확률질량함수: $\mathrm{P}(X=x)={}_n\mathrm{C}_x p^x q^{n-x}$ (단, $q=1-p$, $x=0, 1, 2, \cdots, n$)

② 확률변수 X의 확률분포

X	0	1	2	$\cdots$	n	합계
$\mathrm{P}(X=x)$	${}_n\mathrm{C}_0 q^n$	${}_n\mathrm{C}_1 p^1 q^{n-1}$	${}_n\mathrm{C}_2 p^2 q^{n-2}$	$\cdots$	${}_n\mathrm{C}_n p^n$	1

이와 같은 확률변수 X의 확률분포를 이항분포라 하고, 기호로 $\mathrm{B}(n, p)$와 같이 나타낸다.

2 이항분포의 평균, 분산, 표준편차

확률변수 X가 이항분포 $\mathrm{B}(n, p)$를 따를 때 (단, $q=1-p$)

① 평균: $\mathrm{E}(X)=np$

② 분산: $\mathrm{V}(X)=npq$

③ 표준편차: $\sigma(X)=\sqrt{npq}$

› 이항분포는 독립시행에서 정의되는 확률분포이다.

$\mathrm{B}(n, p)$ (시행횟수 → n, 확률 → p)

› $x=0$, $x=n$일 때 $p^0=1$, $q^0=1$로 계산한다.

정답과 풀이 047쪽

유형·13 이항분포의 정의

25 다음 확률변수 X가 이항분포를 따를 때, $\mathrm{B}(n, p)$ 꼴로 나타내어라.

(1) 한 개의 주사위를 10번 던질 때, 짝수의 눈이 나오는 횟수 X

› 풀이 짝수의 눈이 나올 확률은 $\frac{1}{2}$이므로 짝수의 눈이 나오는 횟수 X는 이항분포 ______ 을 따른다.

(2) 20개의 동전을 동시에 던질 때, 앞면이 나오는 동전의 개수 X

유형·14 이항분포의 확률

26 확률변수 X가 다음과 같은 이항분포를 따를 때, X의 확률질량함수와 확률 $\mathrm{P}(X=2)$를 각각 구하여라.

(1) $\mathrm{B}\left(8, \frac{1}{2}\right)$

› 풀이 (i) 확률변수 X의 확률질량함수는

$\mathrm{P}(X=x)={}_8\mathrm{C}_x\left(\frac{1}{2}\right)^x\left(\frac{1}{2}\right)^{8-x}=$ ______

(ii) $\mathrm{P}(X=2)={}_8\mathrm{C}_2\left(\frac{1}{2}\right)^8=$ ____

(2) $\mathrm{B}\left(9, \frac{1}{3}\right)$

유형·15 이항분포의 평균, 분산, 표준편차

27 다음을 구하여라.

(1) 한 개의 동전을 10번 던져서 뒷면이 나오는 횟수를 확률변수 X라고 할 때

① 확률질량함수

② $\mathrm{P}(X=3)$

> 풀이 ① 한 개의 동전을 한 번 던질 때, 뒷면이 나올 확률은 $\frac{1}{2}$이므로 확률변수 X는 이항분포 $\mathrm{B}\left(10, \frac{1}{2}\right)$을 따른다. 따라서 확률변수 X의 확률질량함수는
> $\mathrm{P}(X=x)=$______
> ② $\mathrm{P}(X=3)={}_{10}\mathrm{C}_3\left(\frac{1}{2}\right)^{10}=$______

(2) 한 개의 주사위를 6번 던져서 3의 배수의 눈이 나오는 횟수를 확률변수 X라고 할 때

① 확률질량함수

② $\mathrm{P}(X=2)$

(3) 정답이 한 개인 오지선다형 문제 8개에 임의로 답하여 맞힌 문제의 개수를 확률변수 X라고 할 때

① 확률질량함수

② $\mathrm{P}(X=4)$

■ 풍쌤 POINT

$\mathrm{B}(n, p)$에서 $\mathrm{P}(X=x)={}_n\mathrm{C}_x p^x(1-p)^{n-x}$

(단, $x=0, 1, 2, \cdots, n$)

28 확률변수 X가 다음 이항분포를 따를 때, X의 평균, 분산, 표준편차를 각각 구하여라.

(1) $\mathrm{B}\left(50, \frac{1}{5}\right)$

> 풀이 확률변수 X가 이항분포 $\mathrm{B}(n, p)$를 따를 때,
> $\mathrm{E}(X)=np$, $\mathrm{V}(X)=np(1-p)$이므로
> 평균: $\mathrm{E}(X)=50\times\frac{1}{5}=$______
> 분산: $\mathrm{V}(X)=50\times\frac{1}{5}\times\frac{4}{5}=$______
> 표준편차: $\sigma(X)=\sqrt{\mathrm{V}(X)}=$______

(2) $\mathrm{B}\left(60, \frac{1}{2}\right)$

(3) $\mathrm{B}\left(45, \frac{2}{3}\right)$

(4) $\mathrm{B}\left(80, \frac{3}{4}\right)$

(5) $\mathrm{B}\left(100, \frac{7}{10}\right)$

■ 풍쌤 POINT

$\mathrm{B}(n, p)$에서 $\mathrm{E}(X)=np$, $\mathrm{V}(X)=np(1-p)$,
$\sigma(X)=\sqrt{np(1-p)}$

29 확률변수 X는 이항분포 $\mathrm{B}(72,\ p)$를 따른다. 확률변수 X의 평균이 다음과 같을 때, X의 표준편차를 구하여라.

(1) X의 평균이 24

> 풀이 $\mathrm{E}(X)=72p=24$에서 $p=\frac{1}{3}$
>
> X가 이항분포 $\mathrm{B}\left(72,\ \frac{1}{3}\right)$을 따르므로
>
> $\mathrm{V}(X)=72\times\frac{1}{3}\times\frac{2}{3}=$___
>
> $\therefore\ \sigma(X)=\sqrt{\mathrm{V}(X)}=$___

(2) X의 평균이 8

(3) X의 평균이 36

(4) X의 평균이 54

30 확률변수 X는 이항분포 $\mathrm{B}(n,\ p)$를 따른다. 확률변수 X의 평균과 분산이 다음과 같을 때, n, p의 값을 각각 구하여라.

(1) X의 평균이 1, 분산이 $\frac{9}{10}$

> 풀이 $\mathrm{E}(X)=np=1$
>
> $\mathrm{V}(X)=np(1-p)=\frac{9}{10}$에서 $np=1$이므로
>
> $1-p=\frac{9}{10}$ $\qquad\therefore\ p=$___
>
> $\therefore\ n=\frac{1}{p}=$___

(2) X의 평균이 5, 분산이 4

(3) X의 평균이 9, 분산이 6

(4) X의 평균이 2, 분산이 $\frac{8}{5}$

풍쌤 POINT

확률변수 X가 이항분포 $\mathrm{B}(n,\ p)$를 따를 때

① $\mathrm{E}(X)=np$

② $\mathrm{V}(X)=np(1-p)=\mathrm{E}(X)\times(1-p)$

31 다음을 구하여라.

(1) 자유투 성공률이 60 %인 농구 선수가 자유투를 100개 던져서 성공시키는 횟수를 확률변수 X라고 할 때

① X의 평균

② X의 분산

> 풀이 자유투 1개를 던질 때, 성공시킬 확률은 $\frac{60}{100}=\frac{3}{5}$이므로 확률변수 X는 이항분포 $\mathrm{B}\left(100,\ \frac{3}{5}\right)$을 따른다.
>
> ① X의 평균: $\mathrm{E}(X)=100\times\frac{3}{5}=$___
>
> ② X의 분산: $\mathrm{V}(X)=100\times\frac{3}{5}\times\frac{2}{5}=$___

(2) 어떤 기계가 생산하는 제품 중 10 %가 불량품이다. 이 기계로 200개의 제품을 생산하면서 나오는 불량품의 개수를 확률변수 X라고 할 때

① X의 평균

② X의 분산

(3) 어린이의 비율이 0.7인 놀이공원에 300명이 입장할 때, 어린이의 수를 X라고 한다. 이때

① X의 평균

② X의 분산

(4) 타율이 0.25인 야구 선수가 타석에 120번 서서 안타를 칠 횟수를 확률변수 X라고 할 때

① X의 평균

② X의 분산

32 다음을 구하여라.

(1) 한 개의 주사위를 60번 던져서 5의 약수의 눈이 나오는 횟수를 확률변수 X라고 할 때

① X의 평균

② X의 표준편차

> 풀이 한 개의 주사위를 던질 때, 5의 약수의 눈이 나올 확률은 $\frac{1}{3}$이므로 확률변수 X는 이항분포 $\mathrm{B}\left(60,\ \frac{1}{3}\right)$을 따른다.
>
> ① X의 평균: $\mathrm{E}(X)=60\times\frac{1}{3}=$___
>
> ② X의 표준편차: $\mathrm{V}(X)=60\times\frac{1}{3}\times\frac{2}{3}=$___
>
> $\therefore\ \sigma(X)=\sqrt{\mathrm{V}(X)}=$___

(2) 한 개의 동전을 40번 던져서 앞면이 나오는 횟수를 확률변수 X라고 할 때

① X의 평균

② X의 표준편차

(3) ○× 퀴즈문제를 50개 풀어서 맞힌 문제의 수를 확률변수 X라고 할 때

① X의 평균

② X의 표준편차

정답과 풀이 049쪽

33 다음을 구하여라.

(1) 20개의 동전을 동시에 던질 때, 뒷면이 나오는 횟수 X에 대하여 상금으로 $(5X+2)$원을 받는다. 이때 상금의 기댓값

> 풀이 한 개의 동전을 던질 때, 뒷면이 나올 확률은 $\frac{1}{2}$이므로
> 확률변수 X는 이항분포 $B\left(20,\ \frac{1}{2}\right)$을 따른다.
> $E(X)=20\times\frac{1}{2}=$___
> $E(5X+2)=5E(X)+2=$___
> 따라서 상금의 기댓값은 ___원이다.

(2) 12개의 주사위를 동시에 던질 때, 6의 약수의 눈이 나오는 횟수 X에 대하여 상금으로 $(4X+10)$원을 받는다. 이때 상금의 기댓값

(3) 8개의 동전을 동시에 던질 때, 앞면이 나오는 횟수 X에 대하여 상금으로 $(7X-1)$원을 받는다. 이때 상금의 기댓값

(4) 1부터 10까지의 수가 하나씩 적힌 공이 들어 있는 주머니에서 임의로 한 개의 공을 꺼내어 수를 확인하고 넣는 시행을 20번 한다. 소수가 적힌 공이 나오는 횟수 X에 대하여 상금으로 $(3X+6)$원을 받을 때, 상금의 기댓값

풍쌤 POINT
상금 $(aX+b)$원의 기댓값 ➡ $E(aX+b)=aE(X)+b$

34 다음을 구하여라.

(1) 12개의 주사위를 동시에 던져서 3의 배수의 눈이 나오는 횟수를 확률변수 X라고 할 때, X^2의 평균

> 풀이 한 개의 주사위를 던질 때, 3의 배수의 눈이 나올 확률은
> $\frac{1}{3}$이므로 확률변수 X는 이항분포 $B\left(12,\ \frac{1}{3}\right)$을 따른다.
> $E(X)=12\times\frac{1}{3}=$___
> $V(X)=12\times\frac{1}{3}\times\frac{2}{3}=$___
> 따라서 $V(X)=E(X^2)-\{E(X)\}^2$에서
> $E(X^2)=V(X)+\{E(X)\}^2$
> $=$___

(2) 발아율이 90 %인 어떤 씨앗 100개를 뿌릴 때, 싹이 나오는 씨앗의 개수를 확률변수 X라고 한다. 이때 X^2의 평균

(3) 승률이 60 %인 어떤 축구팀이 50번 경기를 하여 이기는 횟수를 확률변수 X라고 할 때, X^2의 평균

(4) 정상품을 75 % 생산하는 기계가 160개의 제품을 생산할 때 나오는 정상품의 개수를 확률변수 X라고 한다. 이때 X^2의 평균

풍쌤 POINT
$V(X)=E(X^2)-\{E(X)\}^2$

05

연속확률변수

1 연속확률변수

확률변수 X가 어떤 범위에 속하는 모든 실수의 값을 가질 때, X의 연속확률변수라고 한다.

2 확률밀도함수

연속확률변수 X가 $\alpha \le X \le \beta$에서 모든 실수의 값을 가지고, 이 범위에서 함수 $f(x)$가 다음 조건을 만족시킬 때, $f(x)$를 X의 확률밀도함수라고 한다.

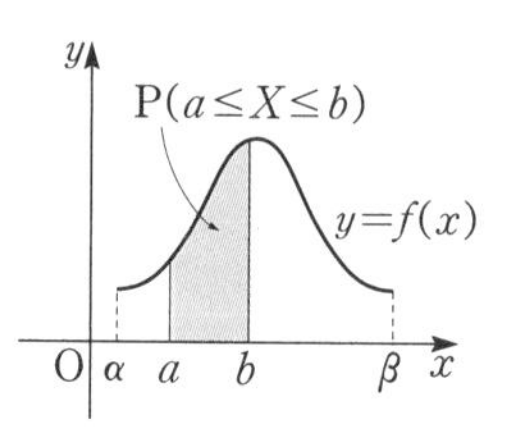

① $f(x) \ge 0$

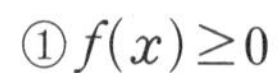

② $y=f(x)$의 그래프와 x축 및 두 직선 $x=\alpha$, $x=\beta$로 둘러싸인 부분의 넓이가 1이다.

③ $\mathrm{P}(a \le X \le b)$는 $y=f(x)$의 그래프와 x축 및 두 직선 $x=a$, $x=b$로 둘러싸인 부분의 넓이와 같다. (단, $\alpha \le a \le b \le \beta$)

› 연속확률변수 X가 특정한 값을 가질 확률은 0이므로
$\mathrm{P}(a \le X \le b)$
$=\mathrm{P}(a \le X < b)$
$=\mathrm{P}(a < X \le b)$
$=\mathrm{P}(a < X < b)$

유형 17 연속확률변수의 뜻

35 다음 확률변수가 연속확률변수인지 아닌지 구하여라.

(1) 어느 학교 학생들의 하루 휴대폰 사용 시간

(2) 2개의 동전을 동시에 던질 때, 뒷면이 나오는 횟수

(3) 15분 간격으로 출발하는 버스를 기다리는 시간

(4) 빨간 구슬 5개, 흰 구슬 3개가 들어 있는 주머니에서 임의로 구슬을 3개 꺼낼 때, 나온 빨간 구슬의 개수

유형 18 연속확률변수의 확률

36 연속확률변수 X의 확률밀도함수 $f(x)$가 다음과 같을 때, 확률을 구하여라.

(1) $f(x)=-\frac{x}{2}+1(0 \le x \le 2)$일 때, $\mathrm{P}(0 \le X \le 1)$

› 풀이 $\mathrm{P}(0 \le X \le 1)$
$=$(색칠한 부분의 넓이)
$=\frac{1}{2} \times \left(1+\frac{1}{2}\right) \times 1$
$=$____

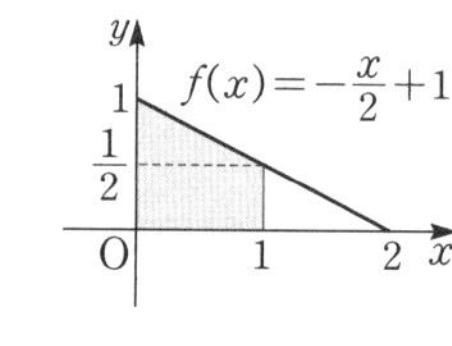

(2) $f(x)=\frac{1}{3}(0 \le x \le 3)$일 때, $\mathrm{P}(X \ge 2)$

(3) $f(x)=2x+2(-1 \le x \le 0)$일 때, $\mathrm{P}\left(-1 \le X \le -\frac{1}{2}\right)$

유형 19 구간으로 나누어진 확률밀도함수

37 다음을 구하여라.

(1) 연속확률변수 X의 확률밀도함수가
$f(x)=kx(0\le x\le 4)$일 때
① 상수 k의 값
② $\mathrm{P}(1\le X\le 3)$

풀이 ① $y=f(x)$의 그래프와 x축 및 두 직선 $x=0$, $x=4$로 둘러싸인 부분의 넓이는 1이므로

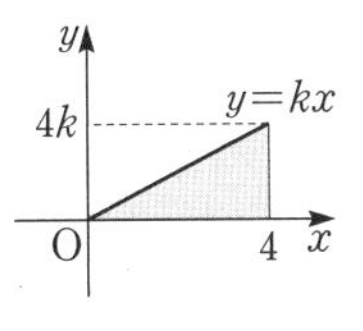

$\frac{1}{2}\times4\times4k=1$
$\therefore k=$___

② $f(x)=\frac{1}{8}x$이므로
$\mathrm{P}(1\le X\le 3)$
$=\frac{1}{2}\times\left(\frac{1}{8}+\frac{3}{8}\right)\times2$
$=$___

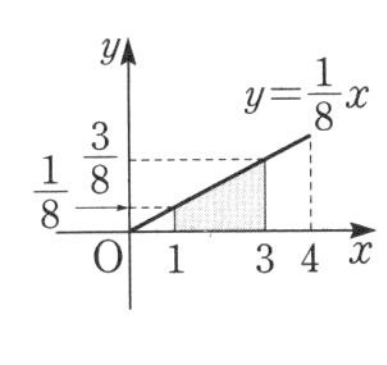

(2) 연속확률변수 X의 확률밀도함수가
$f(x)=k(0\le x\le 6)$일 때
① 상수 k의 값
② $\mathrm{P}(2\le X\le 4)$

(3) 연속확률변수 X의 확률밀도함수가
$f(x)=kx(0\le x\le 2)$일 때
① 상수 k의 값
② $\mathrm{P}\left(X\ge\frac{1}{2}\right)$

풍쌤 POINT
주어진 범위에서 확률밀도함수 $y=f(x)$의 그래프와 x축 사이의 넓이가 1이다.

38 연속확률변수 X의 확률밀도함수 $f(x)$가 다음과 같을 때, 확률을 구하여라.

(1) $f(x)=\begin{cases} x & (0\le x\le 1) \\ -x+2 & (1\le x\le 2)\end{cases}$ 일 때, $\mathrm{P}\left(\frac{1}{2}\le X\le 2\right)$

풀이 $\mathrm{P}\left(\frac{1}{2}\le X\le 2\right)$는 $y=f(x)$의 그래프와 x축 및 두 직선 $x=\frac{1}{2}$, $x=2$로 둘러싸인 부분의 넓이와 같으므로

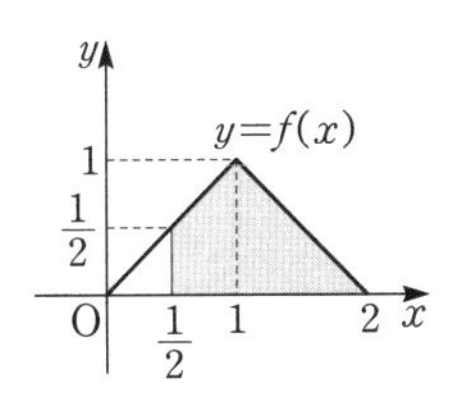

$\mathrm{P}\left(\frac{1}{2}\le X\le 2\right)$
$=$(전체 넓이)$-$(색칠하지 않은 삼각형의 넓이)
$=1-$___$=$___

(2) $f(x)=\begin{cases} x+1 & (-1\le x\le 0) \\ -x+1 & (0\le x\le 1)\end{cases}$ 일 때, $\mathrm{P}\left(X\le\frac{3}{4}\right)$

(3) $f(x)=\begin{cases} 4x & \left(0\le x\le\frac{1}{2}\right) \\ -4x+4 & \left(\frac{1}{2}\le x\le 1\right)\end{cases}$ 일 때,
$\mathrm{P}\left(0\le X\le\frac{3}{4}\right)$

(4) $f(x)=\begin{cases} 1 & \left(0\le x\le\frac{1}{2}\right) \\ -x+\frac{3}{2} & \left(\frac{1}{2}\le x\le\frac{3}{2}\right)\end{cases}$ 일 때,
$\mathrm{P}(0\le X\le 1)$

유형 20 확률밀도함수의 그래프가 주어진 경우

39 다음을 구하여라.

(1) 연속확률변수 X의 확률밀도함수가

$$f(x)=\begin{cases} kx & (0\le x\le 2) \\ k(4-x) & (2\le x\le 4)\end{cases}$$ 일 때

① 상수 k의 값

② $\mathrm{P}(1\le X\le 3)$

> 풀이 ① $y=f(x)$의 그래프와 x축 및 두 직선 $x=0$, $x=4$로 둘러싸인 부분의 넓이는 1이므로

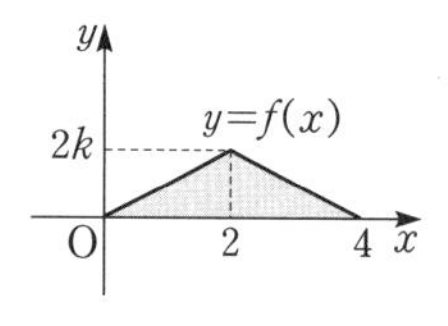

$\frac{1}{2}\times 4\times 2k=1$ $\quad\therefore k=$___

② $f(x)=\begin{cases} \frac{1}{4}x & (0\le x\le 2) \\ \frac{1}{4}(4-x) & (2\le x\le 4)\end{cases}$ 이므로

$\mathrm{P}(1\le X\le 3)$

$=$(사다리꼴의 넓이)$\times 2$

$=$___

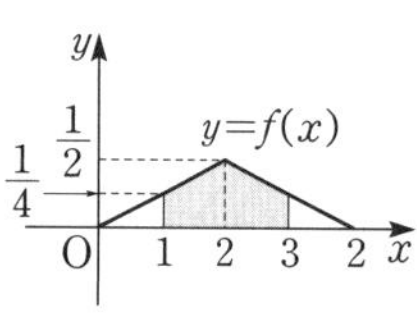

(2) 연속확률변수 X의 확률밀도함수가

$$f(x)=\begin{cases} kx & (0\le x\le 1) \\ k & (1\le x\le 2)\end{cases}$$ 일 때

① 상수 k의 값

② $\mathrm{P}\left(X\le \frac{3}{2}\right)$

(3) 연속확률변수 X의 확률밀도함수가

$$f(x)=\begin{cases} kx & (0\le x\le 3) \\ k(6-x) & (3\le x\le 6)\end{cases}$$ 일 때

① 상수 k의 값

② $\mathrm{P}(1\le X\le 5)$

40 $0\le x\le 2$에서 정의된 연속확률변수 X의 확률밀도함수 $y=f(x)$의 그래프가 오른쪽과 같을 때, 다음을 구하여라.

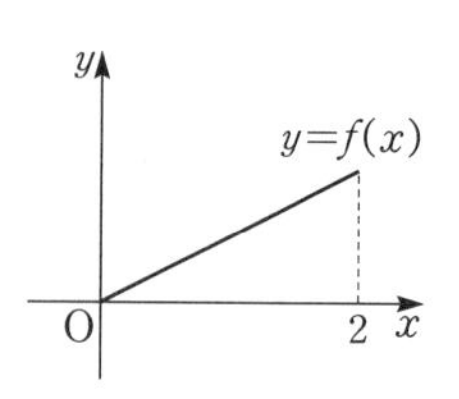

(1) 함수 $f(x)$의 식

> 풀이 $f(x)=kx$라고 하면 $y=f(x)$의 그래프와 x축 및 두 직선 $x=0$, $x=2$로 둘러싸인 부분의 넓이가 1이므로

$\frac{1}{2}\times 2\times 2k=1$ $\quad\therefore k=$___

$\therefore f(x)=$___

(2) $\mathrm{P}(X\le 1)$

41 $0\le x\le 4$에서 정의된 연속확률변수 X의 확률밀도함수 $y=f(x)$의 그래프가 오른쪽과 같을 때, 다음을 구하여라.

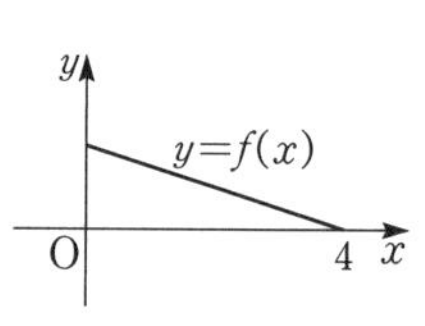

(1) 함수 $f(x)$의 식

(2) $\mathrm{P}(X\le 1)$

(3) $\mathrm{P}(2\le X\le 3)$

정규분포

❶ 정규분포

① 연속확률변수 X의 확률밀도함수 $f(x)$가

$$f(x)=\frac{1}{\sqrt{2\pi}\sigma}e^{-\frac{(x-m)^2}{2\sigma^2}}\ (m\text{은 상수, }\sigma\text{는 양의 상수, }e=2.71828\cdots)$$

일 때, X의 확률분포를 정규분포라 하고, 확률밀도함수 $f(x)$의 그래프를 정규분포곡선이라고 한다. 이때 연속확률변수 X의 평균은 m이고, 표준편차는 σ이다.

② 평균이 m, 표준편차가 σ인 정규분포를 기호로 $\mathrm{N}(m,\ \sigma^2)$과 같이 나타낸다.

> 평균 m에 대하여
> $\mathrm{P}(X\ge m)$
> $=\mathrm{P}(X\le m)$
> $=0.5$

❷ 정규분포곡선의 성질

정규분포 $\mathrm{N}(m,\ \sigma^2)$을 따르는 확률변수 X의 정규분포곡선은

① 직선 $x=m$에 대하여 대칭이고, $x=m$에서 최댓값을 갖는다.

② x축을 점근선으로 한다.

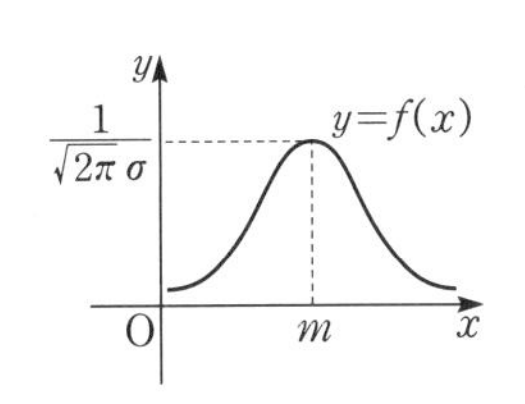

> 정규분포곡선의 대칭축의 위치로 평균의 대소를, 정규분포곡선의 퍼진 정도로 표준편차의 대소를 비교할 수 있다.
> ① 대칭축이 오른쪽에 있을수록 평균이 크다.
> ② 높이가 낮고 폭이 넓어질수록 표준편차가 크다.

유형 21 정규분포를 기호로 나타내기

정답과 풀이 052쪽

42 확률변수 X가 따르는 정규분포를 기호로 나타내어라.

(1) $\mathrm{E}(X)=5$, $\mathrm{V}(X)=9$일 때, 확률변수 X가 따르는 정규분포

> 풀이 평균이 5, 분산이 $9=3^2$이므로 ________

(2) $\mathrm{E}(X)=8$, $\mathrm{V}(X)=4$일 때, 확률변수 X가 따르는 정규분포

(3) $\mathrm{E}(X)=3$, $\sigma(X)=2$일 때, 확률변수 X가 따르는 정규분포

43 확률변수 X가 정규분포 $\mathrm{N}(10,\ 2^2)$을 따를 때, 확률변수 $Y=4X+1$에 대하여 다음을 구하여라.

(1) $\mathrm{E}(Y)$

> 풀이 $\mathrm{E}(X)=10$이므로
> $\mathrm{E}(Y)=\mathrm{E}(4X+1)=4\mathrm{E}(X)+1=$___

(2) $\sigma(Y)$

(3) 확률변수 Y가 따르는 정규분포 (기호로 나타내기)

풍쌤 POINT
평균이 m, 표준편차가 σ인 정규분포 ➡ $\mathrm{N}(m,\ \sigma^2)$

유형 22 정규분포곡선의 성질

44 그림과 같은 두 곡선 A, B가 나타내는 정규분포에 대하여 다음 물음에 답하여라.

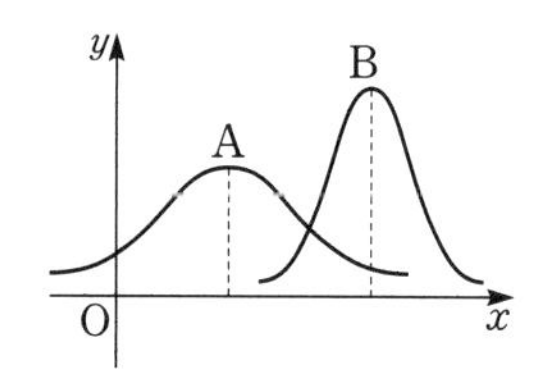

(1) A, B 각각의 평균 m_A, m_B의 대소를 비교하여라.

> 풀이 평균은 대칭축에 위치하므로 오른쪽으로 갈수록 평균이 크다.
> ∴ ___<___

(2) A, B 각각의 표준편차 σ_A, σ_B의 대소를 비교하여라.

45 그림과 같은 세 곡선 A, B, C가 나타내는 정규분포에 대하여 다음 물음에 답하여라.

(단, A를 평행이동하면 C와 일치한다.)

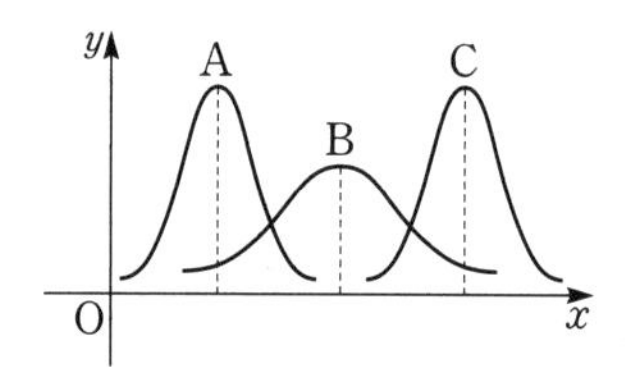

(1) A, B, C 각각의 평균 m_A, m_B, m_C의 대소를 비교하여라.

(2) A, B, C 각각의 표준편차 σ_A, σ_B, σ_C의 대소를 비교하여라.

풍쌤 POINT

평균 m의 대소 ➡ 대칭축의 위치
표준편차 σ의 대소 ➡ 곡선의 퍼진 정도

46 확률변수 X가 정규분포 $N(m, \sigma^2)$을 따를 때, 다음을 구하여라.

(1) $P(X\le 4)=P(X\ge 10)$일 때, m의 값

> 풀이 정규분포곡선은 직선 $x=m$에 대하여 대칭이므로
> $P(X\le 4)=P(X\ge 10)$에서
> $m=\frac{4+10}{2}=$ ___

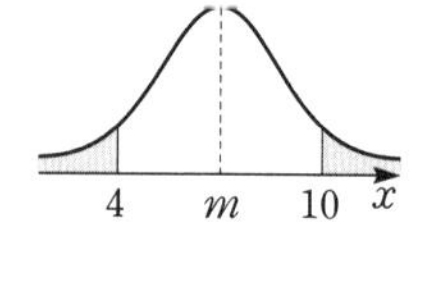

(2) $P(X\le 3)=P(X\ge 9)$일 때, m의 값

(3) $P(X\le 5)=P(X\ge 13)$일 때, m의 값

(4) $P(m\le X\le m+\sigma)=0.3$일 때, $P(m-\sigma\le X\le m+\sigma)$의 값

(5) $P(m-\sigma\le X\le m)=0.4$일 때, $P(m-\sigma\le X\le m+\sigma)$의 값

풍쌤 POINT

$P(m-\sigma\le X\le m+\sigma)$
$=2P(m-\sigma\le X\le m)$
$=2P(m\le X\le m+\sigma)$

표준정규분포

1 표준정규분포

정규분포 $\mathrm{N}(m, \sigma^2)$에서 평균 $m=0$, 표준편차 $\sigma=1$인 정규분포 $\mathrm{N}(0, 1)$을 표준정규분포라고 한다.

2 표준정규분포표

확률변수 Z가 표준정규분포를 따를 때, Z의 확률 밀도함수는

$$f(z)=\frac{1}{\sqrt{2\pi}}e^{-\frac{z^2}{2}}$$

이며 표준정규분포에서의 확률 $\mathrm{P}(0\le Z\le a)$는 오른쪽 그림에서 색칠한 부분의 넓이와 같고, 그 값은 표준정규분포표를 이용하여 구할 수 있다.

$f(z)$ $\mathrm{P}(0\le Z\le a)$ O a z

3 정규분포의 표준화

정규분포 $\mathrm{N}(m, \sigma^2)$을 따르는 확률변수 X를 표준정규분포 $\mathrm{N}(0, 1)$을 따르는 확률변수 $Z=\frac{X-m}{\sigma}$으로 바꾸는 것을 확률변수 X를 표준화한다고 한다.

$$\mathrm{P}(a\le X\le b)=\mathrm{P}\left(\frac{a-m}{\sigma}\le Z\le\frac{b-m}{\sigma}\right)$$

› 확률변수 X가 정규분포 $\mathrm{N}(m, \sigma^2)$을 따를 때, 확률변수 Z를 $Z=\frac{X-m}{\sigma}$이라고 놓으면 Z의 평균과 표준편차는 각각 $\mathrm{E}(Z)=0$, $\sigma(Z)=1$이다.

› $0<a<b$에 대하여 확률변수 Z가 표준정규분포를 따를 때
- $\mathrm{P}(a\le Z\le b)=\mathrm{P}(0\le Z\le b)-\mathrm{P}(0\le Z\le a)$
- $\mathrm{P}(-a\le Z\le 0)=\mathrm{P}(0\le Z\le a)$
- $\mathrm{P}(Z\le a)=0.5+\mathrm{P}(0\le Z\le a)$

유형 23 표준정규분포

정답과 풀이 052쪽

47 확률변수 Z가 표준정규분포 $\mathrm{N}(0, 1)$을 따를 때, 오른쪽 표준정규분포표를 이용하여 다음 확률을 구하여라.

z	$\mathrm{P}(0\le Z\le z)$
0.5	0.1915
1.0	0.3413
1.5	0.4332
2.0	0.4772

(1) $\mathrm{P}(Z\ge 1)$

› 풀이 $\mathrm{P}(Z\ge 1)$
$=0.5-\mathrm{P}(0\le Z\le 1)$
$=$______

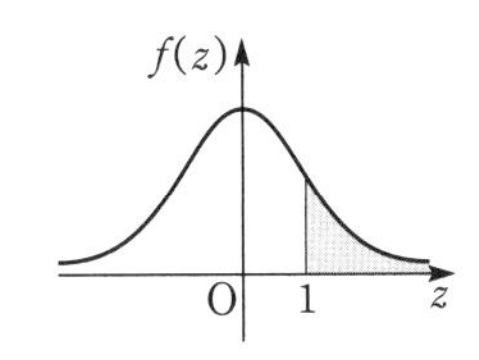

(2) $\mathrm{P}(Z\le 1.5)$

(3) $\mathrm{P}(Z\ge -0.5)$

(4) $\mathrm{P}(Z\le -2)$

(5) $\mathrm{P}(-1.5\le Z\le 1.5)$

48 확률변수 Z가 표준정규분포 $\mathrm{N}(0,\ 1)$을 따를 때, 오른쪽 표준정규분포표를 이용하여 다음 식을 만족시키는 상수 c의 값을 구하여라.

z	$\mathrm{P}(0 \le Z \le z)$
0.5	0.1915
1.0	0.3413
1.5	0.4332
2.0	0.4772

(1) $\mathrm{P}(Z \le c)=0.8413$

> 풀이 $\mathrm{P}(Z \le c)=0.8413$이므로 $c>0$
> $\mathrm{P}(Z \le 0)+\mathrm{P}(0 \le Z \le c)=0.8413$에서
> $0.5+\mathrm{P}(0 \le Z \le c)=0.8413$
> $\therefore\ \mathrm{P}(0 \le Z \le c)=0.3413$
> 이때 $\mathrm{P}(0 \le Z \le 1)=0.3413$이므로
> $c=$__

(2) $\mathrm{P}(Z \ge c)=0.6915$

(3) $\mathrm{P}(-c \le Z \le c)=0.9544$

(4) $\mathrm{P}(Z \ge c)=0.0668$

(5) $\mathrm{P}(Z \le c)=0.1587$

풍쌤 POINT

$c>0$일 때
$\mathrm{P}(Z \ge c)=0.5-\mathrm{P}(0 \le Z \le c)$
$\mathrm{P}(Z \le c)=0.5+\mathrm{P}(0 \le Z \le c)$
$\mathrm{P}(-c \le Z \le c)=2\mathrm{P}(0 \le Z \le c)$

49 확률변수 X가 다음 정규분포를 따를 때, X를 표준화하여라.

(1) $\mathrm{N}(9,\ 4)$

> 풀이 $\mathrm{N}(9,\ 4)=\mathrm{N}(9,\ 2^2)$이므로 표준화하면
> $Z=\dfrac{X-9}{2}$

(2) $\mathrm{N}(10,\ 5^2)$

(3) $\mathrm{N}(24,\ 9)$

50 다음 확률을 표준정규분포 $\mathrm{N}(0,\ 1)$을 따르는 확률변수 Z로 표준화하여라.

(1) 확률변수 X가 정규분포 $\mathrm{N}(5,\ 4)$를 따를 때, $\mathrm{P}(1 \le X \le 9)$

> 풀이 $\mathrm{N}(5,\ 4)=\mathrm{N}(5,\ 2^2)$이므로
> $\mathrm{P}(1 \le X \le 9)=\mathrm{P}\left(\dfrac{1-5}{2} \le Z \le \dfrac{9-5}{2}\right)$
> $=$________

(2) 확률변수 X가 정규분포 $\mathrm{N}(8,\ 3^2)$을 따를 때, $\mathrm{P}(8 \le X \le 14)$

(3) 확률변수 X가 정규분포 $\mathrm{N}(14,\ 25)$를 따를 때, $\mathrm{P}(4 \le X \le 19)$

유형 25 표준화하여 확률 구하기

51 확률변수 X가 정규분포 $\mathrm{N}(40,\ 5^2)$을 따를 때, 오른쪽 표준정규분포표를 이용하여 다음 확률을 구하여라.

z	$\mathrm{P}(0\le Z\le z)$
1.0	0.3413
2.0	0.4772
3.0	0.4987

(1) $\mathrm{P}(X\le 50)$

> 풀이 $Z=\dfrac{X-40}{5}$은 표준정규분포 $\mathrm{N}(0,\ 1)$을 따른다.

$$\begin{aligned}\mathrm{P}(X\le 50)&=\mathrm{P}\left(Z\le\frac{50-40}{5}\right)\\&=\mathrm{P}(Z\le 2)\\&=0.5+\mathrm{P}(0\le Z\le 2)\\&=\_\_\_\_\_\_\end{aligned}$$

(2) $\mathrm{P}(X\le 30)$

(3) $\mathrm{P}(X\ge 55)$

(4) $\mathrm{P}(35\le X\le 55)$

(5) $\mathrm{P}(25\le X\le 45)$

풍쌤 POINT

$Z=\dfrac{X-m}{\sigma}$을 이용하여 표준화한다.

유형 26 정규분포의 활용

52 오른쪽 표준정규분포표를 이용하여 다음을 구하여라.

z	$\mathrm{P}(0\le Z\le z)$
0.5	0.19
1.0	0.34
1.5	0.43
2.0	0.48

(1) 어느 농장에서 수확한 감자 한 개의 무게는 평균이 80 g, 표준편차가 10 g인 정규분포를 따르고 있다. 감자 한 개를 택할 때, 무게가 90 g 이상 100 g 이하일 확률

> 풀이 감자 한 개의 무게를 X g이라고 하면 확률변수 X는 정규분포 $\mathrm{N}(80,\ 10^2)$을 따르므로 $Z=\dfrac{X-80}{10}$은 표준정규분포 $\mathrm{N}(0,\ 1)$을 따른다.

$$\begin{aligned}&\mathrm{P}(90\le X\le 100)\\&=\mathrm{P}\left(\frac{90-80}{10}\le Z\le\frac{100-80}{10}\right)\\&=\mathrm{P}(1\le Z\le 2)\\&=\mathrm{P}(0\le Z\le 2)-\mathrm{P}(0\le Z\le 1)\\&=\_\_\_\_\end{aligned}$$

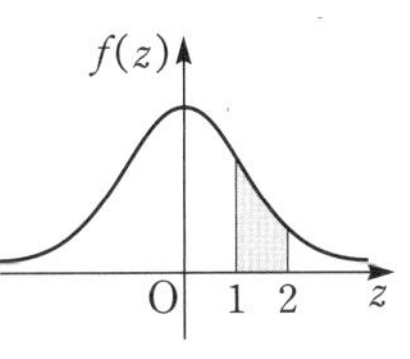

(2) 어느 동호회 남학생 100명의 몸무게는 평균이 70 kg, 표준편차가 20 kg인 정규분포를 따르고 있다. 학생 한 명을 뽑을 때, 몸무게가 100 kg 이상일 확률

(3) 어느 학교 학생들의 수학 성적은 평균이 70점, 표준편차가 14점인 정규분포를 따르고 있다. 학생 한 명을 뽑을 때, 수학 성적이 77점 이하일 확률

53 오른쪽 표준정규분포표를 이용하여 다음을 구하여라.

z	$\mathrm{P}(0\le Z\le z)$
0.5	0.19
1.0	0.34
1.5	0.43
2.0	0.48

(1) 학생 200명의 한 달 용돈이 평균 5만 원, 표준편차 2만 원인 정규분포를 따를 때, 한 달 용돈이 8만 원 이상인 학생 수

> 풀이 학생 한 명의 용돈을 X원이라고 하면 확률변수 X는 정규분포 $\mathrm{N}(5, 2^2)$을 따르므로 $Z=\dfrac{X-5}{2}$는 표준정규분포 $\mathrm{N}(0, 1)$을 따른다.
> $\mathrm{P}(X\ge 8)$
> $=\mathrm{P}(Z\ge 1.5)$
> $=0.5-\mathrm{P}(0\le Z\le 1.5)$
> $=$ ____
>
> 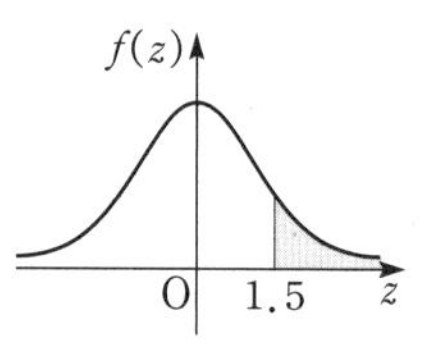
>
>
> 따라서 전체 학생 수가 200명이므로 용돈이 8만 원 이상인 학생 수는 $200\times$ ____ $=$ ____(명)

(2) 어느 농장에서 생산한 달걀 300개의 무게가 평균 70 g, 표준편차 12 g인 정규분포를 따를 때, 무게가 88 g 이하인 달걀의 개수

(3) 어느 학교 학생 500명의 키가 평균 170 cm, 표준편차가 15 cm인 정규분포를 따를 때, 키가 155 cm 이상 185 cm 이하인 학생 수

54 53의 표준정규분포표를 이용하여 다음을 구하여라.

(1) 어느 학교 학생 500명의 영어 성적이 평균 80점, 표준편차 15점인 정규분포를 따를 때, 영어 성적이 상위 80등 이내에 들기 위해 받아야 하는 최소 점수

> 풀이 학생들의 영어 성적을 X점, 받아야 할 최소 점수를 a점이라고 하면 $\mathrm{P}(X\ge a)=\dfrac{80}{500}=0.16$이므로
> $\mathrm{P}(X\ge a)=\mathrm{P}\left(Z\ge\dfrac{a-80}{15}\right)$
> $=0.5-\mathrm{P}\left(0\le Z\le\dfrac{a-80}{15}\right)=0.16$
> $\therefore \mathrm{P}\left(0\le Z\le\dfrac{a-80}{15}\right)=0.34$
> 그런데 표준정규분포표에서 $\mathrm{P}(0\le Z\le 1)=0.34$이므로
> $\dfrac{a-80}{15}=1$ $\quad\therefore a=$ ____
> 따라서 영어 성적이 상위 80등 이내에 들려면 최소 ____ 점을 받아야 한다.

(2) 어느 학교 학생 400명의 수학 성적이 평균 60점, 표준편차 10점인 정규분포를 따를 때, 수학 성적이 상위 124등 이내에 들기 위해 받아야 할 최소 점수

(3) 40명을 뽑는 어느 회사의 입사 시험에 응시한 응시자 2000명의 점수는 평균 70점, 표준편차 5점인 정규분포를 따를 때, 합격자의 최저 점수

풍쌤 POINT

정규분포 $\mathrm{N}(m, \sigma^2)$을 따르는 확률변수 X가 a 이상 b 이하의 값을 가질 확률 $\mathrm{P}(a\le X\le b)$

$$\Rightarrow \mathrm{P}(a\le X\le b)=\mathrm{P}\left(\frac{a-m}{\sigma}\le\frac{X-m}{\sigma}\le\frac{b-m}{\sigma}\right)=\mathrm{P}\left(\frac{a-m}{\sigma}\le Z\le\frac{b-m}{\sigma}\right)$$

이항분포와 정규분포의 관계

1 이항분포와 정규분포의 관계

① 확률변수 X가 이항분포 $\mathrm{B}(n,\ p)$를 따를 때, n의 값이 충분히 크면 X는 근사적으로 정규분포 $\mathrm{N}(np,\ npq)$를 따른다. (단, $q=1-p$)

② n의 값이 충분히 클 때, 이항분포 $\mathrm{B}(n,\ p)$에서 확률 $\mathrm{P}(a\le X\le b)$를 구하려면 $m=np$, $\sigma^2=npq$를 구한 후 정규분포 $\mathrm{N}(m,\ \sigma^2)$에서 확률 $\mathrm{P}(a\le X\le b)$를 구한다.

› n의 값이 충분히 크다는 것은 일반적으로 $np\ge5$, $nq\ge5$일 때를 뜻한다.

유형·27 이항분포와 정규분포의 관계

정답과 풀이 055쪽

55 확률변수 X가 다음과 같을 때, 확률변수 X가 따르는 정규분포를 기호로 나타내어라.

(1) 한 개의 동전을 64번 던질 때, 앞면이 나오는 횟수를 확률변수 X라고 한다.

› 풀이 한 개의 동전을 한 번 던질 때, 앞면이 나올 확률은 $\frac{1}{2}$이므로 확률변수 X는 이항분포 $\mathrm{B}\left(64,\ \frac{1}{2}\right)$을 따른다.

$\mathrm{E}(X)=64\times\frac{1}{2}=32$

$\sigma(X)=\sqrt{64\times\frac{1}{2}\times\frac{1}{2}}=4$

따라서 확률변수 X는 정규분포 ________을 따른다.

(2) 한 개의 주사위를 162번 던질 때, 6의 약수의 눈이 나오는 횟수를 확률변수 X라고 한다.

(3) 두 개의 동전을 동시에 80번 던질 때, 두 개 모두 앞면이 나오는 횟수를 확률변수 X라고 한다.

56 확률변수 X가 다음과 같은 이항분포를 따를 때, 오른쪽 표준정규분포표를 이용하여 확률을 구하여라.

z	$\mathrm{P}(0\le Z\le z)$
1.0	0.3413
1.5	0.4332
2.0	0.4772

(1) 이항분포 $\mathrm{B}\left(100,\ \frac{1}{5}\right)$을 따를 때, $\mathrm{P}(X\ge28)$

› 풀이 $m=100\times\frac{1}{5}=20$, $\sigma^2=100\times\frac{1}{5}\times\frac{4}{5}=16$이고 $n=100$은 충분히 큰 수이므로 확률변수 X는 정규분포 $\mathrm{N}(20,\ 4^2)$을 따른다.

$\mathrm{P}(X\ge28)=\mathrm{P}\left(Z\ge\frac{28-20}{4}\right)$
$=\mathrm{P}(Z\ge2)$
$=0.5-\mathrm{P}(0\le Z\le2)$
$=$______

(2) 이항분포 $\mathrm{B}\left(192,\ \frac{1}{4}\right)$을 따를 때, $\mathrm{P}(X\le57)$

(3) 이항분포 $\mathrm{B}\left(180,\ \frac{5}{6}\right)$를 따를 때, $\mathrm{P}(145\le X\le160)$

정답과 풀이 055쪽

57 오른쪽 표준정규분포표를 이용하여 다음 확률을 구하여라.

z	$P(0\le Z\le z)$
0.5	0.1915
1.0	0.3413
1.5	0.4332
2.0	0.4772

(1) 어떤 질병에 대한 치유율이 80 %인 약을 같은 질병에 걸린 환자 100명에게 투약했을 때, 86명 이상 88명 이하로 치유될 확률

> 풀이 치유되는 환자의 수를 X명이라고 하면 확률변수 X는 이항분포 $B\left(100, \frac{80}{100}\right)$, 즉 $B\left(100, \frac{4}{5}\right)$를 따르므로
> $m=100\times\frac{4}{5}=80$, $\sigma^2=100\times\frac{4}{5}\times\frac{1}{5}=16$
> 이때 n은 충분히 크므로 확률변수 X는 정규분포 $N(80, 4^2)$을 따른다.
> $Z=\frac{X-80}{4}$은 표준정규분포 $N(0, 1)$을 따르므로
> 구하는 확률은
> $P(86\le X\le 88)$
> $=P\left(\frac{86-80}{4}\le Z\le\frac{88-80}{4}\right)$
> $=P(1.5\le Z\le 2)$
> $=P(0\le Z\le 2)-P(0\le Z\le 1.5)$
> $=$_____

(2) 한 개의 동전을 64번 던질 때, 뒷면이 나오는 횟수가 28번 이상 36번 이하일 확률

(3) 한 개의 주사위를 180번 던질 때, 5의 눈이 나오는 횟수가 40번 이상일 확률

(4) 정답이 한 개인 오지선다형 문제를 100개 풀 때, 맞힌 문제의 수가 18개 이상 28개 이하일 확률

(5) 가위바위보에서 이길 확률이 60 %인 어느 학생이 가위바위보를 150번 하여 84번 이하로 이길 확률

(6) 대학 진학률이 90 %인 어느 고등학교에서 올해 졸업 예정자 400명이 대학 시험에 응시할 때, 369명 이상이 대학에 진학할 확률

(7) 타율이 0.25인 어느 야구 선수가 192번 타석에 섰을 때, 안타를 45번 이상 51번 이하로 칠 확률

풍쌤 POINT

n이 충분히 클 때, 확률변수 X가 이항분포 $B(n, p)$를 따르면 X는 정규분포 $N(np, npq)$를 따른다.

· 중단원 점검문제 ·

정답과 풀이 056쪽

01

다음 표는 40명의 학생의 평균 수면 시간을 나타낸 것이다. 이 중에서 한 명을 뽑을 때, 그 학생의 평균 수면 시간을 확률변수 X라고 하자. $\mathrm{P}(X=6$ 또는 $X=8)$을 구하여라.

수면 시간(시간)	5	6	7	8	합계
학생수(명)	2	18	15	5	40

[02~03] 확률변수 X의 확률분포가 다음 표와 같을 때, 물음에 답하여라.

X	-1	0	1	2	합계
$\mathrm{P}(X=x)$	a	$\frac{a}{2}$	$\frac{1}{4}$	$\frac{3}{8}$	1

02

상수 a의 값을 구하여라.

03

$\mathrm{P}(X^2-2X=0)$을 구하여라.

04

확률변수 X의 확률질량함수가 $\mathrm{P}(X=x)=\frac{x+2}{10}$ $(x=-1,\ 0,\ 1,\ 2)$일 때, $\mathrm{P}(X^2=1)$을 구하여라.

05

확률변수 X의 확률질량함수가 $\mathrm{P}(X=x)=kx^2$ $(x=1,\ 2,\ 3)$일 때, $\mathrm{P}(X\geq 2)$를 구하여라.

06

확률변수 X의 확률분포가 다음 표와 같을 때, X의 표준편차를 구하여라.

X	0	1	2	3	합계
$\mathrm{P}(X=x)$	$\frac{1}{12}$	$\frac{1}{3}$	$\frac{1}{12}$	$\frac{1}{2}$	1

07

다음과 같이 상금이 주어진 행운권이 있다. 50장 중에서 한 장을 뽑을 때, 상금의 기댓값을 구하여라.

등수	행운권 매수	상금(원)
1등	2	20000
2등	8	10000
3등	10	5000
등외	30	0

08

흰 탁구공 4개, 주황 탁구공 3개가 들어 있는 주머니에서 임의로 두 개의 탁구공을 꺼낼 때, 나오는 흰 탁구공의 개수를 X라고 하자. 이때 $\mathrm{V}(X)$를 구하여라.

09

확률변수 X의 평균이 $\mathrm{E}(X)=2$, 분산이 $\mathrm{V}(X)=6$일 때, $\mathrm{E}(2X^2-3)$을 구하여라.

10

한 개의 주사위를 던져서 나오는 눈의 수를 X라고 할 때, 확률변수 $6X+5$의 분산을 구하여라.

11

확률변수 X가 이항분포 $\mathrm{B}\left(100, \frac{3}{5}\right)$을 따를 때, X의 평균, 표준편차를 각각 구하여라.

12

확률변수 X는 이항분포 $\mathrm{B}(n, p)$를 따른다. 확률변수 X의 평균이 12, 표준편차가 3일 때, n, p의 값을 각각 구하여라.

13

민규는 동전 한 개를 50번 던질 때, 앞면이 나오는 횟수의 100배한 금액을 상금으로 받기로 하였다. 민규가 동전을 한 번 던질 때, 상금의 기댓값을 구하여라.

14

타율이 0.3인 야구 선수가 타석에 200번 섰을 때, 안타를 치는 횟수를 확률변수 X라고 한다. 이때 X^2의 평균을 구하여라.

15

연속확률변수 X의 확률밀도함수가

$f(x)=kx+\frac{1}{4}\,(0\le x\le 2)$일 때, $\mathrm{P}(X\le 1)$을 구하여라.

16

연속확률변수 X의 확률밀도함수가

$$f(x)=\begin{cases} k & (0\le x\le 1) \\ k(2-x) & (1\le x\le 2) \end{cases}$$

일 때, $\mathrm{P}\left(\frac{3}{4}\le X\le \frac{3}{2}\right)$을 구하여라.

17

$0 \le x \le 4$에서 정의된 연속확률변수 X의 확률밀도함수 $y=f(x)$의 그래프가 오른쪽과 같을 때, $\mathrm{P}(1 \le X \le 2)$를 구하여라.

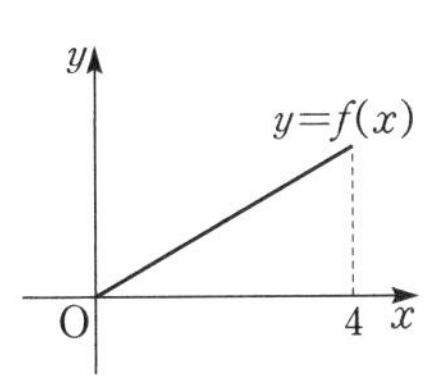

18

오른쪽 그림과 같은 네 곡선 A, B, C, D가 나타내는 정규분포에 대하여 보기에서 옳은 것만을 있는 대로 골라라.
(단, A를 평행이동하면 D, B를 평행이동하면 C와 일치한다.)

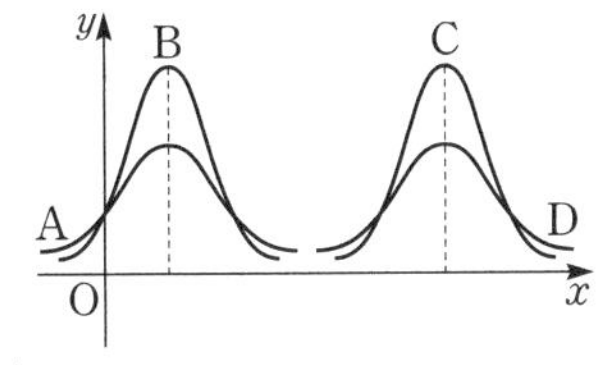

보기

ㄱ. $m_{\mathrm{A}}=m_{\mathrm{B}}$　　ㄴ. $m_{\mathrm{A}}=m_{\mathrm{D}}$
ㄷ. $m_{\mathrm{B}}>m_{\mathrm{C}}$　　ㄹ. $\sigma_{\mathrm{A}}=\sigma_{\mathrm{D}}$
ㅁ. $\sigma_{\mathrm{B}}>\sigma_{\mathrm{A}}$　　ㅂ. $\sigma_{\mathrm{C}}<\sigma_{\mathrm{A}}$

[19~24] 오른쪽 표준정규분포표를 보고 다음 물음에 답하여라.

z	$\mathrm{P}(0 \le Z \le z)$
0.5	0.19
1.0	0.34
1.5	0.43
2.0	0.48

19

확률변수 Z가 표준정규분포 $\mathrm{N}(0,\ 1)$을 따를 때, $\mathrm{P}(Z \le 0.5)+\mathrm{P}(Z \ge -1)$을 구하여라.

20

확률변수 X가 정규분포 $\mathrm{N}(70,\ 36)$을 따를 때, $\mathrm{P}(X \ge 82)$를 구하여라.

21

확률변수 X가 정규분포 $\mathrm{N}(8,\ 2^2)$을 따를 때, $\mathrm{P}(8-2c \le X \le 8+2c)=0.38$을 만족시키는 상수 c의 값을 구하여라.

22

어느 학교 학생 300명의 몸무게가 평균 55 kg, 표준편차 8 kg인 정규분포를 따를 때, 몸무게가 47 kg 이상 71 kg 이하인 학생 수를 구하여라.

23

어느 학교 학생 200명의 윗몸일으키기 기록은 평균 30회, 표준편차 10회인 정규분포를 따른다. 윗몸일으키기 횟수가 상위 14번째 이내에 들려면 윗몸일으키기를 최소 몇 번 해야 하는지 구하여라.

24

두 개의 주사위를 동시에 180번 던질 때, 두 눈의 수가 같게 나오는 횟수가 35번 이하일 확률을 구하여라.

모집단과 표본

1 모집단과 표본

① 모집단: 조사의 대상이 되는 자료 전체

② 표본: 모집단에서 추출한 자료

③ 전수조사: 모집단 전체를 조사하는 것

④ 표본조사: 모집단의 일부만 추출해 조사하는 것

⑤ 임의추출: 모집단의 각 자료가 같은 확률로 추출되도록 하는 것을 임의추출이라 하고, 임의추출된 표본을 임의표본이라고 한다.

⑥ 복원추출과 비복원추출: 한 개의 표본을 추출할 때마다 추출한 것을 다시 넣고 추출하는 것을 복원추출, 다시 넣지 않고 추출하는 것을 비복원추출이라고 한다.

› 표본에 포함된 자료의 개수를 표본의 크기라고 한다.

› 특별한 언급이 없으면 임의추출은 복원추출로 생각한다.

정답과 풀이 059쪽

유형·01 모집단과 표본

01 다음은 전수조사와 표본조사 중 어느 것이 적합한지 말하여라.

(1) 우리나라 고등학생의 수면 시간

› 풀이 일부만 추출해서 조사하는 ____조사가 적합하다.

(2) 어느 지역 학생들의 몸무게의 평균

(3) 어느 도시의 인구 수

(4) TV 프로그램 시청률

유형·02 복원추출과 비복원추출

02 다음 가짓수를 구하여라.

(1) 서로 다른 색깔의 공 4개가 들어 있는 주머니에서 공을 한 개씩 두 번 꺼낼 때

① 복원추출하는 경우의 가짓수

② 비복원추출하는 경우의 가짓수

› 풀이 ① 4개의 공에서 2개를 뽑는 중복순열의 수와 같으므로
$_4\Pi_2=$____

② 4개의 공에서 2개를 뽑는 순열의 수와 같으므로
$_4P_2=$____

(2) 1부터 5까지의 숫자가 하나씩 적힌 5장의 카드 중에서 카드를 한 장씩 세 번 꺼낼 때

① 복원추출하는 경우의 가짓수

② 비복원추출하는 경우의 가짓수

풍쌤 POINT

① 복원추출: 추출한 것을 다시 넣고 추출하기

② 비복원추출: 추출한 것을 다시 넣지 않고 추출하기

표본평균의 평균, 분산, 표준편차

1 모평균과 표본평균

① 모집단의 확률변수 X의 평균, 분산, 표준편차를 각각 **모평균**, **모분산**, **모표준편차**라 하고, 각각 m, σ^2, σ로 나타낸다.

② 모집단에서 크기가 n인 표본 X_1, X_2, X_3, $\cdots$, X_n을 임의추출하였을 때, 이 표본의 평균, 분산, 표준편차를 각각 **표본평균**, **표본분산**, **표본표준편차**라 하고, 각각 $\overline{X}$, S^2, S로 나타낸다.

› 표본분산은 모분산과 달리 편차의 제곱의 합을 $n-1$로 나눈다. 이것은 모분산과의 오차를 줄이기 위한 것이다.

2 표본평균의 평균, 분산, 표준편차

모평균이 m, 모표준편차가 σ인 모집단에서 크기가 n인 표본을 임의추출할 때, 표본평균 $\overline{X}$의 평균, 분산, 표준편차는 다음과 같다.

$$E(\overline{X})=m,\ V(\overline{X})=\frac{\sigma^2}{n},\ \sigma(\overline{X})=\frac{\sigma}{\sqrt{n}}$$

› 모평균 m은 고정된 상수이지만, 표본평균 $\overline{X}$는 추출된 표본에 따라 값이 정해지는 확률변수이다.

유형·03 모평균과 표본평균

정답과 풀이 059쪽

03 모집단 $\{1, 3, 5\}$에서 크기가 2인 표본을 임의로 복원추출할 때, 다음을 구하여라.

(1) 표본평균 $\overline{X}$

› 풀이 크기가 2인 표본을 복원추출하므로

$(1, 1)$인 경우 $\overline{X}=\frac{1+1}{2}=1$

$(1, 3)$, $(3, 1)$인 경우 $\overline{X}=\frac{1+3}{2}=2$

$(1, 5)$, $(3, 3)$, $(5, 1)$인 경우 $\overline{X}=\frac{1+5}{2}=3$

$(3, 5)$, $(5, 3)$인 경우 $\overline{X}=$__

$(5, 5)$인 경우 $\overline{X}=$__

따라서 표본평균 $\overline{X}$는 $\overline{X}=$________

(2) $\overline{X}$의 확률분포를 나타낸 표

$\overline{X}$	1	2	3	4	5	합계
$P(\overline{X}=\overline{x})$						1

(3) $E(\overline{X})$와 $V(\overline{X})$

04 모집단 $\{0, 1, 2\}$에서 크기가 2인 표본을 임의로 복원추출할 때, 다음을 구하여라.

(1) 표본평균 $\overline{X}$

(2) $\overline{X}$의 확률분포를 나타낸 표

$\overline{X}$						합계
$P(\overline{X}=\overline{x})$						1

(3) $E(\overline{X})$와 $V(\overline{X})$

풍쌤 POINT

모집단에서 임의추출한 크기가 2인 표본을 X_1, X_2라고 하면 표본평균 $\overline{X}$는

$\overline{X}=\frac{X_1+X_2}{2}$

유형·04 표본평균의 평균, 분산, 표준편차

05 다음과 같이 표본을 임의추출할 때, 표본평균 $\overline{X}$의 평균, 분산, 표준편차를 각각 구하여라.

(1) 모평균이 20, 모표준편차가 2인 모집단에서 크기가 4인 표본을 임의추출

> 풀이 모평균이 $m=20$, 모표준편차가 $\sigma=2$, 표본의 크기가 $n=4$이므로
> $\mathrm{E}(\overline{X})=m=$___
> $\mathrm{V}(\overline{X})=\frac{\sigma^2}{n}=$___
> $\sigma(\overline{X})=\frac{\sigma}{\sqrt{n}}=$___

(2) 모평균이 40, 모표준편차가 5인 모집단에서 크기가 10인 표본을 임의추출

(3) 모평균이 50, 모분산이 1인 모집단에서 크기가 25인 표본을 임의추출

(4) 모평균이 60, 모분산이 9인 모집단에서 크기가 30인 표본을 임의추출

풍쌤 POINT

① 표본평균 $\overline{X}$의 평균은 모평균과 같다.
➡ $\mathrm{E}(\overline{X})=\mathrm{E}(X)=m$

② 표본평균 $\overline{X}$의 분산은 (모분산)$\times\frac{1}{n}$이다.
$\mathrm{V}(\overline{X})=\frac{\mathrm{V}(X)}{n}=\frac{\sigma^2}{n}$

유형·05 표본평균의 분산, 표준편차의 활용

06 다음을 구하여라.

(1) 표준편차가 6인 모집단에서 크기가 n인 표본을 복원추출할 때, 표본평균 $\overline{X}$의 표준편차가 2 이하가 되도록 하는 n의 최솟값

> 풀이 모표준편차가 $\sigma=6$이므로 표본평균 $\overline{X}$의 표준편차는
> $\sigma(\overline{X})=\frac{6}{\sqrt{n}}$이다.
> $\frac{6}{\sqrt{n}}\leq 2$에서 $\frac{\sqrt{n}}{6}\geq\frac{1}{2}$, $\sqrt{n}\geq 3$ $\quad\therefore n\geq 9$
> 따라서 n의 최솟값은 ___이다.

(2) 표준편차가 2인 모집단에서 크기가 n인 표본을 복원추출할 때, 표본평균 $\overline{X}$의 표준편차가 1 이하가 되도록 하는 n의 최솟값

(3) 분산이 25인 모집단에서 크기가 n인 표본을 복원추출할 때, 표본평균 $\overline{X}$의 표준편차가 1 이상이 되도록 하는 n의 최댓값

(4) 표준편차가 8인 모집단에서 크기가 n인 표본을 복원추출할 때, 표본평균 $\overline{X}$의 분산이 4 이하가 되도록 하는 n의 최솟값

풍쌤 POINT

표본평균 $\overline{X}$의 표준편차는 $\sigma(\overline{X})=\frac{\sigma}{\sqrt{n}}$이다.

유형 06 확률분포가 표로 주어진 표본평균의 평균과 분산

07 어떤 모집단의 확률변수 X의 확률분포와 이 모집단에서 복원추출하는 표본의 크기가 다음과 같을 때, 표본평균 $\overline{X}$의 평균과 분산을 각각 구하여라.

(1)

X	0	1	2	합계
$\mathrm{P}(X=x)$	$\frac{1}{5}$	$\frac{3}{5}$	$\frac{1}{5}$	1

표본의 크기는 2이다.

> 풀이 $\mathrm{E}(X)=0\times\frac{1}{5}+1\times\frac{3}{5}+2\times\frac{1}{5}=1$
>
> $\mathrm{E}(X^2)=0^2\times\frac{1}{5}+1^2\times\frac{3}{5}+2^2\times\frac{1}{5}=\frac{7}{5}$
>
> $\mathrm{V}(X)=\mathrm{E}(X^2)-\{\mathrm{E}(X)\}^2=\frac{7}{5}-1^2=\frac{2}{5}$
>
> $\therefore m=1,\ \sigma^2=\frac{2}{5}$
>
> 이때 표본의 크기가 2이므로 표본평균 $\overline{X}$에 대하여
>
> 평균은 $\mathrm{E}(\overline{X})=m=$ __, 분산은 $\mathrm{V}(\overline{X})=\frac{\sigma^2}{n}=$ ___

(2)

X	1	2	3	합계
$\mathrm{P}(X=x)$	$\frac{1}{3}$	$\frac{1}{3}$	$\frac{1}{3}$	1

표본의 크기는 6이다.

(3)

X	1	3	5	합계
$\mathrm{P}(X=x)$	$\frac{1}{4}$	$\frac{1}{2}$	$\frac{1}{4}$	1

표본의 크기는 8이다.

풍쌤 POINT

확률분포에서 m과 σ^2을 구한 후 표본평균 $\overline{X}$는 $\mathrm{E}(\overline{X})=m$, $\mathrm{V}(\overline{X})=\frac{\sigma^2}{n}$임을 이용한다.

유형 07 정규분포가 주어진 표본평균의 표준편차

08 표본평균 $\overline{X}$의 표준편차 또는 분산이 다음과 같을 때, 모표준편차 $\sigma(X)$를 구하여라.

(1) 정규분포 $\mathrm{N}(20, \sigma^2)$을 따르는 모집단에서 크기가 4인 표본을 임의추출할 때, 표본평균 $\overline{X}$의 표준편차는 $\sigma(\overline{X})=3$이다.

> 풀이 $\sigma(\overline{X})=\frac{\sigma}{\sqrt{4}}=\frac{\sigma}{2}=3$이므로
>
> $\sigma(X)=$ __

(2) 정규분포 $\mathrm{N}(10, \sigma^2)$을 따르는 모집단에서 크기가 9인 표본을 임의추출할 때, 표본평균 $\overline{X}$의 표준편차는 $\sigma(\overline{X})=5$이다.

(3) 정규분포 $\mathrm{N}(36, \sigma^2)$을 따르는 모집단에서 크기가 3인 표본을 임의추출할 때, 표본평균 $\overline{X}$의 표준편차는 $\sigma(\overline{X})=8$이다.

(4) 정규분포 $\mathrm{N}(40, \sigma^2)$을 따르는 모집단에서 크기가 16인 표본을 임의추출할 때, 표본평균 $\overline{X}$의 분산은 $\mathrm{V}(\overline{X})=4$이다.

풍쌤 POINT

$\sigma(\overline{X})=\frac{\sigma(X)}{\sqrt{n}}$에서 $\sigma(X)=\sqrt{n}\sigma(\overline{X})$

표본평균의 분포

1 표본평균의 분포

모평균이 m, 모표준편차가 σ인 모집단에서 크기가 n인 표본을 임의추출할 때, 다음이 성립한다.

① 모집단이 정규분포 $\mathrm{N}(m, \sigma^2)$을 따르면 표본평균 $\overline{X}$는 정규분포 $\mathrm{N}\left(m, \frac{\sigma^2}{n}\right)$을 따른다.

② 모집단이 정규분포를 따르지 않더라도 표본의 크기 n의 값이 충분히 크면 표본평균 $\overline{X}$는 정규분포 $\mathrm{N}\left(m, \frac{\sigma^2}{n}\right)$을 따른다.

> n이 충분히 크다는 것은 $n \geq 30$일 때를 뜻한다.

유형·08 표본평균이 따르는 정규분포 나타내기

09 다음과 같이 표본을 임의추출할 때, 표본평균 $\overline{X}$가 따르는 정규분포를 기호로 나타내어라.

(1) 정규분포 $\mathrm{N}(80, 64)$를 따르는 모집단에서 크기가 4인 표본을 임의추출

> 풀이 모평균이 $m=80$, 모분산이 $\sigma^2=64$, 표본의 크기가 $n=4$이므로 표본평균 $\overline{X}$에 대하여
> 평균은 $\mathrm{E}(\overline{X})=m=$___
> 분산은 $\mathrm{V}(\overline{X})=\frac{\sigma^2}{n}=$___
> 따라서 표본평균 $\overline{X}$는 정규분포 ________을 따른다.

(2) 정규분포 $\mathrm{N}(50, 36)$을 따르는 모집단에서 크기가 3인 표본을 임의추출

(3) 정규분포 $\mathrm{N}(100, 25)$를 따르는 모집단에서 크기가 5인 표본을 임의추출

유형·09 표본평균의 확률 구하기

10 오른쪽 표준정규분포표를 보고 물음에 답하여라.

z	$\mathrm{P}(0 \leq Z \leq z)$
0.5	0.1915
1.0	0.3413
1.5	0.4332
2.0	0.4772

(1) 정규분포 $\mathrm{N}(20, 12)$를 따르는 모집단에서 임의추출한 크기가 3인 표본의 표본평균을 $\overline{X}$라고 할 때, $\mathrm{P}(18 \leq \overline{X} \leq 24)$를 구하여라.

> 풀이 모평균이 $m=20$, 모분산이 $\sigma^2=12$, 표본의 크기가 $n=3$이므로 표본평균 $\overline{X}$에 대하여
> 평균은 $\mathrm{E}(\overline{X})=m=20$
> 분산은 $\mathrm{V}(\overline{X})=\frac{\sigma^2}{n}=\frac{12}{3}=4$
> 따라서 표본평균 $\overline{X}$는 정규분포 $\mathrm{N}(20, 2^2)$을 따른다.
> 이때 $Z=\frac{\overline{X}-20}{2}$은 표준정규분포 $\mathrm{N}(0, 1)$을 따르므로
> $\mathrm{P}(18 \leq \overline{X} \leq 24)$
> $=\mathrm{P}\left(\frac{18-20}{2} \leq Z \leq \frac{24-20}{2}\right)$
> $=\mathrm{P}(-1 \leq Z \leq 2)$
> $=\mathrm{P}(0 \leq Z \leq 1)+\mathrm{P}(0 \leq Z \leq 2)$
> $=$______

(2) 정규분포 $N(120,\ 100)$을 따르는 모집단에서 임의추출한 크기가 25인 표본의 표본평균을 $\overline{X}$라고 할 때, $P(\overline{X}\le 123)$을 구하여라.

(3) 정규분포 $N(150,\ 64)$를 따르는 모집단에서 임의추출한 크기가 4인 표본의 표본평균을 $\overline{X}$라고 할 때, $P(\overline{X}\ge 156)$을 구하여라.

11 오른쪽 표준정규분포표를 보고 물음에 답하여라.

z	$P(0\le Z\le z)$
0.5	0.1915
1.0	0.3413
1.5	0.4332
2.0	0.4772

(1) 어느 고등학교 학생의 하루 휴대폰 사용 시간은 평균이 50분, 표준편차가 10분인 정규분포를 따른다고 한다. 이 학교의 학생 중에서 임의추출한 크기가 25인 표본의 표본평균을 $\overline{X}$라고 할 때, $P(\overline{X}\ge 46)$을 구하여라.

> 풀이 모평균이 $m=50$, 모표준편차가 $\sigma=10$, 표본의 크기가 $n=25$이므로 표본평균 $\overline{X}$에 대하여
평균은 $E(\overline{X})=m=50$
분산은 $V(\overline{X})=\dfrac{\sigma^2}{n}=\dfrac{10^2}{25}=4$
따라서 표본평균 $\overline{X}$는 정규분포 $N(50,\ 2^2)$을 따른다.
이때 $Z=\dfrac{\overline{X}-50}{2}$은 표준정규분포 $N(0,1)$을 따르므로
$P(\overline{X}\ge 46)$
$=P\left(Z\ge\dfrac{46-50}{2}\right)$
$=P(Z\ge -2)$
$=0.5+P(0\le Z\le 2)$
$=$______

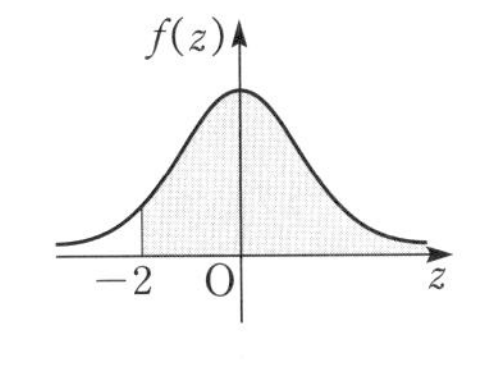

(2) 어느 농장에서 생산한 고구마의 무게는 평균이 200 g, 표준편차가 30 g인 정규분포를 따른다고 한다. 이 농장에서 생산된 고구마 중에서 임의추출한 크기가 9인 표본의 표본평균을 $\overline{X}$라고 할 때, $P(\overline{X}\le 210)$을 구하여라.

(3) 어느 고등학교 학생의 등교 시간은 평균이 15분, 표준편차가 10분인 정규분포를 따른다고 한다. 이 학교 학생 중에서 임의추출한 크기가 4인 표본의 표본평균을 $\overline{X}$라고 할 때, $P(10\le\overline{X}\le 25)$를 구하여라.

(4) 어느 공장에서 생산하는 운동화의 무게는 평균이 600 g, 표준편차가 200 g인 정규분포를 따른다고 한다. 이 공장에서 생산된 운동화 중에서 임의추출한 크기가 100인 표본의 표본평균을 $\overline{X}$라고 할 때, $P(\overline{X}\ge 630)$을 구하여라.

풍쌤 POINT
모집단의 분포와 표본의 크기를 이용하여 표본평균의 분포를 구할 수 있다.

모평균의 신뢰구간

1 모평균의 신뢰구간

정규분포 $N(m, \sigma^2)$을 따르는 모집단에서 크기가 n인 표본을 임의추출하여 구한 표본평균이 $\overline{X}$일 때, 모평균 m의 신뢰구간은 다음과 같다.

① 신뢰도 95 %의 신뢰구간 ➡ $\overline{X}-1.96\frac{\sigma}{\sqrt{n}} \le m \le \overline{X}+1.96\frac{\sigma}{\sqrt{n}}$

② 신뢰도 99 %의 신뢰구간 ➡ $\overline{X}-2.58\frac{\sigma}{\sqrt{n}} \le m \le \overline{X}+2.58\frac{\sigma}{\sqrt{n}}$

› 모표준편차 σ를 모를 때, 표본의 크기 n이 크면($n \ge 30$) σ 대신 표본표준편차를 사용하여 신뢰구간을 구할 수 있다.

유형 10 모평균의 신뢰구간

정답과 풀이 062쪽

12 정규분포를 따르는 모집단에서 크기가 64인 표본을 임의추출하여 조사한 결과 평균이 50, 표준편차가 16이었다. 다음을 구하여라.

(1) 모평균 m의 신뢰도 95 %의 신뢰구간

› 풀이 표본평균이 $\overline{X}=50$, 표본의 크기가 $n=64$이므로 모평균 m의 신뢰도 95 %의 신뢰구간은

$50-1.96\times\frac{16}{\sqrt{64}} \le m \le 50+1.96\times\frac{16}{\sqrt{64}}$

$\therefore$ ______ $\le m \le$ ______

(2) 모평균 m의 신뢰도 99 %의 신뢰구간

13 정규분포를 따르는 모집단에서 크기가 100인 표본을 임의추출하여 조사한 결과 평균이 65, 표준편차가 2이었다. 다음을 구하여라.

(1) 모평균 m의 신뢰도 95 %의 신뢰구간

(2) 모평균 m의 신뢰도 99 %의 신뢰구간

14 어느 과수원에서 생산한 사과 중에서 144개를 임의추출하여 무게를 조사한 결과 평균이 200 g, 표준편차가 24 g이었다. 이 과수원의 사과 전체 무게의 평균 m에 대하여 다음을 구하여라.

(1) 신뢰도 95 % 신뢰구간

(2) 신뢰도 99 % 신뢰구간

15 어느 학교 학생 중에서 81명을 임의추출하여 수면 시간을 조사한 결과 평균이 400분, 표준편차가 90분이었다. 이 학교 학생 전체의 수면 시간 m에 대하여 다음을 구하여라.

(1) 신뢰도 95 % 신뢰구간

(2) 신뢰도 99 % 신뢰구간

풍쌤 POINT

표본의 크기 n이 충분히 크면($n \ge 30$) 모표준편차 대신 표본표준편차를 사용한다.

신뢰구간의 길이와 오차

1 신뢰구간의 길이와 오차

모평균의 신뢰구간이 $\overline{X}-k\frac{\sigma}{\sqrt{n}}\le m\le\overline{X}+k\frac{\sigma}{\sqrt{n}}$일 때

신뢰도 95 %: $k=1.96$, 신뢰도 99 %: $k=2.58$

① 신뢰구간의 길이 ➡ $2k\frac{\sigma}{\sqrt{n}}$

② 최대 오차 ➡ $k\frac{\sigma}{\sqrt{n}}$

› 신뢰구간이 $a\le m\le b$일 때, $b-a$를 신뢰구간의 길이라고 한다.

유형 11 신뢰구간의 길이

정답과 풀이 063쪽

16 정규분포 $\mathrm{N}(m,\ \sigma^2)$을 따르는 모집단에서 표본을 추출하여 모평균을 추정할 때, 모평균 m의 신뢰구간에 대한 다음 설명이 참인지 거짓인지 말하여라.

(1) 신뢰도가 일정할 때, 표본의 크기가 커질수록 신뢰구간의 길이는 커진다.

› 풀이 신뢰도가 일정할 때, 표본의 크기가 커질수록 $\sqrt{n}$의 값이 커지므로 $2k\frac{\sigma}{\sqrt{n}}$의 값은 작아진다.
따라서 ____이다.

(2) 신뢰도를 낮추면서 표본의 크기를 크게 하면 신뢰구간의 길이는 커진다.

(3) 신뢰도를 높이면서 표본의 크기를 일정하게 하면 신뢰구간의 길이는 커진다.

(4) 신뢰도를 낮추면서 표본의 크기를 작게 하면 신뢰구간의 길이는 커지는지 작아지는지 알 수 없다.

17 정규분포 $\mathrm{N}(m,\ 25)$를 따르는 모집단에서 100개의 표본을 임의추출할 때, 다음을 구하여라.

(1) 신뢰도 95 %로 추정한 모평균의 신뢰구간의 길이

› 풀이 $\sigma=5$이므로 신뢰구간의 길이는

$2\times1.96\frac{\sigma}{\sqrt{n}}=2\times1.96\times\frac{5}{\sqrt{100}}=$ ____

(2) 신뢰도 99 %로 추정한 모평균의 신뢰구간의 길이

18 정규분포를 따르는 모집단에서 임의추출한 표본 400개의 표준편차가 2일 때, 다음을 구하여라.

(1) 신뢰도 95 %로 추정한 모평균의 신뢰구간의 길이

› 풀이 표본의 표준편차는 모표준편차와 같으므로 구하는 신뢰구간의 길이는

$2\times1.96\frac{\sigma}{\sqrt{n}}=2\times1.96\times\frac{2}{\sqrt{400}}=$ ____

(2) 신뢰도 99 %로 추정한 모평균의 신뢰구간의 길이

유형·12 모평균과 표본평균의 차

19 다음을 구하여라.

(1) 모표준편차가 5인 정규분포를 따르는 모집단의 평균을 신뢰도 95 %로 추정할 때, 그 신뢰구간의 길이를 1.4 이하로 하기 위한 표본의 크기의 범위

> 풀이 n개의 표본을 뽑아 신뢰도 95 %로 모평균을 추정할 때, 신뢰구간의 길이가 1.4 이하이어야 하므로
>
> $2\times1.96\times\frac{5}{\sqrt{n}}\leq1.4$
>
> $\sqrt{n}\geq14$ $\therefore$ ______

(2) 모표준편차가 5인 정규분포를 따르는 모집단의 평균을 신뢰도 99 %로 추정할 때, 그 신뢰구간의 길이를 4.3 이하로 하기 위한 표본의 크기의 범위

(3) 모표준편차가 10인 정규분포를 따르는 모집단의 평균을 신뢰도 95 %로 추정할 때, 그 신뢰구간의 길이를 0.7 이상으로 하기 위한 표본의 크기의 범위

풍쌤 POINT

신뢰구간의 길이는

① 신뢰도 95 %로 모평균을 추정 ➡ $2\times1.96\times\frac{\sigma}{\sqrt{n}}$

② 신뢰도 99 %로 모평균을 추정 ➡ $2\times2.58\times\frac{\sigma}{\sqrt{n}}$

20 다음을 구하여라.

(1) 모표준편차가 10인 정규분포를 따르는 모집단의 평균을 신뢰도 99 %로 추정할 때, 모평균과 표본평균의 차를 6 이하로 하기 위한 표본의 크기의 최솟값

> 풀이 표본의 크기를 n이라고 하면 모평균과 표본평균의 차가 6 이하이어야 하므로
>
> $2.58\times\frac{10}{\sqrt{n}}\leq6$
>
> $\sqrt{n}\geq4.3$ $\therefore n\geq18.49$
>
> 따라서 표본의 크기의 최솟값은 ___이다.

(2) 모표준편차가 10인 정규분포를 따르는 모집단의 평균을 신뢰도 95 %로 추정할 때, 모평균과 표본평균의 차를 4 이하로 하기 위한 표본의 크기의 최솟값

(3) 모표준편차가 18인 정규분포를 따르는 모집단의 평균을 신뢰도 95 %로 추정할 때, 모평균과 표본평균의 차를 9 이상으로 하기 위한 표본의 크기의 최댓값

풍쌤 POINT

모평균과 표본평균의 최대 오차는

① 신뢰도 95 %로 모평균을 추정 ➡ $1.96\times\frac{\sigma}{\sqrt{n}}$

② 신뢰도 99 %로 모평균을 추정 ➡ $2.58\times\frac{\sigma}{\sqrt{n}}$

· 중단원 점검문제 ·

정답과 풀이 063쪽

[01~02] 2, 4, 6의 숫자가 하나씩 적힌 3개의 공이 들어 있는 주머니에서 크기가 2인 표본을 한 번에 한 개씩 복원추출할 때, 다음 물음에 답하여라.

01

표본평균 $\overline{X}$의 확률분포를 표로 나타내어라.

$\overline{X}$	2	3	4	5	6	합계
$\mathrm{P}(\overline{X}=\overline{x})$						

02

표본평균 $\overline{X}$의 평균과 표준편차를 각각 구하여라.

[03~04] 어느 고등학교 학생의 수학 성적은 평균이 70점, 표준편차가 20점인 정규분포를 따른다고 한다. 오른쪽 표준정규분포표를 보고 물음에 답하여라.

z	$\mathrm{P}(0\le Z\le z)$
1.0	0.3413
1.5	0.4332
2.0	0.4772

03

이 학교의 학생 중에서 임의추출한 크기가 100인 표본의 표본평균을 $\overline{X}$라고 할 때, $\mathrm{P}(\overline{X}\ge 74)$를 구하여라.

04

이 학교의 학생 중에서 임의추출한 크기가 n인 표본의 표본평균을 $\overline{X}$라고 하면 $\mathrm{P}(\overline{X}\le 76)=0.9332$이다. 이때 n의 값을 구하여라.

05

정규분포 $\mathrm{N}(5,\ 12)$를 따르는 모집단에서 크기가 3인 표본을 임의추출할 때, 표본평균 $\overline{X}$에 대하여 $\mathrm{E}(\overline{X}^2-1)$을 구하여라.

06

정규분포를 따르는 모집단에서 크기가 144인 표본을 임의추출하여 조사한 결과 평균이 45, 표준편차가 6이었다. 이때 모평균 m의 신뢰도 99 %의 신뢰구간을 구하여라.

[07~08] 어떤 과자 한 봉지에 포함된 나트륨의 양은 표준편차가 5 mg인 정규분포를 따른다고 한다. 다음 물음에 답하여라.

07

이 과자 1600봉지를 임의추출하여 신뢰도 95 %로 나트륨의 양의 평균을 추정할 때, 신뢰구간의 길이를 구하여라.

08

이 과자를 임의추출하여 신뢰도 99 %로 모평균을 추정할 때, 신뢰구간의 길이가 0.6 이하가 되려면 표본의 크기를 얼마 이상으로 해야 하는지 구하여라.

표준정규분포표

z	0	1	2	3	4	5	6	7	8	9
0.0	.0000	.0040	.0080	.0120	.0160	.0199	.0239	.0279	.0319	.0359
0.1	.0398	.0438	.0478	.0517	.0557	.0596	.0636	.0675	.0714	.0753
0.2	.0793	.0832	.0871	.0910	.0948	.0987	.1026	.1064	.1103	.1141
0.3	.1179	.1217	.1255	.1293	.1331	.1368	.1406	.1443	.1480	.1517
0.4	.1554	.1591	.1628	.1664	.1700	.1736	.1772	.1808	.1844	.1879
0.5	.1915	.1950	.1985	.2019	.2054	.2088	.2123	.2157	.2190	.2224
0.6	.2257	.2291	.2324	.2357	.2389	.2422	.2454	.2486	.2517	.2549
0.7	.2580	.2611	.2642	.2673	.2704	.2734	.2764	.2794	.2823	.2852
0.8	.2881	.2910	.2939	.2967	.2995	.3023	.3051	.3078	.3106	.3133
0.9	.3159	.3186	.3212	.3238	.3264	.3289	.3315	.3340	.3365	.3389
1.0	.3413	.3438	.3461	.3485	.3508	.3531	.3554	.3577	.3599	.3621
1.1	.3643	.3665	.3686	.3708	.3729	.3749	.3770	.3790	.3810	.3830
1.2	.3849	.3869	.3888	.3907	.3925	.3944	.3962	.3980	.3997	.4015
1.3	.4032	.4049	.4066	.4082	.4099	.4115	.4131	.4147	.4162	.4177
1.4	.4192	.4207	.4222	.4236	.4251	.4265	.4279	.4292	.4306	.4319
1.5	.4332	.4345	.4357	.4370	.4382	.4394	.4406	.4418	.4429	.4441
1.6	.4452	.4463	.4474	.4484	.4495	.4505	.4515	.4525	.4535	.4545
1.7	.4554	.4564	.4573	.4582	.4591	.4599	.4608	.4616	.4625	.4633
1.8	.4641	.4649	.4656	.4664	.4671	.4678	.4686	.4693	.4699	.4706
1.9	.4713	.4719	.4726	.4732	.4738	.4744	.4750	.4756	.4761	.4767
2.0	.4772	.4778	.4783	.4788	.4793	.4798	.4803	.4808	.4812	.4817
2.1	.4821	.4826	.4830	.4834	.4838	.4842	.4846	.4850	.4854	.4857
2.2	.4861	.4864	.4868	.4871	.4875	.4878	.4881	.4884	.4887	.4890
2.3	.4893	.4896	.4898	.4901	.4904	.4906	.4909	.4911	.4913	.4916
2.4	.4918	.4920	.4922	.4925	.4927	.4929	.4931	.4932	.4934	.4936
2.5	.4938	.4940	.4941	.4943	.4945	.4946	.4948	.4949	.4951	.4952
2.6	.4953	.4955	.4956	.4957	.4959	.4960	.4961	.4962	.4963	.4964
2.7	.4965	.4966	.4967	.4968	.4969	.4970	.4971	.4972	.4973	.4974
2.8	.4974	.4975	.4976	.4977	.4977	.4978	.4979	.4979	.4980	.4981
2.9	.4981	.4982	.4982	.4983	.4984	.4984	.4985	.4985	.4986	.4986
3.0	.4987	.4987	.4987	.4988	.4988	.4989	.4989	.4989	.4990	.4990
3.1	.4990	.4991	.4991	.4991	.4992	.4992	.4992	.4992	.4993	.4993
3.2	.4993	.4993	.4994	.4994	.4994	.4994	.4994	.4995	.4995	.4995
3.3	.4995	.4995	.4995	.4996	.4996	.4996	.4996	.4996	.4996	.4997
3.4	.4997	.4997	.4997	.4997	.4997	.4997	.4997	.4997	.4997	.4998

I 경우의 수

I-1 순열과 조합 006~031쪽

01 (1) 4 (2) 6 (3) 9

02 (1) 8 (2) 9 (3) 10

03 (1) 720 (2) 72 (3) 360 (4) 120 (5) 1

04 (1) $n=7$ (2) $n=4$ (3) $r=3$ (4) $r=4$

05 (1) 5 (2) 4 (3) 5 (4) 6 (5) 8

06 (1) 336 (2) 60 (3) 990 (4) 840 (5) 720

07 (1) $n=10$ (2) $r=2$ (3) $n=7$ (4) $n=10$ (5) $r=3$

08 (1) 144 (2) 48 (3) 144 (4) 72

09 (1) 480 (2) 72 (3) 144 (4) 1440

10 (1) 19 (2) 10 (3) 14 (4) 12

11 (1) 6 (2) 24 (3) 120 (4) 120

12 (1) 4 (2) 48 (3) 16

13 (1) 12 (2) 144 (3) 12 (4) 12 (5) 144 (6) 2 (7) 24

14 (1) $5!\times2$ (2) $7!\times2$ (3) $8!\times3$ (4) $11!\times3$

15 (1) $5!\times3$ (2) $7!\times4$ (3) $7!\times4$ (4) $9!\times5$

16 (1) 8 (2) 30 (3) 30 (4) 144 (5) 30 (6) 144

17 (1) 16 (2) 8 (3) 1 (4) 125 (5) 128

18 (1) $r=4$ (2) $n=2$ (3) $r=0$ (4) $r=3$ (5) $n=6$

19 (1) 64 (2) 8 (3) 32 (4) 81 (5) 125

20 (1) 48 (2) 18 (3) 162 (4) 192 (5) 100

21 (1) 16 (2) 64 (3) 81 (4) 31

22 (1) ① 6 ② 9 (2) ① 6 ② 27
(3) ① 24 ② 64 (4) ① 20 ② 25

23 (1) 16 (2) 8 (3) 27 (4) 81
(5) 243 (6) 64 (7) 32 (8) 128

24 (1) 6 (2) 12 (3) 5 (4) 30

25 (1) 6 (2) 7 (3) 10 (4) 14

26 (1) 9 (2) 16 (3) 24 (4) 16

27 (1) ① 60 ② 12 ③ 12 (2) ① 30 ② 3 ③ 12
(3) ① 20 ② 4 ③ 4 (4) ① 60 ② 6 ③ 24
(5) ① 180 ② 12 ③ 60 (6) ① 420 ② 60 ③ 60

28 (1) 60 (2) 20 (3) 30 (4) 90

29 (1) ① 35 ② 18 ③ 17 (2) ① 35 ② 20 ③ 15
(3) ① 21 ② 12 ③ 9 (4) ① 70 ② 16 ③ 54
(5) ① 56 ② 30 ③ 26

30 (1) 17 (2) 8 (3) 23 (4) 33 (5) 46 (6) 34

31 (1) 6 (2) 35 (3) 28 (4) 1 (5) 1

32 (1) 2 (2) 5 (3) 5 (4) 1, 2

33 (1) 8 (2) 13 (3) 13 (4) 9 (5) 4 (6) 3 (7) 5

34 (1) 3 (2) 5 (3) 6 (4) 6 (5) 3

35 (1) 210 (2) 20 (3) 15 (4) 336 (5) 1176

36 (1) ① 15 ② 15 (2) ① 15 ② 20 (3) ① 7 ② 35
(4) ① 21 ② 35 (5) 15 (6) 28 (7) 10 (8) 15

37 (1) 70 (2) 64 (3) 135 (4) 294

38 (1) 480 (2) 1200 (3) 432 (4) 180

39 (1) 직선: 10, 삼각형: 10 (2) 직선: 28, 사각형: 70
(3) 8 (4) 9

40 (1) 21 (2) 21 (3) 1 (4) 8 (5) 220

41 (1) $r=1$ 또는 $r=4$ (2) $n=9$
(3) $r=2$ 또는 $r=5$ (4) $n=4$
(5) $n=7$

42 (1) 45 (2) 70 (3) 120 (4) 55 (5) 11

43 (1) 15 (2) 4 (3) 6 (4) 21 (5) 45

44 (1) ① 21 ② 6 (2) ① 7 ② 5 (3) ① 8 ② 6
(4) ① 15 ② 3 (5) ① 66 ② 36 (6) ① 165 ② 35
(7) ① 220 ② 56

중단원 점검문제 | I-1. 순열과 조합 032-033쪽

01 43　**02** 7　**03** 360　**04** $cabd$
05 6　**06** 12　**07** 54　**08** 16
09 64　**10** 360　**11** 23　**12** 56
13 1680　**14** 126　**15** 35　**16** 28

I-2 이항정리 034~040쪽

01 (1) $a^3-3a^2b+3ab^2-b^3$
(2) $x^4+4x^3y+6x^2y^2+4xy^3+y^4$
(3) $x^4-8x^3+24x^2-32x+16$
(4) $x^5-5x^4y+10x^3y^2-10x^2y^3+5xy^4-y^5$
(5) $32a^5+80a^4+80a^3+40a^2+10a+1$

02 (1) 240 (2) 54 (3) 80 (4) -192

03 (1) 24 (2) 24 (3) 1215 (4) 60 (5) -540

04 (1) 3 (2) 2 (3) 5 (4) 2

05 (1) 5 (2) 32 (3) -25

06 (1) 56 (2) -56 (3) 120

07 (1) ${}_{4}C_{2}$ (2) ${}_{5}C_{4}$ (3) ${}_{6}C_{3}$

08 (1) ${}_{11}C_{7}$ (2) ${}_{9}C_{6}$ (3) ${}_{10}C_{6}$

09 (1) 127 (2) 64 (3) 512 (4) 255

10 (1) 1 (2) 0 (3) 0 (4) -1

11 (1) 511 (2) 128 (3) 256 (4) 1013 (5) 2047

12 (1) 8 (2) 7 (3) 10 (4) 9 (5) 11

13 (1) 2^{58} (2) 2^{18} (3) 2^{40} (4) 2^{38} (5) 2^{20}

14 (1) 7 (2) 6 (3) 8 (4) 9 (5) 6

중단원 점검문제 | Ⅰ-2. 이항정리 041-042쪽

01 60 **02** 1 **03** 280 **04** 2

05 1 **06** 7 **07** 1 **08** 7

09 ${}_{7}C_{2}$ **10** ${}_{10}C_{3}$ **11** 1023 **12** -1

13 64 **14** 10 **15** 2^{30} **16** 21

Ⅱ 확률

Ⅱ-1 | 확률의 뜻과 활용 044~057쪽

01 (1) $\{1, 2, 3, 4, 5, 6\}$ (2) $\{2, 4, 6\}$ (3) $\{1, 5\}$

02 (1) 전사건 (2) 공사건 (3) 근원사건

03 (1) ① $\{2, 3, 4, 5, 6\}$ ② $\{2\}$ ③ $\{1, 4, 6\}$ ④ $\{1, 3, 5\}$
(2) ① $\{1, 3, 5, 6, 7, 9\}$ ② $\{3, 9\}$ ③ $\{2, 4, 6, 8\}$ ④ $\{1, 2, 4, 5, 7, 8\}$
(3) ① $\{1, 2, 4, 8\}$ ② $\{4, 8\}$ ③ $\{3, 5, 6, 7, 9, 10\}$ ④ $\{1, 2, 3, 5, 6, 7, 9, 10\}$

04 (1) 배반사건 (2) 배반사건 (3) 배반사건이 아니다. (4) 배반사건이 아니다. (5) 배반사건

05 (1) $\frac{1}{3}$ (2) $\frac{1}{9}$ (3) $\frac{1}{8}$ (4) $\frac{4}{9}$ (5) $\frac{5}{36}$ (6) $\frac{1}{4}$

06 (1) $\frac{3}{10}$ (2) $\frac{1}{15}$ (3) $\frac{2}{5}$ (4) $\frac{1}{35}$

07 (1) $\frac{2}{5}$ (2) $\frac{1}{2}$ (3) $\frac{1}{35}$ (4) $\frac{2}{5}$

08 (1) $\frac{2}{3}$ (2) $\frac{1}{2}$ (3) $\frac{2}{9}$ (4) $\frac{2}{3}$

09 (1) $\frac{1}{10}$ (2) $\frac{1}{5}$ (3) $\frac{1}{5}$ (4) $\frac{1}{2}$

10 (1) $\frac{1}{2}$ (2) $\frac{4}{7}$ (3) $\frac{3}{7}$ (4) $\frac{5}{126}$

11 (1) $\frac{15}{28}$ (2) $\frac{34}{35}$ (3) $\frac{1}{2}$ (4) $\frac{121}{126}$

12 (1) $\frac{22}{25}$ (2) $\frac{1}{5}$ (3) $\frac{499}{500}$ (4) $\frac{3}{5}$

13 (1) 3 (2) 2 **14** (1) 5 (2) 3

15 (1) $\frac{3}{4}$ (2) $\frac{5}{9}$ (3) $\frac{5}{16}$

16 (1) $\frac{1}{2}$ (2) $\frac{2}{3}$ (3) $\frac{1}{4}$

17 (1) ① 0 ② 1 (2) ① 1 ② 0

18 (1) $\frac{1}{2}$ (2) $\frac{1}{2}$ (3) 1 (4) 0

19 (1) $\frac{7}{10}$ (2) $\frac{2}{3}$ (3) $\frac{3}{5}$ (4) $\frac{1}{2}$

20 (1) $\frac{2}{3}$ (2) $\frac{7}{15}$ (3) $\frac{7}{15}$ (4) $\frac{1}{3}$

21 (1) $\frac{7}{36}$ (2) $\frac{5}{36}$ (3) $\frac{2}{9}$ (4) $\frac{5}{18}$

22 (1) $\frac{11}{21}$ (2) $\frac{1}{7}$ (3) $\frac{2}{5}$ (4) $\frac{5}{18}$

23 (1) $\frac{3}{4}$ (2) $\frac{4}{5}$ (3) $\frac{7}{10}$

24 (1) $\frac{11}{12}$ (2) $\frac{5}{6}$ (3) $\frac{5}{6}$

25 (1) $\frac{16}{21}$ (2) $\frac{55}{56}$ (3) $\frac{9}{10}$ (4) $\frac{9}{14}$

26 (1) $\frac{3}{4}$ (2) $\frac{11}{14}$ (3) $\frac{7}{8}$ (4) $\frac{11}{12}$

27 (1) ① 0.7 ② 0.4 (2) ① 0.4 ② 0.3
(3) ① 0.5 ② 0.4 (4) ① 0.6 ② 0.1

28 (1) $\frac{2}{3}$ (2) $\frac{8}{15}$ (3) $\frac{13}{30}$ (4) $\frac{2}{5}$

중단원 점검문제 | Ⅱ-1. 확률의 뜻과 활용 058-059쪽

01 (1) $\{1, 3, 4, 5\}$ (2) $\{2, 6\}$

02 사건 B와 C

03 $\frac{5}{36}$ 04 $\frac{1}{30}$ 05 $\frac{1}{3}$ 06 $\frac{2}{15}$

07 $\frac{3}{8}$ 08 $\frac{1}{6}$ 09 $\frac{9}{20}$ 10 ㄷ

11 $\frac{7}{36}$ 12 $\frac{3}{7}$ 13 $\frac{3}{5}$ 14 $\frac{15}{16}$

15 $\frac{5}{12}$ 16 $\frac{2}{5}$

Ⅱ-2 | 조건부확률 060~076쪽

01 (1) $\mathrm{P}(B|A)=\frac{2}{3}$, $\mathrm{P}(A|B)=\frac{4}{9}$
(2) $\mathrm{P}(B|A)=\frac{2}{3}$, $\mathrm{P}(A|B)=\frac{4}{5}$
(3) $\mathrm{P}(B|A)=\frac{5}{12}$, $\mathrm{P}(A|B)=\frac{1}{2}$

02 (1) $\frac{2}{3}$ (2) $\frac{2}{7}$ (3) $\frac{3}{7}$

03 (1) $\mathrm{P}(B|A^C)=\frac{5}{6}$, $\mathrm{P}(A|B^C)=\frac{4}{5}$
(2) $\mathrm{P}(B|A^C)=\frac{3}{4}$, $\mathrm{P}(A|B^C)=\frac{6}{7}$
(3) $\mathrm{P}(B|A^C)=\frac{2}{3}$, $\mathrm{P}(A|B^C)=\frac{7}{8}$
(4) $\mathrm{P}(B|A^C)=\frac{4}{7}$, $\mathrm{P}(A|B^C)=\frac{1}{2}$

04 (1) $\frac{1}{3}$ (2) $\frac{2}{3}$ (3) $\frac{1}{6}$ (4) $\frac{1}{3}$

05 (1) $\frac{9}{10}$ (2) $\frac{4}{15}$ (3) $\frac{1}{5}$ (4) $\frac{11}{20}$

06 (1) $\frac{4}{5}$ (2) $\frac{7}{15}$ (3) $\frac{2}{5}$ (4) $\frac{3}{10}$

07 (1) $\frac{4}{7}$ (2) $\frac{2}{5}$ (3) $\frac{5}{8}$

08 (1) $\mathrm{P}(A\cap E)=\frac{1}{4}$, $\mathrm{P}(B\cap E)=\frac{3}{16}$,
$\mathrm{P}(C\cap E)=\frac{9}{64}$
(2) $\frac{37}{64}$ (3) $\frac{16}{37}$ (4) $\frac{12}{37}$ (5) $\frac{9}{37}$

09 (1) ① $\frac{1}{5}$ ② $\frac{4}{5}$ (2) ① $\frac{1}{4}$ ② $\frac{2}{5}$ (3) ① $\frac{1}{10}$ ② $\frac{1}{5}$

10 (1) ① $\frac{3}{7}$ ② $\frac{1}{3}$ ③ $\frac{1}{7}$ (2) ① $\frac{5}{9}$ ② $\frac{1}{2}$ ③ $\frac{5}{18}$
(3) ① $\frac{3}{10}$ ② $\frac{2}{9}$ ③ $\frac{1}{15}$ (4) ① $\frac{2}{5}$ ② $\frac{1}{3}$ ③ $\frac{2}{15}$
(5) ① $\frac{4}{11}$ ② $\frac{3}{10}$ ③ $\frac{6}{55}$

11 (1) ① $\frac{1}{7}$ ② $\frac{2}{7}$ ③ $\frac{3}{7}$ (2) ① $\frac{5}{18}$ ② $\frac{5}{18}$ ③ $\frac{5}{9}$
(3) ① $\frac{1}{15}$ ② $\frac{7}{30}$ ③ $\frac{3}{10}$ (4) ① $\frac{2}{15}$ ② $\frac{4}{15}$ ③ $\frac{2}{5}$
(5) ① $\frac{6}{55}$ ② $\frac{14}{55}$ ③ $\frac{4}{11}$

12 (1) ① 0.28 ② 0.06 ③ 0.34
(2) ① 0.72 ② 0.02 ③ 0.74
(3) ① 0.28 ② 0.3 ③ 0.58
(4) ① 0.3 ② 0.08 ③ 0.38

13 (1) 0.042 (2) $\frac{5}{7}$ (3) $\frac{2}{7}$

14 (1) 0.46 (2) $\frac{14}{23}$ (3) $\frac{9}{23}$ (4) 0.54 (5) $\frac{2}{9}$ (6) $\frac{7}{9}$

15 (1) 0.31 (2) $\frac{24}{31}$ (3) $\frac{7}{31}$ (4) 0.69 (5) $\frac{2}{23}$ (6) $\frac{21}{23}$

16 (1) $\mathrm{P}(A\cap B)=0.12$, $\mathrm{P}(A\cup B)=0.58$
(2) 0.6 (3) 0.6

17 (1) 독립 (2) 독립 (3) 독립

18 (1) 독립 (2) 독립 (3) 종속 (4) 독립 (5) 종속

19 (1) 참 (2) 참 (3) 거짓 (4) 참 (5) 참

20 (1) $\frac{3}{8}$ (2) $\frac{19}{40}$ (3) $\frac{3}{20}$ (4) $\frac{17}{20}$

21 (1) 0.4 (2) 0.5 (3) 0.1 (4) 0.9

22 (1) $\frac{4}{15}$ (2) $\frac{7}{15}$ (3) $\frac{7}{30}$ (4) $\frac{1}{30}$ (5) $\frac{29}{30}$

23 (1) $\frac{3}{40}$ (2) $\frac{2}{5}$ (3) $\frac{17}{40}$ (4) $\frac{1}{10}$ (5) $\frac{9}{10}$

24 (1) ① $\frac{49}{100}$ ② $\frac{7}{15}$ (2) ① $\frac{9}{16}$ ② $\frac{15}{28}$
(3) ① $\frac{25}{64}$ ② $\frac{5}{14}$ (4) ① $\frac{16}{81}$ ② $\frac{1}{6}$
(5) ① $\frac{4}{9}$ ② $\frac{1}{2}$ (6) ① $\frac{12}{25}$ ② $\frac{8}{15}$

25 (1) ${}_6C_4\left(\frac{2}{5}\right)^4\left(\frac{3}{5}\right)^2$ (2) ${}_{10}C_7\left(\frac{5}{9}\right)^7\left(\frac{4}{9}\right)^3$

(3) ${}_{12}C_{10}(0.7)^{10}(0.3)^2$

26 (1) $\frac{10}{243}$ (2) $\frac{5}{16}$ (3) $\frac{135}{512}$

27 (1) $\frac{999}{1000}$ (2) $\frac{63}{64}$ (3) $\frac{624}{625}$ (4) $\frac{11}{16}$

28 (1) $\frac{13}{729}$ (2) $\frac{1}{64}$ (3) $\frac{1}{16}$

29 (1) $\frac{3}{8}$ (2) $\frac{5}{32}$ (3) $\frac{15}{64}$ (4) $\frac{35}{128}$

30 (1) $\frac{3}{8}$ (2) $\frac{5}{32}$ (3) $\frac{1}{4}$ (4) $\frac{15}{64}$

중단원 점검문제 | Ⅱ-2. 조건부확률 077-078쪽

01 $\frac{2}{3}$ **02** $\frac{2}{5}$ **03** $\frac{3}{7}$ **04** $\frac{5}{8}$

05 $\frac{3}{4}$ **06** $\frac{5}{14}$ **07** 0.52 **08** $\frac{16}{31}$

09 $\frac{4}{5}$ **10** ㄱ, ㄷ **11** 0.5 **12** $\frac{35}{36}$

13 $\frac{7}{64}$ **14** $\frac{624}{625}$ **15** $\frac{5}{16}$

Ⅲ 통계

Ⅲ-1 | 확률분포 080~106쪽

01 (1) ○ (2) × (3) ○

02 (1) $\frac{3}{5}$ (2) $\frac{1}{5}$ (3) $\frac{7}{10}$

03 (1) 풀이 참조 (2) 풀이 참조

04 (1) ① 0, 1, 2 ② 풀이 참조

(2) ① 0, 1, 2, 3 ② 풀이 참조

(3) ① 0, 1, 2 ② 풀이 참조

05 (1) 풀이 참조 (2) $\frac{5}{7}$

06 (1) 풀이 참조 (2) $\frac{3}{5}$

07 (1) 풀이 참조 (2) $\frac{13}{35}$ (3) $\frac{22}{35}$

08 (1) 풀이 참조 (2) $\frac{3}{8}$ (3) $\frac{7}{8}$

09 (1) ① $\frac{1}{4}$ ② $\frac{3}{8}$ ③ $\frac{5}{8}$

(2) ① $\frac{1}{10}$ ② $\frac{1}{2}$ ③ $\frac{1}{2}$

(3) ① $\frac{1}{2}$ ② $\frac{3}{4}$ ③ $\frac{1}{2}$

10 (1) $\frac{1}{36}$ (2) $\frac{1}{7}$ (3) $\frac{6}{11}$ (4) $\frac{1}{14}$

11 (1) $\frac{1}{2}$ (2) $\frac{1}{2}$ (3) $\frac{3}{4}$ (4) $\frac{5}{14}$ (5) $\frac{1}{5}$

12 (1) $\frac{5}{6}$ (2) $\frac{1}{3}$ (3) $\frac{3}{4}$ (4) $\frac{2}{3}$

13 (1) 평균: 2, 분산: $\frac{2}{5}$, 표준편차: $\frac{\sqrt{10}}{5}$

(2) 평균: 1, 분산: $\frac{1}{2}$, 표준편차: $\frac{\sqrt{2}}{2}$

(3) 평균: 3, 분산: $\frac{8}{3}$, 표준편차: $\frac{2\sqrt{6}}{3}$

(4) 평균: 2, 분산: 1, 표준편차: 1

(5) 평균: 2, 분산: $\frac{4}{5}$, 표준편차: $\frac{2\sqrt{5}}{5}$

14 (1) ① 풀이 참조

② $E(X)=1$, $V(X)=\frac{1}{2}$, $\sigma(X)=\frac{\sqrt{2}}{2}$

(2) ① 풀이 참조

② $E(X)=\frac{3}{2}$, $V(X)=\frac{3}{4}$, $\sigma(X)=\frac{\sqrt{3}}{2}$

(3) ① 풀이 참조

② $E(X)=1$, $V(X)=\frac{1}{3}$, $\sigma(X)=\frac{\sqrt{3}}{3}$

15 (1) 2600원 (2) 1700원 (3) 1400원

16 (1) 500원 (2) 150원 (3) 350원

17 (1) $\frac{4\sqrt{5}}{15}$ (2) $\frac{3}{5}$ (3) $\frac{5\sqrt{6}}{21}$

18 (1) 평균: -14, 분산: 18, 표준편차: $3\sqrt{2}$
(2) 평균: 19, 분산: 32, 표준편차: $4\sqrt{2}$
(3) 평균: 13, 분산: 8, 표준편차: $2\sqrt{2}$
(4) 평균: -26, 분산: 50, 표준편차: $5\sqrt{2}$

19 (1) 41 (2) 15 (3) -49

20 (1) 평균: 3, 분산: $\frac{9}{2}$, 표준편차: $\frac{3\sqrt{2}}{2}$
(2) 평균: 3, 분산: 2, 표준편차: $\sqrt{2}$
(3) 평균: 3, 분산: $\frac{1}{2}$, 표준편차: $\frac{\sqrt{2}}{2}$
(4) 평균: 3, 분산: $\frac{25}{2}$, 표준편차: $\frac{5\sqrt{2}}{2}$

21 (1) 평균: 7, 분산: $\frac{76}{3}$, 표준편차: $\frac{2\sqrt{57}}{3}$
(2) 평균: 9, 분산: 57, 표준편차: $\sqrt{57}$
(3) 평균: $\frac{5}{2}$, 분산: $\frac{57}{4}$, 표준편차: $\frac{\sqrt{57}}{2}$
(4) 평균: 1, 분산: $\frac{19}{3}$, 표준편차: $\frac{\sqrt{57}}{3}$

22 (1) 풀이 참조 (2) $E(X)=\frac{4}{5}$, $V(X)=\frac{9}{25}$
(3) $E(-2X+3)=\frac{7}{5}$, $V(-2X+3)=\frac{36}{25}$

23 (1) 풀이 참조
(2) $E(X)=\frac{4}{3}$, $V(X)=\frac{16}{45}$
(3) $E(3X+1)=5$, $V(3X+1)=\frac{16}{5}$

24 (1) 풀이 참조
(2) $E(X)=1$, $V(X)=\frac{2}{5}$
(3) $E(-5X+6)=1$, $V(-5X+6)=10$

25 (1) $B\left(10, \frac{1}{2}\right)$ (2) $B\left(20, \frac{1}{2}\right)$

26 (1) $P(X=x)={}_8C_x\left(\frac{1}{2}\right)^8$, $P(X=2)=\frac{7}{64}$
(2) $P(X=x)={}_9C_x\left(\frac{1}{3}\right)^x\left(\frac{2}{3}\right)^{9-x}$, $P(X=2)=\frac{2^9}{3^7}$

27 (1) ① $P(X=x)={}_{10}C_x\left(\frac{1}{2}\right)^{10}$
② $\frac{15}{128}$
(2) ① $P(X=x)={}_6C_x\left(\frac{1}{3}\right)^x\left(\frac{2}{3}\right)^{6-x}$
② $\frac{80}{243}$
(3) ① $P(X=x)={}_8C_x\left(\frac{1}{5}\right)^x\left(\frac{4}{5}\right)^{8-x}$
② $\frac{35\times2^9}{5^8}$

28 (1) 평균: 10, 분산: 8, 표준편차: $2\sqrt{2}$
(2) 평균: 30, 분산: 15, 표준편차: $\sqrt{15}$
(3) 평균: 30, 분산: 10, 표준편차: $\sqrt{10}$
(4) 평균: 60, 분산: 15, 표준편차: $\sqrt{15}$
(5) 평균: 70, 분산: 21, 표준편차: $\sqrt{21}$

29 (1) 4 (2) $\frac{8}{3}$ (3) $3\sqrt{2}$ (4) $\frac{3\sqrt{6}}{2}$

30 (1) $n=10$, $p=\frac{1}{10}$ (2) $n=25$, $p=\frac{1}{5}$
(3) $n=27$, $p=\frac{1}{3}$ (4) $n=10$, $p=\frac{1}{5}$

31 (1) ① 60 ② 24 (2) ① 20 ② 18
(3) ① 210 ② 63 (4) ① 30 ② $\frac{45}{2}$

32 (1) ① 20 ② $\frac{2\sqrt{30}}{3}$ (2) ① 20 ② $\sqrt{10}$
(3) ① 25 ② $\frac{5\sqrt{2}}{2}$

33 (1) 52원 (2) 42원 (3) 27원 (4) 30원

34 (1) $\frac{56}{3}$ (2) 8109 (3) 912 (4) 14430

35 (1) 연속확률변수이다. (2) 연속확률변수가 아니다.
(3) 연속확률변수이다. (4) 연속확률변수가 아니다.

36 (1) $\frac{3}{4}$ (2) $\frac{1}{3}$ (3) $\frac{1}{4}$

37 (1) ① $\frac{1}{8}$ ② $\frac{1}{2}$ (2) ① $\frac{1}{6}$ ② $\frac{1}{3}$ (3) ① $\frac{1}{2}$ ② $\frac{15}{16}$

38 (1) $\frac{7}{8}$ (2) $\frac{31}{32}$ (3) $\frac{7}{8}$ (4) $\frac{7}{8}$

39 (1) ① $\frac{1}{4}$ ② $\frac{3}{4}$ (2) ① $\frac{2}{3}$ ② $\frac{2}{3}$ (3) ① $\frac{1}{9}$ ② $\frac{8}{9}$

40 (1) $f(x)=\frac{1}{2}x$ (2) $\frac{1}{4}$

41 (1) $f(x)=\frac{1}{8}(4-x)$ (2) $\frac{7}{16}$ (3) $\frac{3}{16}$

42 (1) $N(5, 3^2)$ (2) $N(8, 2^2)$ (3) $N(3, 2^2)$

43 (1) 41 (2) 8 (3) $N(41, 8^2)$

44 (1) $m_A < m_B$ (2) $\sigma_A > \sigma_B$

45 (1) $m_A < m_B < m_C$ (2) $\sigma_A = \sigma_C < \sigma_B$

46 (1) 7 (2) 6 (3) 9 (4) 0.6 (5) 0.8

47 (1) 0.1587 (2) 0.9332 (3) 0.6915
(4) 0.0228 (5) 0.8664

48 (1) 1 (2) -0.5 (3) 2 (4) 1.5 (5) -1

49 (1) $Z=\frac{X-9}{2}$ (2) $Z=\frac{X-10}{5}$ (3) $Z=\frac{X-24}{3}$

50 (1) $P(-2\le Z\le 2)$ (2) $P(0\le Z\le 2)$
(3) $P(-2\le Z\le 1)$

51 (1) 0.9772 (2) 0.0228 (3) 0.0013 (4) 0.84 (5) 0.84

52 (1) 0.14 (2) 0.07 (3) 0.69

53 (1) 14명 (2) 279개 (3) 340명

54 (1) 95점 (2) 65점 (3) 80점

55 (1) $\mathrm{N}(32,\ 4^2)$ (2) $\mathrm{N}(108,\ 6^2)$ (3) $\mathrm{N}(20,\ (\sqrt{15})^2)$

56 (1) 0.0228 (2) 0.9332 (3) 0.8185

57 (1) 0.044 (2) 0.6826 (3) 0.0228 (4) 0.6687
(5) 0.1587 (6) 0.0668 (7) 0.383

중단원 점검문제 | Ⅲ-1. 확률분포 107-109쪽

01 $\frac{23}{40}$ **02** $\frac{1}{4}$ **03** $\frac{1}{2}$ **04** $\frac{2}{5}$

05 $\frac{13}{14}$ **06** $\frac{\sqrt{42}}{6}$ **07** 3400원 **08** $\frac{20}{49}$

09 17 **10** 105

11 평균: 60, 표준편차: $2\sqrt{6}$ **12** $n=48,\ p=\frac{1}{4}$

13 2500원 **14** 3642 **15** $\frac{3}{8}$ **16** $\frac{5}{12}$

17 $\frac{3}{16}$ **18** ㄱ, ㄹ, ㅂ **19** 1.53 **20** 0.02

21 0.5 **22** 246명 **23** 45번 **24** 0.84

Ⅲ-2 | 통계적 추정 110~118쪽

01 (1) 표본조사 (2) 표본조사 (3) 전수조사 (4) 표본조사

02 (1) ① 16 ② 12 (2) ① 125 ② 60

03 (1) 1, 2, 3, 4, 5 (2) 풀이 참조
(3) $\mathrm{E}(\overline{X})=3,\ \mathrm{V}(\overline{X})=\frac{4}{3}$

04 (1) $0,\ \frac{1}{2},\ 1,\ \frac{3}{2},\ 2$ (2) 풀이 참조
(3) $\mathrm{E}(\overline{X})=1,\ \mathrm{V}(\overline{X})=\frac{1}{3}$

05 (1) 평균: 20, 분산: 1, 표준편차: 1
(2) 평균: 40, 분산: $\frac{5}{2}$, 표준편차: $\frac{\sqrt{10}}{2}$
(3) 평균: 50, 분산: $\frac{1}{25}$, 표준편차: $\frac{1}{5}$
(4) 평균: 60, 분산: $\frac{3}{10}$, 표준편차: $\frac{\sqrt{30}}{10}$

06 (1) 9 (2) 4 (3) 25 (4) 16

07 (1) 평균: 1, 분산: $\frac{1}{5}$
(2) 평균: 2, 분산: $\frac{1}{9}$
(3) 평균: 3, 분산: $\frac{1}{4}$

08 (1) 6 (2) 15 (3) $8\sqrt{3}$ (4) 8

09 (1) $\mathrm{N}(80,\ 16)$ (2) $\mathrm{N}(50,\ 12)$ (3) $\mathrm{N}(100,\ 5)$

10 (1) 0.8185 (2) 0.9332 (3) 0.0668

11 (1) 0.9772 (2) 0.8413 (3) 0.8185 (4) 0.0668

12 (1) $46.08\le m\le 53.92$ (2) $44.84\le m\le 55.16$

13 (1) $64.608\le m\le 65.392$ (2) $64.484\le m\le 65.516$

14 (1) $196.08\le m\le 203.92$ (2) $194.84\le m\le 205.16$

15 (1) $380.4\le m\le 419.6$ (2) $374.2\le m\le 425.8$

16 (1) 거짓 (2) 거짓 (3) 참 (4) 참

17 (1) 1.96 (2) 2.58

18 (1) 0.392 (2) 0.516

19 (1) $n\ge 196$ (2) $n\ge 36$ (3) $n\le 3136$

20 (1) 19 (2) 25 (3) 15

중단원 점검문제 | Ⅲ-2. 통계적 추정 119쪽

01 풀이 참조 **02** 평균: 4, 표준편차: $\frac{2\sqrt{3}}{3}$

03 0.0228 **04** 25

05 28 **06** $43.71\le m\le 46.29$

07 0.49 **08** 1849

고등 풍산자와 함께하면
개념부터 ~ 고난도 문제까지!

어떤 시험 문제도 익숙해집니다!

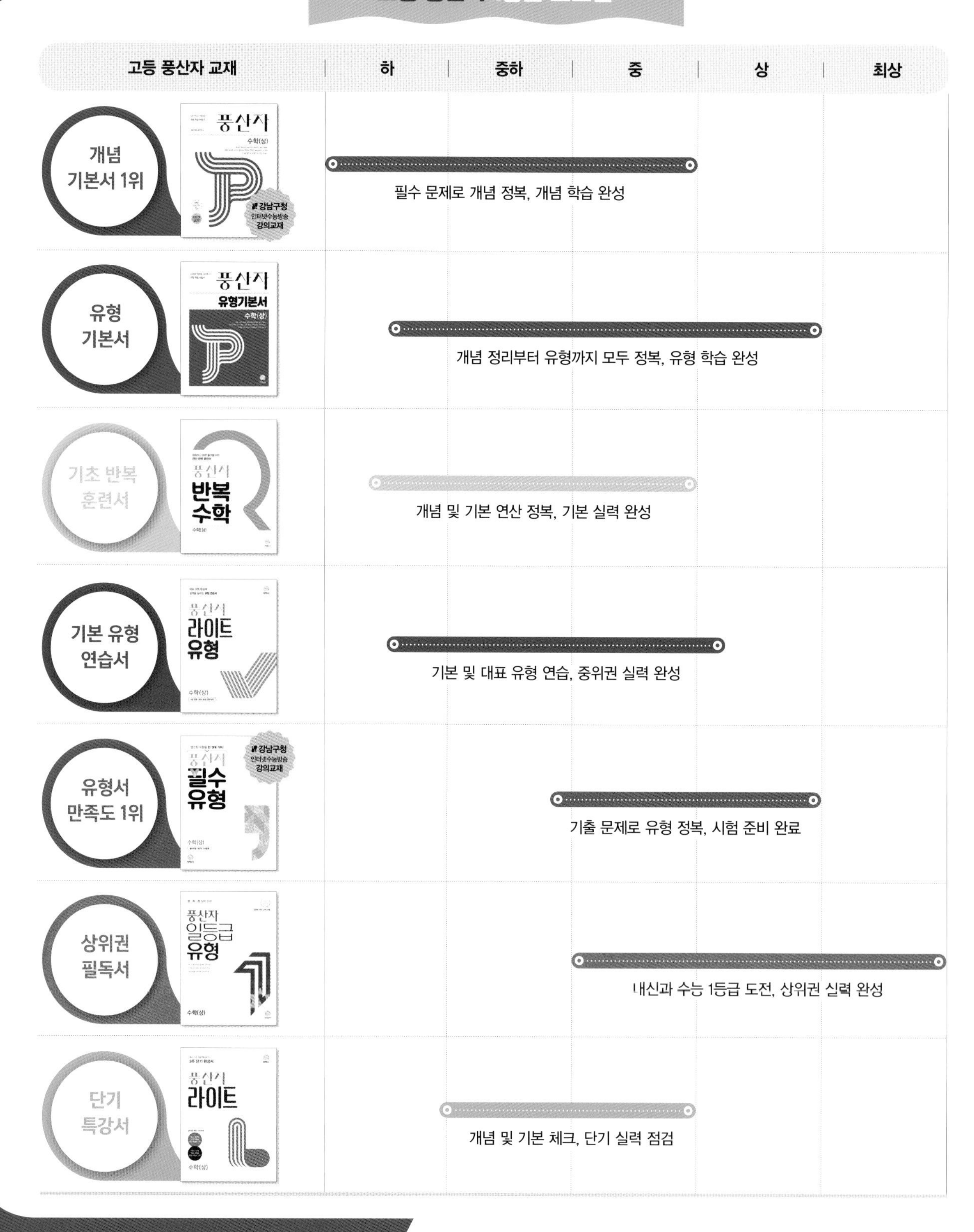

정확하고 빠른 풀이를 위한
연산 반복 훈련서

풍산자 반복수학

확률과 통계

정답과 풀이

지학사

풍산자 반복수학

확률과 통계

정답과 풀이

I
경우의 수

I-1 순열과 조합 006~031쪽

01 답 (1) 4 (2) 6 (3) 9

풀이 (1) 소수의 눈이 나오는 경우는 2, 3, 5의 3가지
4의 배수의 눈이 나오는 경우는 4의 1가지
두 사건은 동시에 일어날 수 없으므로 구하는 경우의 수는 $3+1=4$
(2) 두 눈의 수의 합이 3이 되는 경우는 (1, 2), (2, 1)의 2가지
두 눈의 수의 합이 9가 되는 경우는 (3, 6), (4, 5), (5, 4), (6, 3)의 4가지
두 사건은 동시에 일어날 수 없으므로 구하는 경우의 수는 $2+4=6$
(3) 5의 배수가 적힌 카드를 뽑는 경우는
5, 10, 15, 20, 25, 30의 6가지
8의 배수가 적힌 카드를 뽑는 경우는
8, 16, 24의 3가지
두 사건은 동시에 일어날 수 없으므로 구하는 경우의 수는 $6+3=9$

02 답 (1) 8 (2) 9 (3) 10

풀이 (1) 곱의 법칙에 의하여 집에서 도서관으로 가는 방법은
(집 → A → 도서관) ⇨ $2\times3=6$
(집 → B → 도서관) ⇨ $2\times1=2$
따라서 구하는 방법의 수는 합의 법칙에 의하여
$6+2=8$
(2) 곱의 법칙에 의하여 집에서 도서관으로 가는 방법은
(집 → A → 도서관) ⇨ $3\times1=3$
(집 → B → 도서관) ⇨ $2\times3=6$
따라서 구하는 방법의 수는 합의 법칙에 의하여
$3+6=9$
(3) 곱의 법칙에 의하여 집에서 도서관으로 가는 방법은
(집 → A → 도서관) ⇨ $1\times4=4$
(집 → B → 도서관) ⇨ $3\times2=6$
따라서 구하는 방법의 수는 합의 법칙에 의하여
$4+6=10$

03 답 (1) 720 (2) 72 (3) 360 (4) 120 (5) 1

풀이 (1) ${}_{10}P_3=10\times9\times8=720$
(2) ${}_9P_2=9\times8=72$
(3) ${}_6P_4=6\times5\times4\times3=360$
(4) ${}_5P_5=5\times4\times3\times2\times1=120$
(5) ${}_8P_0=1$

04 답 (1) $n=7$ (2) $n=4$ (3) $r=3$ (4) $r=4$

풀이 (1) ${}_nP_2$는 n부터 1씩 줄여가며 2개를 곱한 것이다.
그런데 ${}_nP_2=42=7\times6$이므로 $n=7$
(2) ${}_nP_3$은 n부터 1씩 줄여가며 3개를 곱한 것이다.
그런데 ${}_nP_3=24=4\times3\times2$이므로 $n=4$
(3) ${}_6P_r$는 6부터 1씩 줄여가며 r개를 곱한 것이다.
그런데 ${}_6P_r=120=6\times5\times4$이므로 $r=3$
(4) ${}_8P_r$는 8부터 1씩 줄여가며 r개를 곱한 것이다.
그런데 ${}_8P_r=1680=8\times7\times6\times5$이므로 $r=4$

05 답 (1) 5 (2) 4 (3) 5 (4) 6 (5) 8

풀이 (1) 주어진 식의 양변을 풀어 쓰면
$n(n-1)(n-2)(n-3)=6n(n-1)$ …… ㉠
그런데 ${}_nP_4$에서 $n\geq4$이므로 $n(n-1)\neq0$
㉠의 양변을 $n(n-1)$로 나누면
$(n-2)(n-3)=6$, $n^2-5n=0$, $n(n-5)=0$
$n\geq4$이므로 $n=5$
(2) 주어진 식의 양변을 풀어 쓰면
$n(n-1)(n-2)=2n(n-1)$ …… ㉠
그런데 ${}_nP_3$에서 $n\geq3$이므로 $n(n-1)\neq0$
㉠의 양변을 $n(n-1)$로 나누면
$n-2=2$ $\therefore n=4$
(3) 주어진 식의 양변을 풀어 쓰면
$n(n-1)(n-2)=12n$ …… ㉠
그런데 ${}_nP_3$에서 $n\geq3$이므로 $n\neq0$
㉠의 양변을 n으로 나누면
$(n-1)(n-2)=12$, $n^2-3n-10=0$
$(n-5)(n+2)=0$
$n\geq3$이므로 $n=5$
(4) 주어진 식의 양변을 풀어 쓰면
$n(n-1)(n-2)(n-3)=3n(n-1)(n-2)$ …… ㉠
그런데 ${}_nP_4$에서 $n\geq4$이므로 $n(n-1)(n-2)\neq0$
㉠의 양변을 $n(n-1)(n-2)$로 나누면
$n-3=3$ $\therefore n=6$
(5) 주어진 식의 양변을 풀어 쓰면
$n(n-1)(n-2)(n-3)=30n(n-1)$ …… ㉠
그런데 ${}_nP_4$에서 $n\geq4$이므로 $n(n-1)\neq0$
㉠의 양변을 $n(n-1)$로 나누면
$(n-2)(n-3)=30$, $n^2-5n-24=0$
$(n-8)(n+3)=0$
$n\geq4$이므로 $n=8$

06 답 (1) 336 (2) 60 (3) 990 (4) 840 (5) 720

풀이 (1) 8명에서 3명을 택하는 순열의 수와 같으므로
${}_8P_3=8\times7\times6=336$
(2) 5개에서 3개를 택하는 순열의 수와 같으므로
${}_5P_3=5\times4\times3=60$

(3) 11명에서 3명을 택하는 순열의 수와 같으므로

$_{11}P_3=11\times10\times9=990$

(4) 7개에서 4개를 택하는 순열의 수와 같으므로

$_7P_4=7\times6\times5\times4=840$

(5) 6명에서 6명을 택하는 순열의 수와 같으므로

$_6P_6=6\times5\times4\times3\times2\times1=720$

07 답 (1) $n=10$ (2) $r=2$ (3) $n=7$ (4) $n=10$ (5) $r=3$

풀이 (1) 서로 다른 n명에서 2명을 택하는 순열의 수가 90이므로 $_nP_2=90=10\times9$ $\therefore n=10$

(2) 서로 다른 8개에서 r개를 택하는 순열의 수가 56이므로 $_8P_r=56=8\times7$ $\therefore r=2$

(3) 서로 다른 n권에서 3권을 택하는 순열의 수가 210이므로 $_nP_3=210=7\times6\times5$ $\therefore n=7$

(4) 서로 다른 n명에서 3명을 택하는 순열의 수가 720이므로 $_nP_3=720=10\times9\times8$ $\therefore n=10$

(5) 서로 다른 11명에서 r명을 택하는 순열의 수가 990이므로 $_{11}P_r=990=11\times10\times9$ $\therefore r=3$

08 답 (1) 144 (2) 48 (3) 144 (4) 72

풀이 (1) 남자 4명을 한 묶음으로 보면 총 3묶음이고, 3묶음을 일렬로 세우는 경우의 수는 3!

묶음 안의 남자 4명을 일렬로 세우는 경우의 수는 4!

따라서 곱의 법칙에 의하여 구하는 경우의 수는

$3!\times4!=6\times24=144$

(2) 부모 2명을 한 묶음으로 보면 총 4묶음이고, 4묶음을 일렬로 세우는 경우의 수는 4!

묶음 안의 부모 2명을 일렬로 세우는 경우의 수는 2!

따라서 곱의 법칙에 의하여 구하는 경우의 수는

$4!\times2!=24\times2=48$

(3) 자음 f, r, n, d를 한 묶음으로 보면 총 3묶음이고, 3묶음을 일렬로 배열하는 경우의 수는 3!

묶음 안의 자음 4개를 일렬로 배열하는 경우의 수는 4!

따라서 곱의 법칙에 의하여 구하는 경우의 수는

$3!\times4!=6\times24=144$

(4) 축구 선수 3명을 한 묶음, 농구 선수 3명을 한 묶음으로 보면 총 2묶음이고, 2묶음을 일렬로 세우는 경우의 수는 2!

묶음 안의 축구 선수끼리, 농구 선수끼리 일렬로 세우는 경우의 수는 각각 3!, 3!

따라서 곱의 법칙에 의하여 구하는 경우의 수는

$2!\times3!\times3!=2\times6\times6=72$

09 답 (1) 480 (2) 72 (3) 144 (4) 1440

풀이 (1) 남자 4명을 일렬로 세우는 방법의 수는 4!

∨ 남 ∨ 남 ∨ 남 ∨ 남 ∨

남자들 사이사이 및 양 끝의 5곳에 여자 2명을 세우는 방법의 수는 $_5P_2$

따라서 구하는 경우의 수는

$4!\times{}_5P_2=24\times20=480$

(2) 자녀 3명을 일렬로 세우는 방법의 수는 3!

∨ 자 ∨ 자 ∨ 자 ∨

자녀들 사이사이 및 양 끝의 4곳에 부모 2명을 세우는 방법의 수는 $_4P_2$

따라서 구하는 경우의 수는

$3!\times{}_4P_2=6\times12=72$

(3) 파란색 깃발 3개를 일렬로 꽂는 방법의 수는 3!

∨ 파 ∨ 파 ∨ 파 ∨

파란색 깃발 사이사이 및 양 끝의 4곳에 노란색 깃발 3개를 꽂는 방법의 수는 $_4P_3$

따라서 구하는 경우의 수는

$3!\times{}_4P_3=6\times24=144$

(4) 자음 k, r, n, s를 일렬로 배열하는 방법의 수는 4!

∨ 자 ∨ 자 ∨ 자 ∨ 자 ∨

자음 사이사이 및 양 끝의 5곳에 모음 3개를 배열하는 방법의 수는 $_5P_3$

따라서 구하는 경우의 수는

$4!\times{}_5P_3=24\times60=1440$

10 답 (1) 19 (2) 10 (3) 14 (4) 12

풀이 (1) a□□□꼴인 단어의 개수는 $3!=6$

c□□□꼴인 단어의 개수는 $3!=6$

e□□□꼴인 단어의 개수는 $3!=6$

f□□□꼴인 단어에서 face의 순서는 첫번째

따라서 face가 놓이는 순서는

$6+6+6+1=19$(번째)

(2) e□□□꼴인 단어의 개수는 $3!=6$

ne□□꼴인 단어의 개수는 $2!=2$

no□□꼴인 단어에서 nose의 순서는 noes, nose의 두 번째

따라서 nose가 놓이는 순서는

$6+2+2=10$(번째)

(3) a□□□꼴인 단어의 개수는 $3!=6$

i□□□꼴인 단어의 개수는 $3!=6$

ta□□꼴인 단어에서 taxi의 순서는 taix, taxi의 두 번째

따라서 taxi가 놓이는 순서는

$6+6+2=14$(번째)

(4) e□□□꼴인 단어의 개수는 $3!=6$

he□□꼴인 단어의 개수는 $2!=2$

hm□□꼴인 단어의 개수는 $2!=2$

ho□□꼴인 단어에서 home의 순서는 hoem, home의 두 번째

따라서 home이 놓이는 순서는

$6+2+2+2=12$(번째)

11 **답** (1) 6 (2) 24 (3) 120 (4) 120

풀이 (1) 4명이 원탁에 둘러앉는 방법의 수이므로

$(4-1)!=3!=\underline{6}$

(2) 5명이 원탁에 둘러앉는 방법의 수이므로

$(5-1)!=4!=24$

(3) 6명이 원탁에 둘러앉는 방법의 수이므로

$(6-1)!=5!=120$

(4) 3쌍의 부부, 즉 6명이 원탁에 둘러앉는 방법의 수이므로

$(6-1)!=5!=120$

12 **답** (1) 4 (2) 48 (3) 16

풀이 (1) 여학생 2명을 1명으로 생각하면 3명이 원탁에 둘러앉는 방법의 수는 $(3-1)!=2!$

여학생끼리 자리를 바꿔 앉는 경우의 수는 $2!$

따라서 구하는 방법의 수는

$2!\times2!=2\times2=\underline{4}$

(2) 선생님 2명을 1명으로 생각하면 5명이 원탁에 둘러앉는 방법의 수는 $(5-1)!=4!$

선생님끼리 자리를 바꿔 앉는 경우의 수는 $2!$

따라서 구하는 방법의 수는

$4!\times2!=24\times2=48$

(3) 1쌍의 부부를 1명으로 생각하면 3명이 원탁에 둘러앉는 방법의 수는 $(3-1)!=2!$

3쌍의 부부가 부부끼리 자리를 바꿔 앉는 경우의 수는 각각 $2!$

따라서 구하는 방법의 수는

$2!\times2!\times2!\times2!=16$

13 **답** (1) 12 (2) 144 (3) 12 (4) 12 (5) 144 (6) 2 (7) 24

풀이 (1) 여학생 3명이 원탁에 둘러앉는 방법의 수는 $(3-1)!=2!$

여학생과 여학생 사이의 3곳에 남학생 3명이 앉는 방법의 수는 ${}_3P_3$

따라서 구하는 방법의 수는

$2!\times{}_3P_3=2\times6=\underline{12}$

(2) 여학생 4명이 원 모양으로 서는 방법의 수는 $(4-1)!=3!$

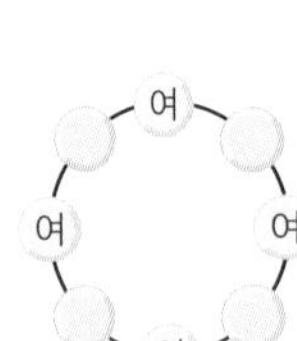

여학생과 여학생 사이의 4곳에 남학생 4명이 서는 방법의 수는 ${}_4P_4$

따라서 구하는 방법의 수는

$3!\times{}_4P_4=6\times24=144$

(3) 남학생 3명이 원탁에 둘러앉는 방법의 수는 $(3-1)!=2!$

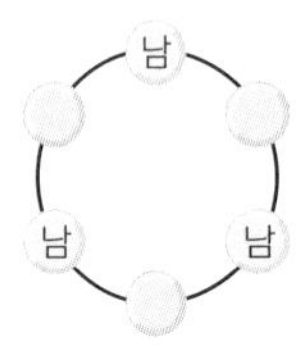

남학생과 남학생 사이의 3곳에 여학생 2명이 앉는 방법의 수는 ${}_3P_2$

따라서 구하는 방법의 수는

$2!\times{}_3P_2=2\times6=12$

(4) 어린이 3명이 원탁에 둘러앉는 방법의 수는 $(3-1)!=2!$

어린이와 어린이 사이의 3곳에 어른 3명이 앉는 방법의 수는 ${}_3P_3$

따라서 구하는 방법의 수는

$2!\times{}_3P_3=2\times6=12$

(5) 잡지 4권을 원 모양으로 놓는 방법의 수는 $(4-1)!=3!$

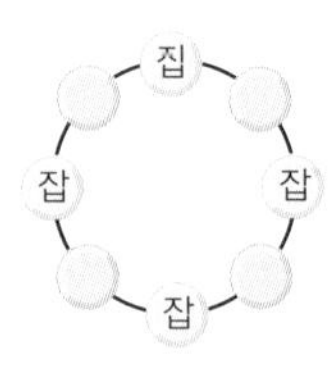

잡지와 잡지 사이의 4곳에 시집 3권을 놓는 방법의 수는 ${}_4P_3$

따라서 구하는 방법의 수는

$3!\times{}_4P_3=6\times24=144$

(6) 부의 자리가 정해지면 모의 자리는 마주 보는 자리에 고정된다.

따라서 구하는 방법의 수는 남은 2개의 자리에 자녀 2명을 일렬로 배열하는 방법의 수와 같으므로

$2!=2$

(7) 선생님 1명의 자리가 정해지면 다른 1명의 자리는 마주 보는 자리에 고정된다.

따라서 구하는 방법의 수는 남은 4개의 자리에 학생 4명을 일렬로 배열하는 방법의 수와 같으므로

$4!=24$

14 **답** (1) $5!\times2$ (2) $7!\times2$ (3) $8!\times3$ (4) $11!\times3$

풀이 (1) 6명이 원형으로 둘러앉는 방법의 수는

$(6-1)!=5!$

그런데 주어진 모양의 탁자에서는 원형으로 둘러앉는 한 가지 방법에 대하여 2가지의 서로 다른 경우가 존재하므로 구하는 방법의 수는

$\underline{5!\times2}$

(2) 8명이 원형으로 둘러앉는 방법의 수는

$(8-1)!=7!$

그런데 주어진 모양의 탁자에서는 원형으로 둘러앉는 한 가지 방법에 대하여 2가지의 서로 다른 경우가 존재하므로 구하는 방법의 수는

$7!\times2$

(3) 9명이 원형으로 둘러앉는 방법의 수는

$(9-1)!=8!$

그런데 주어진 모양의 탁자에서는 원형으로 둘러앉는 한 가지 방법에 대하여 3가지의 서로 다른 경우가 존재하므로 구하는 방법의 수는

$8!\times3$

(4) 12명이 원형으로 둘러앉는 방법의 수는

$(12-1)!=11!$

그런데 주어진 모양의 탁자에서는 원형으로 둘러앉는 한 가지 방법에 대하여 3가지의 서로 다른 경우가 존재하므로 구하는 방법의 수는

$11!\times3$

15 답 (1) $5!\times3$ (2) $7!\times4$ (3) $7!\times4$ (4) $9!\times5$

풀이 (1) 6명이 원형으로 둘러앉는 방법의 수는

$(6-1)!=5!$

그런데 주어진 모양의 탁자에서는 원형으로 둘러앉는 한 가지 방법에 대하여 3가지의 서로 다른 경우가 존재하므로 구하는 방법의 수는

$5!\times3$

참고 직사각형 모양의 탁자에서는 다음 그림과 같이 서로 다른 경우가 3가지씩 존재한다.

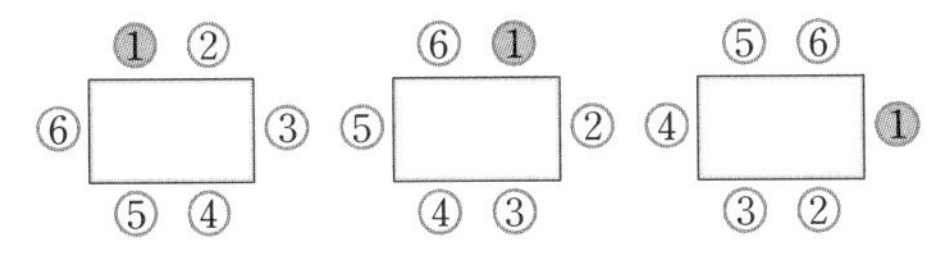

(2) 8명이 원형으로 둘러앉는 방법의 수는

$(8-1)!=7!$

그런데 주어진 모양의 탁자에서는 원형으로 둘러앉는 한 가지 방법에 대하여 4가지의 서로 다른 경우가 존재하므로 구하는 방법의 수는

$7!\times4$

(3) 8명이 원형으로 둘러앉는 방법의 수는

$(8-1)!=7!$

그런데 주어진 모양의 탁자에서는 원형으로 둘러앉는 한 가지 방법에 대하여 4가지의 서로 다른 경우가 존재하므로 구하는 방법의 수는

$7!\times4$

(4) 10명이 원형으로 둘러앉는 방법의 수는

$(10-1)!=9!$

그런데 주어진 모양의 탁자에서는 원형으로 둘러앉는 한 가지 방법에 대하여 5가지의 서로 다른 경우가 존재하므로 구하는 방법의 수는

$9!\times5$

16 답 (1) 8 (2) 30 (3) 30 (4) 144 (5) 30 (6) 144

풀이 (1) 중앙의 삼각형을 칠하는 방법은 4가지이고 나머지 3개의 반원을 칠하는 방법의 수는 중앙에 칠한 색을 제외한 나머지 3가지 색을 원형으로 나열하는 원순열의 수와 같으므로 $(3-1)!=2!$

따라서 구하는 방법의 수는

$4\times2!=8$

(2) 중앙의 원을 칠하는 방법은 5가지이고 나머지 4개의 모양을 칠하는 방법의 수는 중앙에 칠한 색을 제외한 나머지 4가지 색을 원형으로 나열하는 원순열의 수와 같으므로 $(4-1)!=3!$

따라서 구하는 방법의 수는

$5\times3!=5\times6=30$

(3) 중앙의 사각형을 칠하는 방법은 5가지이고 나머지 4개의 삼각형을 칠하는 방법의 수는 중앙에 칠한 색을 제외한 나머지 4가지 색을 원형으로 나열하는 원순열의 수와 같으므로 $(4-1)!=3!$

따라서 구하는 방법의 수는

$5\times3!=5\times6=30$

(4) 중앙의 원을 칠하는 방법은 6가지이고 나머지 5개의 모양을 칠하는 방법의 수는 중앙에 칠한 색을 제외한 나머지 5가지 색을 원형으로 나열하는 원순열의 수와 같으므로 $(5-1)!=4!$

따라서 구하는 방법의 수는

$6\times4!=6\times24=144$

(5) 밑면에 칠하는 방법은 5가지이고 나머지 4개의 옆면을 칠하는 방법의 수는 밑면에 칠한 색을 제외한 나머지 4가지 색을 원형으로 나열하는 원순열의 수와 같으므로 $(4-1)!=3!$

따라서 구하는 방법의 수는

$5\times3!=5\times6=30$

(6) 밑면에 칠하는 방법은 6가지이고 나머지 5개의 옆면을 칠하는 방법의 수는 밑면에 칠한 색을 제외한 나머지 5가지 색을 원형으로 나열하는 원순열의 수와 같으므로 $(5-1)!=4!$

따라서 구하는 방법의 수는

$6\times4!=6\times24=144$

17 답 (1) 16 (2) 8 (3) 1 (4) 125 (5) 128

풀이 (1) ${}_4\Pi_2=4^2=16$

(2) ${}_2\Pi_3=2^3=8$

(3) ${}_3\Pi_0=3^0=1$

(4) ${}_5\Pi_3=5^3=125$

(5) ${}_2\Pi_7=2^7=128$

18 답 (1) $r=4$ (2) $n=2$ (3) $r=0$ (4) $r=3$ (5) $n=6$

풀이 (1) ${}_3\Pi_r=3^r=81=3^4$에서 $r=4$

(2) ${}_n\Pi_5=n^5=32=2^5$에서 $n=2$

(3) ${}_7\Pi_r=7^r=1=7^0$에서 $r=0$

(4) ${}_4\Pi_r=4^r=64=4^3$에서 $r=3$

(5) ${}_n\Pi_3=n^3=216=6^3$에서 $n=6$

19 답 (1) 64 (2) 8 (3) 32 (4) 81 (5) 125

풀이 (1) 서로 다른 4개에서 3개를 택하는 중복순열의 수와 같으므로 ${}_4\Pi_3=4^3=64$

(2) 서로 다른 2개에서 3개를 택하는 중복순열의 수와 같으므로 ${}_2\Pi_3=2^3=8$

(3) 서로 다른 2개에서 5개를 택하는 중복순열의 수와 같으므로 ${}_2\Pi_5=2^5=32$

(4) 서로 다른 3개에서 4개를 택하는 중복순열의 수와 같으므로 ${}_3\Pi_4=3^4=81$

(5) 서로 다른 5개에서 3개를 택하는 중복순열의 수와 같으므로 ${}_5\Pi_3=5^3=125$

20 답 (1) 48 (2) 18 (3) 162 (4) 192 (5) 100

풀이 (1) 백의 자리: 0이 올 수 없으므로 1, 2, 3의 3가지가 올 수 있다.
십의 자리: 중복을 허락하므로 4가지 모두 올 수 있다.
일의 자리: 중복을 허락하므로 4가지 모두 올 수 있다.
따라서 만들 수 있는 세 자리 정수의 개수는
$3\times4\times4=\underline{48}$

(2) 백의 자리: 0이 올 수 없으므로 1, 2의 2가지가 올 수 있다.
십의 자리: 중복을 허락하므로 3가지 모두 올 수 있다.
일의 자리: 중복을 허락하므로 3가지 모두 올 수 있다.
따라서 만들 수 있는 세 자리 정수의 개수는
$2\times3\times3=18$

(3) 만의 자리: 0이 올 수 없으므로 1, 2의 2가지가 올 수 있다.
천의 자리: 중복을 허락하므로 3가지 모두 올 수 있다.
백의 자리: 중복을 허락하므로 3가지 모두 올 수 있다.
십의 자리: 중복을 허락하므로 3가지 모두 올 수 있다.
일의 자리: 중복을 허락하므로 3가지 모두 올 수 있다.
따라서 만들 수 있는 다섯 자리 정수의 개수는
$2\times3\times3\times3\times3=162$

(4) 천의 자리: 0이 올 수 없으므로 1, 2, 3의 3가지가 올 수 있다.
백의 자리: 중복을 허락하므로 4가지 모두 올 수 있다.
십의 자리: 중복을 허락하므로 4가지 모두 올 수 있다.
일의 자리: 중복을 허락하므로 4가지 모두 올 수 있다.
따라서 만들 수 있는 네 자리 정수의 개수는
$3\times4\times4\times4=192$

(5) 백의 자리: 0이 올 수 없으므로 1, 2, 3, 4의 4가지가 올 수 있다.
십의 자리: 중복을 허락하므로 5가지 모두 올 수 있다.
일의 자리: 중복을 허락하므로 5가지 모두 올 수 있다.
따라서 만들 수 있는 세 자리 정수의 개수는
$4\times5\times5=100$

21 답 (1) 16 (2) 64 (3) 81 (4) 31

풀이 (1) 서로 다른 2개에서 중복을 허락하여 4개를 택하는 중복순열의 수와 같으므로
${}_2\Pi_4=2^4=\underline{16}$

(2) 서로 다른 2개에서 중복을 허락하여 6개를 택하는 중복순열의 수와 같으므로
${}_2\Pi_6=2^6=64$

(3) 서로 다른 3개에서 중복을 허락하여 4개를 택하는 중복순열의 수와 같으므로
${}_3\Pi_4=3^4=81$

(4) 서로 다른 2개에서 중복을 허락하여 5개를 택하는 중복순열의 수에서 1을 뺀 것과 같으므로
${}_2\Pi_5-1=2^5-1=32-1=31$

22 답 (1) ① 6 ② 9 (2) ① 6 ② 27 (3) ① 24 ② 64 (4) ① 20 ② 25

풀이 (1) ① 일대일함수의 개수는 서로 다른 3개에서 2개를 택하는 순열의 수와 같으므로
${}_3P_2=3\times2=\underline{6}$
② 함수의 개수는 서로 다른 3개에서 2개를 택하는 중복순열의 수와 같으므로
${}_3\Pi_2=3^2=\underline{9}$

(2) ① 일대일함수의 개수는 서로 다른 3개를 나열하는 순열의 수와 같으므로
$3!=3\times2\times1=6$
② 함수의 개수는 서로 다른 3개를 중복을 허락하여 나열하는 중복순열의 수와 같으므로
${}_3\Pi_3=3^3=27$

(3) ① 일대일함수의 개수는 서로 다른 4개에서 3개를 택하는 순열의 수와 같으므로
${}_4P_3=4\times3\times2=24$
② 함수의 개수는 서로 다른 4개에서 3개를 택하는 중복순열의 수와 같으므로
${}_4\Pi_3=4^3=64$

(4) ① 일대일함수의 개수는 서로 다른 5개에서 2개를 택하는 순열의 수와 같으므로
${}_5P_2=5\times4=20$
② 함수의 개수는 서로 다른 5개에서 2개를 택하는 중복순열의 수와 같으므로
${}_5\Pi_2=5^2=25$

23 답 (1) 16 (2) 8 (3) 27 (4) 81 (5) 243 (6) 64 (7) 32 (8) 128

풀이 (1) 서로 다른 2개의 동아리에서 중복을 허락하여 4개를 택하는 중복순열의 수와 같으므로
${}_2\Pi_4=2^4=\underline{16}$

(2) 서로 다른 2개의 반에서 중복을 허락하여 3개를 택하는 중복순열의 수와 같으므로
${}_2\Pi_3=2^3=8$

(3) 서로 다른 3개의 봉지에서 중복을 허락하여 3개를 택하는 중복순열의 수와 같으므로
${}_3\Pi_3=3^3=27$

(4) 서로 다른 3개의 서랍에서 중복을 허락하여 4개를 택하는 중복순열의 수와 같으므로
${}_3\Pi_4=3^4=81$

(5) 서로 다른 3명의 학생에서 중복을 허락하여 5명을 택하는 중복순열의 수와 같으므로
${}_3\Pi_5=3^5=243$

(6) 서로 다른 2개의 우체통에서 중복을 허락하여 6개를 택

하는 중복순열의 수와 같으므로

${}_2\Pi_6=2^6=64$

(7) 서로 다른 2명의 후보에서 중복을 허락하여 5명을 택하는 중복순열의 수와 같으므로

${}_2\Pi_5=2^5=32$

(8) 서로 다른 2종류의 버스에서 중복을 허락하여 7종류를 택하는 중복순열의 수와 같으므로

${}_2\Pi_7=2^7=128$

24 답 (1) 6 (2) 12 (3) 5 (4) 30

풀이 (1) a가 2개, b가 2개이므로 구하는 방법의 수는

$\frac{4!}{2!2!}=6$

(2) 1이 1개, 2가 1개, 3이 2개이므로 구하는 방법의 수는

$\frac{4!}{2!}=12$

(3) a가 4개, c가 1개이므로 구하는 방법의 수는

$\frac{5!}{4!}=5$

(4) 1이 2개, 2가 2개, 3이 1개이므로 구하는 방법의 수는

$\frac{5!}{2!2!}=30$

25 답 (1) 6 (2) 7 (3) 10 (4) 14

풀이 (1) (i) 1, 1, 2를 고르는 경우 만들 수 있는 세 자리 정수의 개수는 $\frac{3!}{2!}=3$

(ii) 1, 2, 2를 고르는 경우 만들 수 있는 세 자리 정수의 개수는 $\frac{3!}{2!}=3$

(i), (ii)에서 구하는 세 자리 정수의 개수는 $3+3=6$

(2) (i) 1, 1, 1을 고르는 경우 만들 수 있는 세 자리 정수의 개수는 1

(ii) 1, 1, 2를 고르는 경우 만들 수 있는 세 자리 정수의 개수는 $\frac{3!}{2!}=3$

(iii) 1, 2, 2를 고르는 경우 만들 수 있는 세 자리 정수의 개수는 $\frac{3!}{2!}=3$

(i), (ii), (iii)에서 구하는 세 자리 정수의 개수는

$1+3+3=7$

(3) (i) 1, 1, 2, 2를 고르는 경우 만들 수 있는 네 자리 정수의 개수는 $\frac{4!}{2!2!}=6$

(ii) 1, 2, 2, 2를 고르는 경우 만들 수 있는 네 자리 정수의 개수는 $\frac{4!}{3!}=4$

(i), (ii)에서 구하는 네 자리 정수의 개수는

$6+4=10$

(4) (i) 1, 1, 1, 2를 고르는 경우 만들 수 있는 네 자리 정수의 개수는 $\frac{4!}{3!}=4$

(ii) 1, 1, 2, 2를 고르는 경우 만들 수 있는 네 자리 정수의 개수는 $\frac{4!}{2!2!}=6$

(iii) 1, 2, 2, 2를 고르는 경우 만들 수 있는 네 자리 정수의 개수는 $\frac{4!}{3!}=4$

(i), (ii), (iii)에서 구하는 네 자리 정수의 개수는

$4+6+4=14$

26 답 (1) 9 (2) 16 (3) 24 (4) 16

풀이 (1) (i) 0, 1, 1, 2를 일렬로 나열하는 경우의 수는

$\frac{4!}{2!}=12$

(ii) 0으로 시작하는 경우의 수는 1, 1, 2를 일렬로 나열하는 경우의 수와 같으므로 $\frac{3!}{2!}=3$

(i), (ii)에서 구하는 네 자리 정수의 개수는

$12-3=9$

(2) (i) 0, 1, 2, 2, 2를 일렬로 나열하는 경우의 수는

$\frac{5!}{3!}=20$

(ii) 0으로 시작하는 경우의 수는 1, 2, 2, 2를 일렬로 나열하는 경우의 수와 같으므로 $\frac{4!}{3!}=4$

(i), (ii)에서 구하는 다섯 자리 정수의 개수는

$20-4=16$

(3) (i) 0, 1, 1, 2, 2를 일렬로 나열하는 경우의 수는

$\frac{5!}{2!2!}=30$

(ii) 0으로 시작하는 경우의 수는 1, 1, 2, 2를 일렬로 나열하는 경우의 수와 같으므로 $\frac{4!}{2!2!}=6$

(i), (ii)에서 구하는 다섯 자리 정수의 개수는

$30-6=24$

(4) (i) 0, 2, 2, 2, 4를 일렬로 나열하는 경우의 수는

$\frac{5!}{3!}=20$

(ii) 0으로 시작하는 경우의 수는 2, 2, 2, 4를 일렬로 나열하는 경우의 수와 같으므로 $\frac{4!}{3!}=4$

(i), (ii)에서 구하는 다섯 자리 정수의 개수는

$20-4=16$

27 답 (1) ① 60 ② 12 ③ 12 (2) ① 30 ② 3 ③ 12
(3) ① 20 ② 4 ③ 4 (4) ① 60 ② 6 ③ 24
(5) ① 180 ② 12 ③ 60 (6) ① 420 ② 60 ③ 60

풀이 (1) ① a가 2개, b가 1개, c가 3개이므로 구하는 경우의 수는

$\frac{6!}{2!3!}=60$

② c□□□□c와 같이 양 끝에 c를 놓은 후 중간에 a, a, b, c를 일렬로 나열하면 되므로 구하는 경우의 수는

$\frac{4!}{2!}=12$

③ c, c, c가 모두 이웃하므로 한 문자 C로 바꾸어 생각

하면 a, a, b, C를 일렬로 나열하면 된다.

따라서 구하는 경우는 수는 $\frac{4!}{2!}=12$

(2) ① a가 1개, b가 2개, c가 2개이므로 구하는 경우의 수는 $\frac{5!}{2!2!}=30$

② $b\square\square\square b$와 같이 양 끝에 b를 놓은 후 중간에 a, c, c를 일렬로 나열하면 되므로 구하는 경우의 수는 $\frac{3!}{2!}=3$

③ b, b가 이웃하므로 한 문자 B로 바꾸어 생각하면 a, B, c, c를 일렬로 나열하면 된다.

따라서 구하는 경우의 수는 $\frac{4!}{2!}=12$

(3) ① a가 3개, b가 3개이므로 구하는 경우의 수는 $\frac{6!}{3!3!}=20$

② $a\square\square\square\square a$와 같이 양 끝에 a를 놓은 후 중간에 a, b, b, b를 일렬로 나열하면 되므로 구하는 경우의 수는 $\frac{4!}{3!}=4$

③ a, a, a가 모두 이웃하므로 한 문자 A로 바꾸어 생각하면 A, b, b, b를 일렬로 나열하면 된다.

따라서 구하는 경우는 수는 $\frac{4!}{3!}=4$

(4) ① s가 1개, u가 1개, n이 2개, y가 1개이므로 구하는 경우의 수는 $\frac{5!}{2!}=60$

② n□□□n과 같이 양 끝에 n을 놓은 후 중간에 s, u, y를 일렬로 나열하면 되므로 구하는 경우의 수는 $3!=6$

③ n, n이 이웃하므로 한 문자 N으로 바꾸어 생각하면 s, u, N, y를 일렬로 나열하면 된다.

따라서 구하는 경우는 수는 $4!=24$

(5) ① m이 2개, e가 2개, b가 1개, r가 1개이므로 구하는 경우의 수는 $\frac{6!}{2!2!}=180$

② e□□□□e와 같이 양 끝에 e를 놓은 후 중간에 m, m, b, r를 일렬로 나열하면 되므로 구하는 경우의 수는 $\frac{4!}{2!}=12$

③ e, e가 이웃하므로 한 문자 E로 바꾸어 생각하면 E, m, m, b, r를 일렬로 나열하면 된다.

따라서 구하는 경우는 수는 $\frac{5!}{2!}=60$

(6) ① o가 3개, m이 2개, g가 1개, d가 1개이므로 구하는 경우의 수는 $\frac{7!}{3!2!}=420$

② o□□□□□o와 같이 양 끝에 o를 놓은 후 중간에 g, d, m, o, m을 일렬로 나열하면 되므로 구하는 경우의 수는 $\frac{5!}{2!}=60$

③ o, o, o가 모두 이웃하므로 한 문자 O로 바꾸어 생각하면 O, m, m, g, d를 일렬로 나열하면 된다.

따라서 구하는 경우는 수는 $\frac{5!}{2!}=60$

28 답 (1) 60 (2) 20 (3) 30 (4) 90

풀이 (1) a, b의 순서가 정해져 있으므로 a, b를 모두 x로 생각하여 5개의 문자 x, x, c, d, e를 일렬로 나열한 후 2개의 x를 순서대로 a, b로 바꾸면 되므로 구하는 경우의 수는

$\frac{5!}{2!}=60$

(2) a, c, e의 순서가 정해져 있으므로 a, c, e를 모두 x로 생각하여 5개의 문자 x, x, x, b, d를 일렬로 나열한 후 3개의 x를 순서대로 a, c, e로 바꾸면 되므로 구하는 경우의 수는 $\frac{5!}{3!}=20$

(3) b, d의 순서가 정해져 있으므로 b, d를 모두 x로 생각하여 5개의 문자 x, x, a, a, c를 일렬로 나열한 후 2개의 x를 순서대로 b, d로 바꾸면 되므로 구하는 경우의 수는

$\frac{5!}{2!2!}=30$

(4) c, d의 순서가 정해져 있으므로 c, d를 모두 x로 생각하여 6개의 문자 x, x, a, a, b, b를 일렬로 나열한 후 2개의 x를 순서대로 c, d로 바꾸면 되므로 구하는 경우의 수는 $\frac{6!}{2!2!2!}=90$

29 답 (1) ① 35 ② 18 ③ 17 (2) ① 35 ② 20 ③ 15
(3) ① 21 ② 12 ③ 9 (4) ① 70 ② 16 ③ 54
(5) ① 56 ② 30 ③ 26

풀이 (1) 오른쪽으로 한 칸 가는 것을 a, 위쪽으로 한 칸 가는 것을 b라 하자.

① A에서 B로 가는 최단 경로의 수는 a, a, a, a, b, b, b를 일렬로 나열하는 경우의 수와 같으므로

$\frac{7!}{4!3!}=35$

② A → P의 최단 경로의 수: $\frac{4!}{2!2!}=6$

P → B의 최단 경로의 수: $\frac{3!}{2!}=3$

따라서 A에서 P를 거쳐 B로 가는 최단 경로의 수는 $6\times3=18$

③ A에서 B로 가는 최단 경로의 수에서 A에서 P를 거쳐 B로 가는 최단 경로의 수를 빼면 되므로 구하는 최단 경로의 수는 $35-18=17$

(2) 오른쪽으로 한 칸 가는 것을 a, 위쪽으로 한 칸 가는 것을 b라 하자.

① A에서 B로 가는 최단 경로의 수는 a, a, a, b, b, b, b를 일렬로 나열하는 경우의 수와 같으므로

$\frac{7!}{3!4!}=35$

② A → P의 최단 경로의 수: $\frac{5!}{2!3!}=10$

P → B의 최단 경로의 수: $2!=2$

따라서 A에서 P를 거쳐 B로 가는 최단 경로의 수는
$10\times2=20$

③ A에서 B로 가는 최단 경로의 수에서 A에서 P를 거쳐 B로 가는 최단 경로의 수를 빼면 되므로 구하는 최단 경로의 수는
$35-20=15$

(3) 오른쪽으로 한 칸 가는 것을 a, 위쪽으로 한 칸 가는 것을 b라 하자.

① A에서 B로 가는 최단 경로의 수는 a, a, a, a, a, b, b를 일렬로 나열하는 경우의 수와 같으므로
$\frac{7!}{5!2!}=21$

② A → P의 최단 경로의 수: $\frac{3!}{2!}=3$

P → B의 최단 경로의 수: $\frac{4!}{3!}=4$

따라서 A에서 P를 거쳐 B로 가는 최단 경로의 수는
$3\times4=12$

③ A에서 B로 가는 최단 경로의 수에서 A에서 P를 거쳐 B로 가는 최단 경로의 수를 빼면 되므로 구하는 최단 경로의 수는 $21-12=9$

(4) 오른쪽으로 한 칸 가는 것을 a, 위쪽으로 한 칸 가는 것을 b라 하자.

① A에서 B로 가는 최단 경로의 수는 a, a, a, a, b, b, b, b를 일렬로 나열하는 경우의 수와 같으므로
$\frac{8!}{4!4!}=70$

② A → P의 최단 경로의 수: $\frac{4!}{3!}=4$

P → B의 최단 경로의 수: $\frac{4!}{3!}=4$

따라서 A에서 P를 거쳐 B로 가는 최단 경로의 수는
$4\times4=16$

③ A에서 B로 가는 최단 경로의 수에서 A에서 P를 거쳐 B로 가는 최단 경로의 수를 빼면 되므로 구하는 최단 경로의 수는 $70-16=54$

(5) 오른쪽으로 한 칸 가는 것을 a, 위쪽으로 한 칸 가는 것을 b라 하자.

① A에서 B로 가는 최단 경로의 수는 a, a, a, a, a, b, b, b를 일렬로 나열하는 경우의 수와 같으므로
$\frac{8!}{5!3!}=56$

② A → P의 최단 경로의 수: $\frac{5!}{3!2!}=10$

P → B의 최단 경로의 수: $\frac{3!}{2!}=3$

따라서 A에서 P를 거쳐 B로 가는 최단 경로의 수는
$10\times3=30$

③ A에서 B로 가는 최단 경로의 수에서 A에서 P를 거쳐 B로 가는 최단 경로의 수를 빼면 되므로 구하는 최단 경로의 수는
$56-30=26$

30 답 (1) 17 (2) 8 (3) 23 (4) 33 (5) 46 (6) 34

풀이 (1) [방법 1] (P를 지나는 경우) +(Q를 지나는 경우)+(R를 지나는 경우)

$=(1\times1)+\left(\frac{3!}{2!}\times\frac{4!}{3!}\right)+\left(1\times\frac{4!}{3!}\right)$

$=1+\underline{12}+4=\underline{17}$

[방법 2] (전체 경우)−(C를 지나는 경우)

$=\frac{7!}{4!3!}-\frac{3!}{2!}\times\frac{4!}{2!2!}$

$=35-\underline{18}=\underline{17}$

(2)
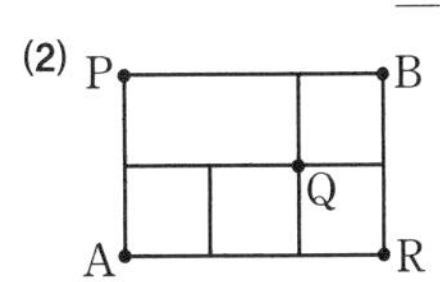

(P를 지나는 경우)+(Q를 지나는 경우) +(R를 지나는 경우)

$=(1\times1)+\left(\frac{3!}{2!}\times2\right)+(1\times1)$

$=1+6+1=8$

(3)
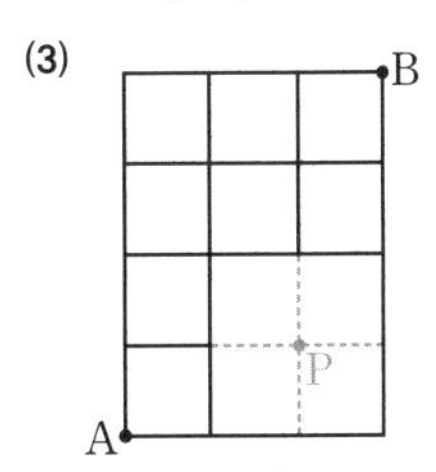

(전체 경우)−(P를 지나는 경우)

$=\frac{7!}{3!4!}-\left(\frac{3!}{2!}\times\frac{4!}{3!}\right)=35-12=23$

(4)
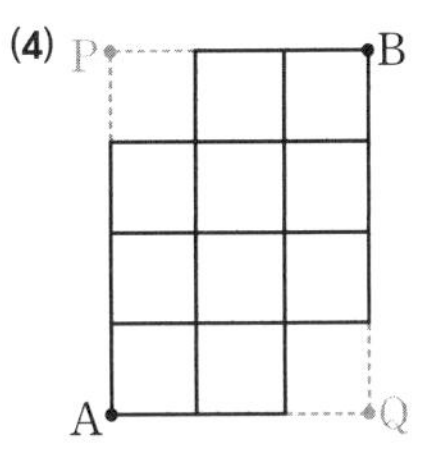

(전체 경우)−(P를 지나는 경우)−(Q를 지나는 경우)

$=\frac{7!}{3!4!}-(1\times1)-(1\times1)$

$=35-1-1=33$

(5)
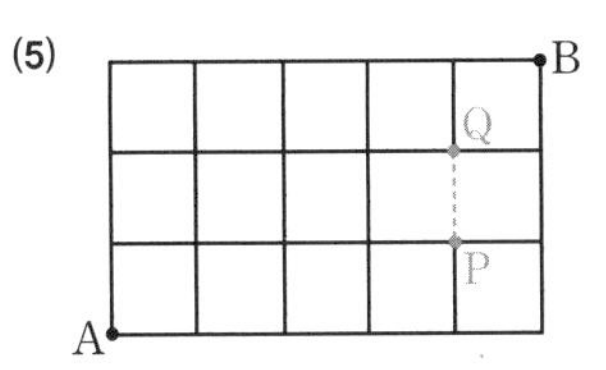

(전체 경우)−(P와 Q를 모두 지나는 경우)

$=\frac{8!}{5!3!}-\left(\frac{5!}{4!}\times1\times2\right)$

$=56-10=46$

(6)
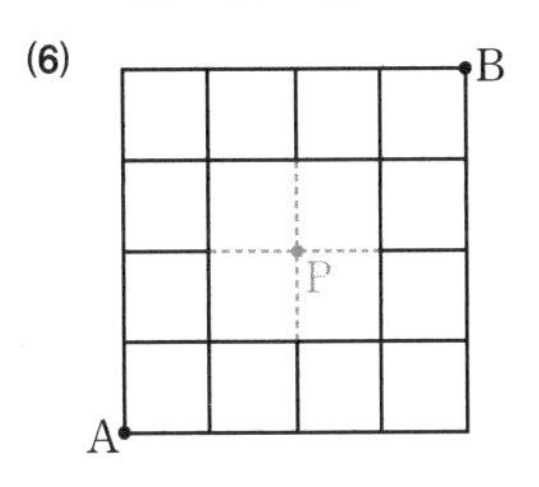

(전체 경우)$-$(P를 지나는 경우)

$=\frac{8!}{4!4!}-\left(\frac{4!}{2!2!}\times\frac{4!}{2!2!}\right)=70-36=34$

31 답 (1) 6 (2) 35 (3) 28 (4) 1 (5) 1

풀이 (1) ${}_4C_2=\frac{{}_4P_2}{2!}=\frac{4\times3}{2\times1}=\underline{6}$

(2) ${}_7C_3=\frac{{}_7P_3}{3!}=\frac{7\times6\times5}{3\times2\times1}=35$

(3) ${}_8C_6={}_8C_2=\frac{{}_8P_2}{2!}=\frac{8\times7}{2\times1}=28$

(4) ${}_9C_9={}_9C_0=1$

(5) ${}_7C_0=1$

32 답 (1) 2 (2) 5 (3) 5 (4) 1, 2

풀이 (1) ${}_nC_r={}_7C_5={}_7C_2$이므로 $r=\underline{2}$

(2) ${}_8C_r={}_8C_3={}_8C_5$이므로 $r=5$

(3) ${}_9C_r={}_9C_4={}_9C_5$이므로 $r=5$

(4) ${}_6C_{2r}={}_6C_4={}_6C_2$이므로 $2r=4$ 또는 $2r=2$

$\therefore r=2$ 또는 $r=1$

33 답 (1) 8 (2) 13 (3) 13 (4) 9 (5) 4 (6) 3 (7) 5

풀이 (1) ${}_nC_3={}_nC_{n-3}$이므로 $n-3=5$

$\therefore n=\underline{8}$

(2) ${}_nC_4={}_nC_{n-4}$이므로 $n-4=9$

$\therefore n=13$

(3) ${}_nC_6={}_nC_{n-6}$이므로 $n-6=7$

$\therefore n=13$

(4) ${}_nC_8={}_nC_{n-8}$이므로 $n-8=1$

$\therefore n=9$

(5) ${}_{2n}C_3={}_{2n}C_{2n-3}$이므로 $2n-3=5$

$\therefore n=4$

(6) ${}_{6n}C_2={}_{6n}C_{6n-2}$이므로 $6n-2=5n+1$

$\therefore n=3$

(7) ${}_{3n}C_{n+1}={}_{3n}C_{2n-1}$이므로 $2n-1=9$

$\therefore n=5$

34 답 (1) 3 (2) 5 (3) 6 (4) 6 (5) 3

풀이 (1) $6\times\frac{n(n-1)}{2}=n(n-1)(n-2)+2n(n-1)$

그런데 $n\geq3$이므로 양변을 $n(n-1)$로 나누면

$3=n-2+2 \quad \therefore n=\underline{3}$

(2) $n(n-1)(n-2)=4\times\frac{n(n-1)}{2}+n(n-1)$

그런데 $n\geq3$이므로 양변을 $n(n-1)$로 나누면

$n-2=2+1 \quad \therefore n=5$

(3) $12\times\frac{n(n-1)(n-2)}{3\times2}$

$=8\times\frac{n(n-1)}{2}+n(n-1)(n-2)$

그런데 $n\geq3$이므로 양변을 $n(n-1)$로 나누면

$2(n-2)=4+(n-2) \quad \therefore n=6$

(4) $8n(n-1)=n(n-1)(n-2)+6\times\frac{n(n-1)(n-2)}{3\times2}$

그런데 $n\geq3$이므로 양변을 $n(n-1)$로 나누면

$8=(n-2)+(n-2) \quad \therefore n=6$

(5) $4\times\frac{n(n-1)}{2}=5n(n-1)-18\times\frac{n(n-1)(n-2)}{3\times2}$

그런데 $n\geq3$이므로 양변을 $n(n-1)$로 나누면

$2=5-3(n-2) \quad \therefore n=3$

35 답 (1) 210 (2) 20 (3) 15 (4) 336 (5) 1176

풀이 (1) 여학생 5명 중에서 3명을 뽑는 경우의 수는 ${}_5C_3$

남학생 7명 중에서 2명을 뽑는 경우의 수는 ${}_7C_2$

따라서 구하는 경우이 수는

${}_5C_3\times{}_7C_2=10\times21=\underline{210}$

(2) ${}_6C_3=20$

(3) 학생 6명 중에서 2명을 뽑는 경우의 수는

${}_6C_2=15$

(4) 사과 4개 중에서 2개를 꺼내는 경우의 수는 ${}_4C_2$

배 8개 중에서 5개를 꺼내는 경우의 수는 ${}_8C_5$

따라서 구하는 경우의 수는 ${}_4C_2\times{}_8C_5=6\times56=336$

(5) 파란 구슬 7개 중에서 5개를 뽑는 경우의 수는 ${}_7C_5$

노란 구슬 8개 중에서 5개를 뽑는 경우의 수는 ${}_8C_5$

따라서 구하는 경우의 수는

${}_7C_5\times{}_8C_5=21\times56=1176$

36 답 (1) ① 15 ② 15 (2) ① 15 ② 20 (3) ① 7 ② 35 (4) ① 21 ② 35 (5) 15 (6) 28 (7) 10 (8) 15

풀이 (1) ① A, B를 미리 뽑아 놓고 나머지 6개 중에서 2개를 뽑으면 되므로 구하는 경우의 수는 ${}_6C_2=\underline{15}$

② A, B를 제외한 나머지 6개 중에서 2개를 뽑으면 되므로 구하는 경우의 수는

${}_6C_4=\underline{15}$

(2) ① 서현이를 미리 뽑아 놓고 나머지 6명 중에서 2명을 뽑으면 되므로 구하는 경우의 수는

${}_6C_2=15$

② 서현이를 제외한 나머지 6명 중에서 3명을 뽑으면 되므로 구하는 경우의 수는

${}_6C_3=20$

(3) ① 윤하, 찬우를 미리 뽑아 놓고 나머지 7명 중에서 1명을 뽑으면 되므로 구하는 경우의 수는

${}_7C_1=7$

② 윤하, 찬우를 제외한 나머지 7명 중에서 3명을 뽑으면 되므로 구하는 경우의 수는

${}_7C_3=35$

(4) ① 4의 배수인 4, 8이 적힌 구슬을 미리 뽑아 놓고 나머지 7개 중에서 2개를 뽑으면 되므로 구하는 경우의 수는 ${}_7C_2=21$

② 4의 배수인 4, 8이 적힌 구슬을 제외한 나머지 7개 중에서 4개를 뽑으면 되므로 구하는 경우의 수는
$_7C_4=35$

(5) 종수를 미리 뽑아 놓고 지혜를 제외한 6명 중에서 2명을 뽑으면 되므로 구하는 경우의 수는
$_6C_2=15$

(6) 특정한 남학생과 여학생을 1명씩 미리 뽑아 놓고 나머지 8명 중에서 2명을 뽑으면 되므로 구하는 경우의 수는
$_8C_2=28$

(7) 2를 미리 뽑아 놓고 4를 제외한 5개의 숫자 중에서 2개를 뽑으면 되므로 구하는 경우의 수는
$_5C_2=10$

(8) 5, 10을 미리 뽑아 놓고 1, 7을 제외한 6개의 숫자 중에서 2개를 뽑으면 되므로 구하는 경우의 수는
$_6C_2=15$

37 답 (1) 70 (2) 64 (3) 135 (4) 294

풀이 (1) 전체 9송이 중에서 3송이를 뽑는 경우의 수는
$_9C_3=84$
장미 5송이 중에서 3송이를 뽑는 경우의 수는
$_5C_3=10$
튤립 4송이 중에서 3송이를 뽑는 경우의 수는
$_4C_3=4$
따라서 구하는 경우의 수는
$84-10-4=70$

(2) 전체 9명 중에서 3명을 뽑는 경우의 수는
$_9C_3=84$
남학생 6명 중에서 3명을 뽑는 경우의 수는
$_6C_3=20$
따라서 구하는 경우의 수는
$84-20=64$

(3) 전체 11개 중에서 3개를 뽑는 경우의 수는
$_{11}C_3=165$
파란 구슬 6개 중에서 3개를 뽑는 경우의 수는
$_6C_3=20$
노란 구슬 5개 중에서 3개를 뽑는 경우의 수는
$_5C_3=10$
따라서 구하는 경우의 수는
$165-20-10=135$

(4) 전체 11명 중에서 4명을 뽑는 경우의 수는
$_{11}C_4=330$
축구 선수 4명 중에서 4명을 뽑는 경우의 수는
$_4C_4=1$
농구 선수 7명 중에서 4명을 뽑는 경우의 수는
$_7C_4=35$
따라서 구하는 경우의 수는
$330-1-35=294$

38 답 (1) 480 (2) 1200 (3) 432 (4) 180

풀이 (1) 특정한 학생 1명을 미리 뽑아 놓고 나머지 6명 중에서 3명을 뽑는 경우의 수는 $_6C_3=20$
4명을 일렬로 세우는 방법의 수는 $4!=24$
따라서 구하는 경우의 수는
$20\times24=480$

(2) 빨강, 주황을 미리 뽑아 놓고 나머지 5가지 중에서 3가지를 뽑는 경우의 수는 $_5C_3=10$
5가지 색을 일렬로 색칠하는 방법의 수는
$5!=120$
따라서 구하는 경우의 수는
$10\times120=1200$

(3) 여학생 4명 중에서 2명을 뽑는 경우의 수는
$_4C_2=6$
남학생 3명 중에서 2명을 뽑는 경우의 수는
$_3C_2=3$
4명을 일렬로 세우는 방법의 수는 $4!=24$
따라서 구하는 경우의 수는
$6\times3\times24=432$

(4) 여학생 3명 중에서 1명을 뽑는 경우의 수는
$_3C_1=3$
남학생 5명 중에서 3명을 뽑는 경우의 수는
$_5C_3=10$
4명을 원탁에 앉히는 방법의 수는 $3!=6$
따라서 구하는 경우의 수는
$3\times10\times6=180$

39 답 (1) 직선: 10, 삼각형: 10 (2) 직선: 28, 사각형: 70 (3) 8 (4) 9

풀이 (1) 5개의 점 중에서 어느 세 점도 한 직선 위에 있지 않으므로 만들 수 있는
직선의 개수는 $_5C_2=10$
삼각형의 개수는 $_5C_3=10$

(2) 8개의 점 중에서 어느 세 점도 한 직선 위에 있지 않으므로 만들 수 있는
직선의 개수는 $_8C_2=28$
사각형의 개수는 $_8C_4=70$

(3) 두 평행선 위의 점을 하나씩 골라 연결하면 1개의 직선을 만들 수 있으므로 $_2C_1\times{}_3C_1=2\times3=6$
주어진 평행선 2개를 포함하면 구하는 직선의 개수는
$6+2=8$

(4) 5개의 점 중에서 3개를 고르는 방법의 수는
$_5C_3=10$
그런데 한 직선 위에 있는 3개의 점으로는 삼각형을 만들 수 없으므로 구하는 삼각형의 개수는
$10-1=9$

40 답 (1) 21 (2) 21 (3) 1 (4) 8 (5) 220

풀이 (1) ${}_{3}H_{5}={}_{3+5-1}C_{5}={}_{7}C_{5}={}_{7}C_{2}=\underline{21}$

(2) ${}_{6}H_{2}={}_{6+2-1}C_{2}={}_{7}C_{2}=21$

(3) ${}_{8}H_{0}={}_{8+0-1}C_{0}={}_{7}C_{0}=1$

(4) ${}_{2}H_{7}={}_{2+7-1}C_{7}={}_{8}C_{7}={}_{8}C_{1}=8$

(5) ${}_{4}H_{9}={}_{4+9-1}C_{9}={}_{12}C_{9}={}_{12}C_{3}=220$

41 답 (1) $r=1$ 또는 $r=4$ (2) $n=9$
(3) $r=2$ 또는 $r=5$ (4) $n=4$
(5) $n=7$

풀이 (1) ${}_{2}H_{4}={}_{2+4-1}C_{4}={}_{5}C_{4}={}_{5}C_{1}$이므로
$r=\underline{1}$ 또는 $r=\underline{4}$

(2) ${}_{6}H_{4}={}_{6+4-1}C_{4}={}_{9}C_{4}$이므로 $n=9$

(3) ${}_{3}H_{5}={}_{3+5-1}C_{5}={}_{7}C_{5}={}_{7}C_{2}$이므로
$r=2$ 또는 $r=5$

(4) ${}_{n}H_{3}={}_{n+3-1}C_{3}={}_{n+2}C_{3}=\dfrac{(n+2)(n+1)n}{3!}=20$
$(n+2)(n+1)n=120=6\times5\times4 \qquad \therefore n=4$

(5) ${}_{n}H_{2}={}_{n+2-1}C_{2}={}_{n+1}C_{2}=\dfrac{(n+1)n}{2}$
${}_{8}C_{6}={}_{8}C_{2}=28$
따라서 $\dfrac{(n+1)n}{2}=28$에서
$(n+1)n=56=8\times7 \qquad \therefore n=7$

42 답 (1) 45 (2) 70 (3) 120 (4) 55 (5) 11

풀이 (1) 서로 다른 3개에서 중복을 허락하여 8개를 택하는 중복조합의 수와 같으므로 구하는 경우의 수는
${}_{3}H_{8}={}_{3+8-1}C_{8}={}_{10}C_{8}={}_{10}C_{2}=\underline{45}$

(2) 서로 다른 5개에서 중복을 허락하여 4개를 택하는 중복조합의 수와 같으므로 구하는 경우의 수는
${}_{5}H_{4}={}_{5+4-1}C_{4}={}_{8}C_{4}=70$

(3) 서로 다른 4개에서 중복을 허락하여 7개를 택하는 중복조합의 수와 같으므로 구하는 경우의 수는
${}_{4}H_{7}={}_{4+7-1}C_{7}={}_{10}C_{7}={}_{10}C_{3}=120$

(4) 서로 다른 3개에서 중복을 허락하여 9개를 택하는 중복조합의 수와 같으므로 구하는 경우의 수는
${}_{3}H_{9}={}_{3+9-1}C_{9}={}_{11}C_{9}={}_{11}C_{2}=55$

(5) 서로 다른 2개에서 중복을 허락하여 10개를 택하는 중복조합의 수와 같으므로 구하는 경우의 수는
${}_{2}H_{10}={}_{2+10-1}C_{10}={}_{11}C_{10}={}_{11}C_{1}=11$

43 답 (1) 15 (2) 4 (3) 6 (4) 21 (5) 45

풀이 (1) $(a+b+c)^4$의 전개식의 각 항은 모두
$a^x b^y c^z (x+y+z=4)$의 꼴이다.
따라서 구하는 항의 개수는 3개의 문자 a, b, c에서 중복을 허락하여 4개를 뽑는 중복조합의 수와 같으므로
${}_{3}H_{4}={}_{3+4-1}C_{4}={}_{6}C_{4}={}_{6}C_{2}=\underline{15}$

(2) 구하는 항의 개수는 2개의 문자 a, b에서 중복을 허락하여 3개를 뽑는 중복조합의 수와 같으므로
${}_{2}H_{3}={}_{2+3-1}C_{3}={}_{4}C_{3}={}_{4}C_{1}=4$

(3) 구하는 항의 개수는 2개의 문자 a, b에서 중복을 허락하여 5개를 뽑는 중복조합의 수와 같으므로
${}_{2}H_{5}={}_{2+5-1}C_{5}={}_{6}C_{5}={}_{6}C_{1}=6$

(4) 구하는 항의 개수는 3개의 문자 a, b, c에서 중복을 허락하여 5개를 뽑는 중복조합의 수와 같으므로
${}_{3}H_{5}={}_{3+5-1}C_{5}={}_{7}C_{5}={}_{7}C_{2}=21$

(5) 구하는 항의 개수는 3개의 문자 a, b, c에서 중복을 허락하여 8개를 뽑는 중복조합의 수와 같으므로
${}_{3}H_{8}={}_{3+8-1}C_{8}={}_{10}C_{8}={}_{10}C_{2}=45$

44 답 (1) ① 21 ② 6 (2) ① 7 ② 5 (3) ① 8 ② 6
(4) ① 15 ② 3 (5) ① 66 ② 36 (6) ① 165 ② 35
(7) ① 220 ② 56

풀이 (1) 방정식의 해를 x, y, z의 개수로 생각하면
① 음이 아닌 정수해의 개수는 3개의 문자 x, y, z에서 중복을 허락하여 5개를 뽑는 중복조합의 수와 같다.
따라서 구하는 순서쌍 (x, y, z)의 개수는
${}_{3}H_{5}={}_{3+5-1}C_{5}={}_{7}C_{5}={}_{7}C_{2}=\underline{21}$
② 양의 정수해는 x, y, z를 적어도 하나씩 포함하는 것이므로 x, y, z를 각각 1개씩 미리 뽑았다고 생각하고 5개의 문자 x, y, z에서 중복을 하락하여 $(5-3)$개를 뽑는 중복조합의 수와 같다.
따라서 구하는 순서쌍 (x, y, z)의 개수는
${}_{3}H_{5-3}={}_{3}H_{2}={}_{3+2-1}C_{2}={}_{4}C_{2}=\underline{6}$

(2) 방정식의 해를 x, y의 개수로 생각하면
① 음이 아닌 정수해의 개수는 2개의 문자 x, y에서 중복을 허락하여 6개를 뽑는 중복조합의 수와 같다.
따라서 구하는 순서쌍 (x, y)의 개수는
${}_{2}H_{6}={}_{2+6-1}C_{6}={}_{7}C_{6}={}_{7}C_{1}=7$
② 양의 정수해는 x, y를 적어도 하나씩 포함하는 것이므로 x, y를 각각 1개씩 미리 뽑았다고 생각하고 2개의 문자 x, y에서 중복을 하락하여 $(6-2)$개를 뽑는 중복조합의 수와 같다.
따라서 구하는 순서쌍 (x, y)의 개수는
${}_{2}H_{6-2}={}_{2}H_{4}={}_{2+4-1}C_{4}={}_{5}C_{4}={}_{5}C_{1}=5$

(3) 방정식의 해를 a, b의 개수로 생각하면
① 음이 아닌 정수해의 개수는 2개의 문자 a, b에서 중복을 허락하여 7개를 뽑는 중복조합의 수와 같다.
따라서 구하는 순서쌍 (a, b)의 개수는
${}_{2}H_{7}={}_{2+7-1}C_{7}={}_{8}C_{7}={}_{8}C_{1}=8$
② 양의 정수해는 a, b를 적어도 하나씩 포함하는 것이므로 a, b를 각각 1개씩 미리 뽑았다고 생각하고 2개의 문자 a, b에서 중복을 하락하여 $(7-2)$개를 뽑는 중복조합의 수와 같다.
따라서 구하는 순서쌍 (a, b)의 개수는
${}_{2}H_{7-2}={}_{2}H_{5}={}_{2+5-1}C_{5}={}_{6}C_{5}={}_{6}C_{1}=6$

(4) 방정식의 해를 x, y, z의 개수로 생각하면

① 음이 아닌 정수해의 개수는 3개의 문자 x, y, z에서 중복을 허락하여 4개를 뽑는 중복조합의 수와 같다.
따라서 구하는 순서쌍 (x, y, z)의 개수는
${}_3H_4={}_{3+4-1}C_4={}_6C_4={}_6C_2=15$

② 양의 정수해는 x, y, z를 적어도 하나씩 포함하는 것이므로 x, y, z를 각각 1개씩 미리 뽑았다고 생각하고 3개의 문자 x, y, z에서 중복을 하락하여 $(4-3)$개를 뽑는 중복조합의 수와 같다.
따라서 구하는 순서쌍 (x, y, z)의 개수는
${}_3H_{4-3}={}_3H_1={}_{3+1-1}C_1={}_3C_1=3$

(5) 방정식의 해를 a, b, c의 개수로 생각하면

① 음이 아닌 정수해의 개수는 3개의 문자 a, b, c에서 중복을 허락하여 10개를 뽑는 중복조합의 수와 같다.
따라서 구하는 순서쌍 (a, b, c)의 개수는
${}_3H_{10}={}_{3+10-1}C_{10}={}_{12}C_{10}={}_{12}C_2=66$

② 양의 정수해는 a, b, c를 적어도 하나씩 포함하는 것이므로 a, b, c를 각각 1개씩 미리 뽑았다고 생각하고 3개의 문자 a, b, c에서 중복을 허락하여 $(10-3)$개를 뽑는 중복조합의 수와 같다.
따라서 구하는 순서쌍 (a, b, c)의 개수는
${}_3H_{10-3}={}_3H_7={}_{3+7-1}C_7={}_9C_7={}_9C_2=36$

(6) 방정식의 해를 x, y, z, w의 개수로 생각하면

① 음이 아닌 정수해의 개수는 4개의 문자 x, y, z, w에서 중복을 허락하여 8개를 뽑는 중복조합의 수와 같다.
따라서 구하는 순서쌍 (x, y, z, w)의 개수는
${}_4H_8={}_{4+8-1}C_8={}_{11}C_8={}_{11}C_3=165$

② 양의 정수해는 x, y, z, w를 적어도 하나씩 포함하는 것이므로 x, y, z, w를 각각 1개씩 미리 뽑았다고 생각하고 4개의 문자 x, y, z, w에서 중복을 하락하여 $(8-4)$개를 뽑는 중복조합의 수와 같다.
따라서 구하는 순서쌍 (x, y, z, w)의 개수는
${}_4H_{8-4}={}_4H_4={}_{4+4-1}C_4={}_7C_4={}_7C_3=35$

(7) 방정식의 해를 a, b, c, d의 개수로 생각하면

① 음이 아닌 정수해의 개수는 4개의 문자 a, b, c, d에서 중복을 허락하여 9개를 뽑는 중복조합의 수와 같다.
따라서 구하는 순서쌍 (a, b, c, d)의 개수는
${}_4H_9={}_{4+9-1}C_9={}_{12}C_9={}_{12}C_3=220$

② 양의 정수해는 a, b, c, d를 적어도 하나씩 포함하는 것이므로 a, b, c, d를 각각 1개씩 미리 뽑았다고 생각하고 4개의 문자 a, b, c, d에서 중복을 하락하여 $(9-4)$개를 뽑는 중복조합의 수와 같다.
따라서 구하는 순서쌍 (a, b, c, d)의 개수는
${}_4H_{9-4}={}_4H_5={}_{4+5-1}C_5={}_8C_5={}_8C_3=56$

중단원 점검문제 | I-1. 순열과 조합 032-033쪽

01 답 43

풀이 3으로 나누어떨어지는 수는 3, 6, …, 99의 33개
7로 나누어떨어지는 수는 7, 14, …, 98의 14개
21로 나누어떨어지는 수는 21, 42, 63, 84의 4개
따라서 구하는 수의 개수는
$33+14-4=43$

02 답 7

풀이 집 → 학교: 3
집 → 문구점 → 학교: $2\times2=4$
따라서 집에서 학교로 가는 방법의 수는
$3+4=7$

03 답 360

풀이 6명에서 4명을 뽑는 순열의 수와 같으므로
${}_6P_4=6\times5\times4\times3=360$

04 답 $cabd$

풀이 a□□□꼴인 문자열의 개수는 $3!=6$
b□□□꼴인 문자열의 개수는 $3!=6$
따라서 13번째에 오는 문자열은 c로 시작하는 첫 번째 문자열이므로 $cabd$이다.

05 답 6

풀이 4개를 원탁에 놓는 방법의 수와 같으므로
$(4-1)!=3!=6$

06 답 12

풀이 부모를 1명으로 생각하면 4명이 원탁에 둘러앉는 방법의 수는 $(4-1)!=3!$
부모가 자리를 바꿔 앉는 방법의 수는 $2!$
따라서 구하는 경우의 수는
$3!\times2!=6\times2=12$

07 답 54

풀이 천의 자리: 0이 올 수 없으므로 1, 2의 2가지가 올 수 있다.
백의 자리: 중복을 허락하므로 3가지가 모두 올 수 있다.
십의 자리: 중복을 허락하므로 3가지가 모두 올 수 있다.
일의 자리: 중복을 허락하므로 3가지가 모두 올 수 있다.
따라서 만들 수 있는 네 자리 정수의 개수는
$2\times3\times3\times3=54$

08 답 16

풀이 집합 X의 원소 1은 c에 대응시키고 나머지 원소 2, 3은 a, b, c, d 중 어느 하나를 택하면 되므로 구하는 함수 f의 개수는 ${}_4\Pi_2=4^2=16$

09 답 64

풀이 서로 다른 4개에서 중복을 허락하여 3개를 택하는 중복순열의 수와 같으므로

${}_4\Pi_3=4^3=64$

10 답 360

풀이 o, o가 이웃하므로 한 문자 O로 바꾸어 생각하면 s, s, c, h, l, O를 일렬로 나열하면 된다.

따라서 구하는 경우의 수는

$\dfrac{6!}{2!}=360$

11 답 23

풀이

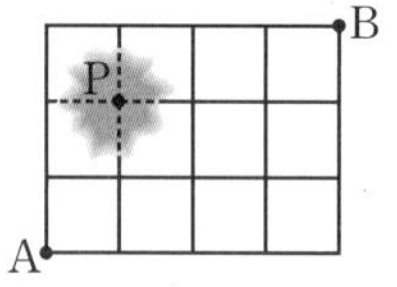

(전체 경우)−(P를 지나는 경우)

$=\dfrac{7!}{4!3!}-\left(\dfrac{3!}{2!}\times\dfrac{4!}{3!}\right)$

$=35-12=23$

12 답 56

풀이 빨간 구슬 2개를 미리 뽑아 놓고 나머지 파란 구슬 8개에서 $5-2=3$(개)를 뽑으면 되므로 구하는 경우의 수는

${}_8C_3=56$

13 답 1680

풀이 학생 7명 중에서 6명을 뽑는 경우의 수는

${}_7C_6={}_7C_1=7$

6명이 원탁에 둘러앉는 방법의 수는

$(6-1)!=5!=120$

그런데 주어진 모양의 탁자에서는 원형으로 둘러앉는 한 가지 방법에 대하여 2가지의 서로 다른 경우가 존재하므로 구하는 방법의 수는 $7\times120\times2=1680$

14 답 126

풀이 9개의 점에서 4개의 점을 뽑는 경우의 수와 같으므로

${}_9C_4=126$

15 답 35

풀이 서로 다른 5개에서 중복을 허락하여 3개를 택하는 중복조합의 수와 같으므로 ${}_5H_3={}_{5+3-1}C_3={}_7C_3=35$

16 답 28

풀이 방정식의 해를 x, y, z의 개수로 생각하면 자연수 해는 x, y, z를 적어도 하나씩 포함하는 것이므로 x, y, z를 각각 1개씩 미리 뽑았다고 생각하고 3개의 문자 x, y, z에서 중복을 허락하여 $(9-3)$개를 뽑는 중복조합의 수와 같다.

따라서 구하는 순서쌍 (x, y, z)의 개수는

${}_3H_{9-3}={}_3H_6={}_{3+6-1}C_6={}_8C_6={}_8C_2=28$

I-2 이항정리 034~040쪽

01 답 (1) $a^3-3a^2b+3ab^2-b^3$

(2) $x^4+4x^3y+6x^2y^2+4xy^3+y^4$

(3) $x^4-8x^3+24x^2-32x+16$

(4) $x^5-5x^4y+10x^3y^2-10x^2y^3+5xy^4-y^5$

(5) $32a^5+80a^4+80a^3+40a^2+10a+1$

풀이 (1) $(a-b)^3={}_3C_0a^3+{}_3C_1a^2(-b)+{}_3C_2a(-b)^2+{}_3C_3(-b)^3$

$=a^3-3a^2b+3ab^2-b^3$

(2) $(x+y)^4={}_4C_0x^4+{}_4C_1x^3y+{}_4C_2x^2y^2+{}_4C_3xy^3+{}_4C_4y^4$

$=x^4+4x^3y+6x^2y^2+4xy^3+y^4$

(3) $(x-2)^4={}_4C_0x^4+{}_4C_1x^3(-2)+{}_4C_2x^2(-2)^2+{}_4C_3x(-2)^3+{}_4C_4(-2)^4$

$=x^4-8x^3+24x^2-32x+16$

(4) $(x-y)^5={}_5C_0x^5+{}_5C_1x^4(-y)+{}_5C_2x^3(-y)^2+{}_5C_3x^2(-y)^3+{}_5C_4x(-y)^4+{}_5C_5(-y)^5$

$=x^5-5x^4y+10x^3y^2-10x^2y^3+5xy^4-y^5$

(5) $(2a+1)^5={}_5C_0(2a)^5+{}_5C_1(2a)^4+{}_5C_2(2a)^3+{}_5C_3(2a)^2+{}_5C_4 2a+{}_5C_5$

$=32a^5+80a^4+80a^3+40a^2+10a+1$

02 답 (1) 240 (2) 54 (3) 80 (4) −192

풀이 (1) $(a+2b)^6$의 전개식에서 a^2b^4항은 a를 2번, $2b$를 4번 곱한 경우이므로

${}_6C_4a^2(2b)^4={}_6C_4 2^4a^2b^4$

따라서 a^2b^4의 계수는

${}_6C_4 2^4=15\times16=240$

(2) $(a-3b)^4$의 전개식에서 a^2b^2항은 a를 2번, $-3b$를 2번 곱한 경우이므로

${}_4C_2a^2(-3b)^2={}_4C_2(-3)^2a^2b^2$

따라서 a^2b^2의 계수는

${}_4C_2(-3)^2=6\times9=54$

(3) $(2a+b)^5$의 전개식에서 a^3b^2항은 $2a$를 3번, b를 2번 곱한 경우이므로

${}_5C_2(2a)^3b^2={}_5C_2 2^3a^3b^2$

따라서 a^3b^2의 계수는

${}_5C_2 2^3=10\times8=80$

(4) $(a-2b)^6$의 전개식에서 ab^5항은 a를 1번, $-2b$를 5번 곱한 경우이므로

${}_6C_5a(-2b)^5={}_6C_5(-2)^5ab^5$

따라서 ab^5의 계수는

${}_6C_5(-2)^5=6\times(-32)=-192$

03 답 (1) 24 (2) 24 (3) 1215 (4) 60 (5) -540

풀이 (1) $\left(x-\frac{2}{x}\right)^4$의 전개식에서 상수항은 x를 2번, $-\frac{2}{x}$를 2번 곱한 경우이므로

$_4C_2 x^2\left(-\frac{2}{x}\right)^2={}_4C_2(-2)^2x^2\left(\frac{1}{x}\right)^2$

따라서 상수항은 $_4C_2(-2)^2=6\times4=\underline{24}$

(2) $\left(2x+\frac{1}{x}\right)^4$의 전개식에서 상수항은 $2x$를 2번, $\frac{1}{x}$을 2번 곱한 경우이므로

$_4C_2(2x)^2\left(\frac{1}{x}\right)^2={}_4C_2 2^2x^2\left(\frac{1}{x}\right)^2$

따라서 상수항은

$_4C_2 2^2=6\times4=24$

(3) $\left(3x-\frac{1}{x}\right)^6$의 전개식에서 x^2항은 $3x$를 4번, $-\frac{1}{x}$을 2번 곱한 경우이므로

$_6C_2(3x)^4\left(-\frac{1}{x}\right)^2={}_6C_2 3^4(-1)^2x^4\left(\frac{1}{x}\right)^2$

따라서 x^2의 계수는

$_6C_2 3^4(-1)^2=15\times81\times1=1215$

(4) $\left(2x^2-\frac{1}{x}\right)^6$의 전개식에서 상수항은 $2x^2$을 2번, $-\frac{1}{x}$을 4번 곱한 경우이므로

$_6C_4(2x^2)^2\left(-\frac{1}{x}\right)^4={}_6C_4 2^2(-1)^4(x^2)^2\left(\frac{1}{x}\right)^4$

따라서 상수항은

$_6C_4 2^2(-1)^4=15\times4\times1=60$

(5) $\left(x^2-\frac{3}{x}\right)^6$의 전개식에서 x^3항은 x^2을 3번, $-\frac{3}{x}$을 3번 곱한 경우이므로

$_6C_3(x^2)^3\left(-\frac{3}{x}\right)^3={}_6C_3(-3)^3(x^2)^3\left(\frac{1}{x}\right)^3$

따라서 x^3의 계수는

$_6C_3(-3)^3=20\times(-27)=-540$

04 답 (1) 3 (2) 2 (3) 5 (4) 2

풀이 (1) $\left(ax+\frac{1}{x}\right)^4$의 전개식에서 x^2항은 ax를 3번, $\frac{1}{x}$을 1번 곱한 경우이므로

$_4C_1(ax)^3\left(\frac{1}{x}\right)={}_4C_1a^3x^2$

따라서 x^2의 계수는 $_4C_1a^3=4a^3$

이때 $4a^3=108$이므로 $a^3=27$

$\therefore a=\underline{3}$

(2) $\left(x+\frac{a}{x}\right)^4$의 전개식에서 $\frac{1}{x^2}$항은 x를 1번, $\frac{a}{x}$를 3번 곱한 경우이므로

$_4C_3x\left(\frac{a}{x}\right)^3={}_4C_3a^3\frac{1}{x^2}$

따라서 $\frac{1}{x^2}$의 계수는 $_4C_3a^3=4a^3$

이때 $4a^3=32$이므로 $a^3=8$

$\therefore a=2$

(3) $\left(ax^2+\frac{1}{x}\right)^3$의 전개식에서 x^3항은 ax^2을 2번, $\frac{1}{x}$을 1번 곱한 경우이므로

$_3C_1(ax^2)^2\left(\frac{1}{x}\right)={}_3C_1a^2x^3$

따라서 x^3의 계수는 $_3C_1a^2=3a^2$

이때 $3a^2=75$이므로 $a^2=25$

$\therefore a=5\ (\because a>0)$

(4) $\left(ax-\frac{1}{x}\right)^5$의 전개식에서 x항은 ax를 3번, $-\frac{1}{x}$을 2번 곱한 경우이므로

$_5C_2(ax)^3\left(-\frac{1}{x}\right)^2={}_5C_2a^3(-1)^2x$

따라서 x의 계수는 $_5C_2a^3(-1)^2=10a^3$

이때 $10a^3=80$이므로 $a^3=8$

$\therefore a=2$

05 답 (1) 5 (2) 32 (3) -25

풀이 (1) $(1+x)^3$ ······ ㉠

$(1+x)^3(1+2x)$의 전개식에서 x항은 ㉠의 x항과 1, ㉠의 1과 $2x$가 곱해질 때 나타난다.

(i) ㉠에서 x항은 1을 2번, x를 1번 곱한 경우이므로

$_3C_1 1^2x=3x$

(ii) ㉠의 1과 $2x$의 곱은 $2x$

(i), (ii)에서 구하는 x의 계수는

$3+2=\underline{5}$

참고 $(1+x)^3(1+2x)$의 전개식에서 x항이 나오는 경우는 다음과 같다.

(i) $(1+x)^3$에서 x항, $(1+2x)$에서 1을 곱한 경우

(ii) $(1+x)^3$에서 1, $(1+2x)$에서 $2x$를 곱한 경우

(2) $(x+2)^4$ ······ ㉠

$(x+2)^4(x+1)$의 전개식에서 x^3항은 ㉠의 x^3항과 1, ㉠의 x^2항과 x가 곱해질 때 나타난다.

(i) ㉠에서 x^3항은 x를 3번, 2를 1번 곱한 경우이므로

$_4C_3x^3 2=8x^3$

(ii) ㉠에서 x^2항은 x를 2번, 2를 2번 곱한 경우이므로

$_4C_2x^2 2^2=24x^2$

(i), (ii)에서 구하는 x^3의 계수는

$8+24=32$

(3) $(x-1)^6$ ······ ㉠

$(x-1)^6(2x+1)$의 전개식에서 x^4항은 ㉠의 x^4항과 1, ㉠의 x^3항과 $2x$가 곱해질 때 나타난다.

(i) ㉠에서 x^4항은 x를 4번, -1을 2번 곱한 경우이므로

$_6C_2x^4(-1)^2=15x^4$

(ii) ㉠에서 x^3항은 x를 3번, -1을 3번 곱한 경우이므로

$_6C_3x^3(-1)^3=-20x^3$

(i), (ii)에서 구하는 x^4의 계수는

$15+(-20)\times2=-25$

06 **답** (1) 56 (2) -56 (3) 120

풀이 (1) $\left(x+\dfrac{1}{x}\right)^7$ …… ㉠

$(x^2+1)\left(x+\dfrac{1}{x}\right)^7$의 전개식에서 x^3항은 x^2과 ㉠의 x항, 1과 ㉠의 x^3항이 곱해질 때 나타난다.

(i) ㉠에서 x항은 x를 4번, $\dfrac{1}{x}$을 3번 곱한 경우이므로

${}_7C_3\,x^4\left(\dfrac{1}{x}\right)^3=35x$

(ii) ㉠에서 x^3항은 x를 5번, $\dfrac{1}{x}$을 2번 곱한 경우이므로

${}_7C_2\,x^5\left(\dfrac{1}{x}\right)^2=21x^3$

(i), (ii)에서 구하는 x^3의 계수는

$35+21=56$

(2) $\left(x-\dfrac{1}{x}\right)^8$ …… ㉠

$(x+2)\left(x-\dfrac{1}{x}\right)^8$의 전개식에서 x^3항은 x와 ㉠의 x^2항이 곱해질 때 나타난다.

㉠에서 x^2항은 x를 5번, $-\dfrac{1}{x}$을 3번 곱한 경우이므로

${}_8C_3\,x^5\left(-\dfrac{1}{x}\right)^3=-56x^2$

따라서 구하는 x^3의 계수는 -56

(3) $\left(x+\dfrac{1}{x}\right)^9$ …… ㉠

$(x^2+1)\left(x+\dfrac{1}{x}\right)^9$의 전개식에서 x^5항은 x^2과 ㉠의 x^3항, 1과 ㉠의 x^5항이 곱해질 때 나타난다.

(i) ㉠에서 x^3항은 x를 6번, $\dfrac{1}{x}$을 3번 곱한 경우이므로

${}_9C_3\,x^6\left(\dfrac{1}{x}\right)^3=84x^3$

(ii) ㉠에서 x^5항은 x를 7번, $\dfrac{1}{x}$을 2번 곱한 경우이므로

${}_9C_2\,x^7\left(\dfrac{1}{x}\right)^2=36x^5$

(i), (ii)에서 구하는 x^5의 계수는

$84+36=120$

07 **답** (1) ${}_4C_2$ (2) ${}_5C_4$ (3) ${}_6C_3$

풀이 (1) ${}_2C_0+{}_2C_1+{}_3C_2={}_3C_1+{}_3C_2$

$={}_4C_2$

(2) ${}_3C_2+{}_3C_3+{}_4C_4={}_4C_3+{}_4C_4$

$={}_5C_4$

(3) ${}_4C_3+{}_4C_2+{}_5C_2={}_4C_2+{}_4C_3+{}_5C_2$

$={}_5C_3+{}_5C_2$

$={}_5C_2+{}_5C_3$

$={}_6C_3$

08 **답** (1) ${}_{11}C_7$ (2) ${}_9C_6$ (3) ${}_{10}C_6$

풀이 (1) ${}_3C_0+{}_4C_1+{}_5C_2+{}_6C_3+\cdots+{}_{10}C_7$

$={}_4C_0+{}_4C_1+{}_5C_2+{}_6C_3+\cdots+{}_{10}C_7$

$={}_5C_1+{}_5C_2+{}_6C_3+\cdots+{}_{10}C_7$

$={}_6C_2+{}_6C_3+\cdots+{}_{10}C_7$

$=\cdots$

$={}_{10}C_6+{}_{10}C_7={}_{11}C_7$

(2) ${}_2C_0+{}_3C_1+{}_4C_2+{}_5C_3+\cdots+{}_8C_6$

$={}_3C_0+{}_3C_1+{}_4C_2+{}_5C_3+\cdots+{}_8C_6$

$={}_4C_1+{}_4C_2+{}_5C_3+\cdots+{}_8C_6$

$={}_5C_2+{}_5C_3+\cdots+{}_8C_6$

$=\cdots$

$={}_8C_5+{}_8C_6={}_9C_6$

(3) ${}_3C_3+{}_4C_3+{}_5C_3+{}_6C_3+\cdots+{}_9C_3$

$={}_3C_0+{}_4C_1+{}_5C_2+{}_6C_3+\cdots+{}_9C_6$

$={}_4C_0+{}_4C_1+{}_5C_2+{}_6C_3+\cdots+{}_9C_6$

$={}_5C_1+{}_5C_2+{}_6C_3+\cdots+{}_9C_6$

$={}_6C_2+{}_6C_3+\cdots+{}_9C_6$

$=\cdots$

$={}_9C_5+{}_9C_6={}_{10}C_6$

09 **답** (1) 127 (2) 64 (3) 512 (4) 255

풀이 (1) ${}_7C_0+{}_7C_1+{}_7C_2+{}_7C_3+\cdots+{}_7C_7=2^7$이므로

${}_7C_1+{}_7C_2+{}_7C_3+\cdots+{}_7C_7=2^7-{}_7C_0=127$

(2) ${}_6C_0+{}_6C_1+{}_6C_2+\cdots+{}_6C_6=2^6=64$

(3) ${}_9C_0+{}_9C_1+{}_9C_2+\cdots+{}_9C_9=2^9=512$

(4) ${}_8C_0+{}_8C_1+{}_8C_2+{}_8C_3+\cdots+{}_8C_8=2^8$이므로

${}_8C_1+{}_8C_2+{}_8C_3+\cdots+{}_8C_8=2^8-{}_8C_0=255$

10 **답** (1) 1 (2) 0 (3) 0 (4) -1

풀이 (1) ${}_7C_0-{}_7C_1+{}_7C_2-\cdots+{}_7C_6-{}_7C_7=0$이므로

${}_7C_0-{}_7C_1+{}_7C_2-\cdots+{}_7C_6={}_7C_7=1$

(2) ${}_6C_0-{}_6C_1+{}_6C_2-\cdots+{}_6C_6=0$

(3) ${}_9C_0-{}_9C_1+{}_9C_2-\cdots-{}_9C_9=0$

(4) ${}_{10}C_0-{}_{10}C_1+{}_{10}C_2-\cdots-{}_{10}C_9+{}_{10}C_{10}=0$이므로

${}_{10}C_0-{}_{10}C_1+{}_{10}C_2-\cdots-{}_{10}C_9=-{}_{10}C_{10}=-1$

11 **답** (1) 511 (2) 128 (3) 256 (4) 1013 (5) 2047

풀이 (1) ${}_{10}C_0+{}_{10}C_2+{}_{10}C_4+{}_{10}C_6+{}_{10}C_8+{}_{10}C_{10}=2^{10-1}=2^9$이므로

${}_{10}C_2+{}_{10}C_4+{}_{10}C_6+{}_{10}C_8+{}_{10}C_{10}$

$=2^9-{}_{10}C_0=511$

(2) ${}_8C_0+{}_8C_2+{}_8C_4+{}_8C_6+{}_8C_8=2^{8-1}=128$

(3) ${}_9C_1+{}_9C_3+{}_9C_5+{}_9C_7+{}_9C_9=2^{9-1}=256$

(4) ${}_{11}C_1+{}_{11}C_3+{}_{11}C_5+{}_{11}C_7+{}_{11}C_9+{}_{11}C_{11}=2^{11-1}=2^{10}$이므로

${}_{11}C_3+{}_{11}C_5+{}_{11}C_7+{}_{11}C_9+{}_{11}C_{11}=2^{10}-{}_{11}C_1=1013$

(5) ${}_{12}C_0+{}_{12}C_2+{}_{12}C_4+{}_{12}C_6+{}_{12}C_8+{}_{12}C_{10}+{}_{12}C_{12}$
$=2^{12-1}=2^{11}$이므로
${}_{12}C_2+{}_{12}C_4+{}_{12}C_6+{}_{12}C_8+{}_{12}C_{10}+{}_{12}C_{12}$
$=2^{11}-{}_{12}C_0=2047$

12 답 (1) 8 (2) 7 (3) 10 (4) 9 (5) 11

풀이 (1) ${}_nC_0+{}_nC_1+{}_nC_2+\cdots+{}_nC_n=2^n$이고 ${}_nC_0=1$이므로
${}_nC_1+{}_nC_2+{}_nC_3+\cdots+{}_nC_n=2^n-1$
즉, 주어진 부등식은
$200<2^n-1<500$ $\quad\therefore 201<2^n<501$
그런데 $2^8=256$, $2^9=512$이므로 $n=\underline{8}$

(2) ${}_nC_0+{}_nC_1+{}_nC_2+\cdots+{}_nC_n=2^n$이므로
$100<2^n<200$
그런데 $2^6=64$, $2^7=128$이므로 $n=7$

(3) ${}_nC_0+{}_nC_1+{}_nC_2+\cdots+{}_nC_n=2^n$이므로
$1000<2^n<2000$
그런데 $2^{10}=1024$, $2^{11}=2048$이므로 $n=10$

(4) ${}_nC_0+{}_nC_1+{}_nC_2+\cdots+{}_nC_n=2^n$이므로
${}_nC_1+{}_nC_2+{}_nC_3+\cdots+{}_nC_n=2^n-1$
즉, 주어진 부등식은
$500<2^n-1<800$
$\therefore 501<2^n<801$
그런데 $2^9=512$, $2^{10}=1024$이므로 $n=9$

(5) ${}_nC_0+{}_nC_1+{}_nC_2+\cdots+{}_nC_n=2^n$이므로
${}_nC_1+{}_nC_2+{}_nC_3+\cdots+{}_nC_n=2^n-1$
즉, 주어진 부등식은
$2000<2^n-1<3000$
$\therefore 2001<2^n<3001$
그런데 $2^{11}=2048$, $2^{12}=4096$이므로 $n=11$

13 답 (1) 2^{58} (2) 2^{18} (3) 2^{40} (4) 2^{38} (5) 2^{20}

풀이 (1) ${}_{59}C_0+{}_{59}C_1+{}_{59}C_2+\cdots+{}_{59}C_{59}=2^{59}$이므로
${}_{59}C_0+{}_{59}C_1+{}_{59}C_2+\cdots+{}_{59}C_{29}$
$={}_{59}C_{30}+{}_{59}C_{31}+{}_{59}C_{32}+\cdots+{}_{59}C_{59}$
$=\frac{1}{2}\times2^{59}=\underline{2^{58}}$

(2) ${}_{19}C_0+{}_{19}C_1+{}_{19}C_2+\cdots+{}_{19}C_{19}=2^{19}$이므로
${}_{19}C_0+{}_{19}C_1+{}_{19}C_2+\cdots+{}_{19}C_9$
$={}_{19}C_{10}+{}_{19}C_{11}+{}_{19}C_{12}+\cdots+{}_{19}C_{19}$
$=\frac{1}{2}\times2^{19}=2^{18}$

(3) ${}_{41}C_0+{}_{41}C_1+{}_{41}C_2+\cdots+{}_{41}C_{41}=2^{41}$이므로
${}_{41}C_0+{}_{41}C_1+{}_{41}C_2+\cdots+{}_{41}C_{20}$
$={}_{41}C_{21}+{}_{41}C_{22}+{}_{41}C_{23}+\cdots+{}_{41}C_{41}$
$=\frac{1}{2}\times2^{41}=2^{40}$

(4) ${}_{39}C_0+{}_{39}C_1+{}_{39}C_2+\cdots+{}_{39}C_{39}=2^{39}$이므로
${}_{39}C_0+{}_{39}C_1+{}_{39}C_2+\cdots+{}_{39}C_{19}$
$={}_{39}C_{20}+{}_{39}C_{21}+{}_{39}C_{22}+\cdots+{}_{39}C_{39}$
$=\frac{1}{2}\times2^{39}=2^{38}$

(5) ${}_{21}C_0+{}_{21}C_1+{}_{21}C_2+\cdots+{}_{21}C_{21}=2^{21}$이므로
${}_{21}C_0+{}_{21}C_1+{}_{21}C_2+\cdots+\cdots+{}_{21}C_{10}$
$={}_{21}C_{11}+{}_{21}C_{12}+{}_{21}C_{13}+\cdots+{}_{21}C_{21}$
$=\frac{1}{2}\times2^{21}=2^{20}$

14 답 (1) 7 (2) 6 (3) 8 (4) 9 (5) 6

풀이 (1) ${}_nC_1+{}_nC_3+{}_nC_5+\cdots+{}_nC_n=2^{n-1}$이므로
$2^{n-1}=64=2^6$, $n-1=6$ $\quad\therefore n=\underline{7}$

(2) ${}_nC_0+{}_nC_2+{}_nC_4+\cdots+{}_nC_n=2^{n-1}$이므로
$2^{n-1}=32=2^5$, $n-1=5$ $\quad\therefore n=6$

(3) ${}_nC_1+{}_nC_3+{}_nC_5+\cdots+{}_nC_n=2^{n-1}$이므로
$2^{n-1}=128=2^7$, $n-1=7$ $\quad\therefore n=8$

(4) ${}_nC_1+{}_nC_3+{}_nC_5+\cdots+{}_nC_n=2^{n-1}$이므로
$2^{n-1}=256=2^8$, $n-1=8$ $\quad\therefore n=9$

(5) ${}_nC_0+{}_nC_2+{}_nC_4+\cdots+{}_nC_n=2^{n-1}$이므로
${}_nC_2+{}_nC_4+\cdots+{}_nC_n=2^{n-1}-{}_nC_0=2^{n-1}-1$
즉, $2^{n-1}-1=31$에서 $2^{n-1}=32=2^5$
$n-1=5$ $\quad\therefore n=6$

중단원 점검문제 | Ⅰ-2. 이항정리 041-042쪽

01 답 60

풀이 $(2x-y)^6$의 전개식에서 x^2y^4항은 $2x$를 2번, $-y$를 4번 곱한 경우이므로
${}_6C_4(2x)^2(-y)^4={}_6C_4 2^2(-1)^4x^2y^4$
따라서 x^2y^4의 계수는
${}_6C_4 2^2(-1)^4=15\times4\times1=60$

02 답 1

풀이 $(x+a)^5$의 전개식에서 x^2항은 ${}_5C_3x^2a^3$이므로 x^2의 계수는
${}_5C_3a^3=10a^3$
x^3항은 ${}_5C_2x^3a^2$이므로 x^3의 계수는
${}_5C_2a^2=10a^2$
x^2의 계수와 x^3의 계수가 같으므로
$10a^3=10a^2$, $a^2(a-1)=0$
$\therefore a=1$ ($\because a>0$)

03 답 280

풀이 $\left(x^2+\frac{2}{x}\right)^7$에서 x^5항은 x^2을 4번, $\frac{2}{x}$를 3번 곱한 경우이므로
${}_7C_3(x^2)^4\left(\frac{2}{x}\right)^3={}_7C_3 2^3x^5$
따라서 x^5의 계수는
${}_7C_3 2^3=35\times8=280$

04 답 2

풀이 $\left(2x+\frac{a}{x}\right)^5$에서 $\frac{1}{x}$항은 $2x$를 2번, $\frac{a}{x}$를 3번 곱한 경우이므로

${}_5C_3(2x)^2\left(\frac{a}{x}\right)^3={}_5C_3 2^2a^3\frac{1}{x}$

따라서 $\frac{1}{x}$의 계수는 ${}_5C_3 2^2a^3=10\times4\times a^3=40a^3$

이때 $40a^3=320$이므로

$a^3=8$ $\quad\therefore a=2$

05 답 1

풀이 $\left(x-\frac{a}{x^2}\right)^6$에서 상수항은 x를 4번, $-\frac{a}{x^2}$를 2번 곱한 경우이므로

${}_6C_2x^4\left(-\frac{a}{x^2}\right)^2={}_6C_2(-a)^2$

따라서 상수항은 ${}_6C_2a^2=15a^2$

이때 $15a^2=15$이므로 $a^2=1$

$\therefore a=1$ ($\because a>0$)

06 답 7

풀이 $(x+1)^7$ $\quad\cdots\cdots$ ㉠

$(x+1)^7(x-2)$의 전개식에서 x^6항은 ㉠의 x^6항과 -2, ㉠의 x^5항과 x가 곱해질 때 나타난다.

(i) ㉠에서 x^6항은 ${}_7C_1x^6=7x^6$

(ii) ㉠에서 x^5항은 ${}_7C_2x^5=21x^5$

(i), (ii)에서 구하는 x^6의 계수는

$7\times(-2)+21=7$

07 답 1

풀이 $(x+1)^9$ $\quad\cdots\cdots$ ㉠

$(x+a)(x+1)^9$의 전개식에서 x^8항은 x와 ㉠의 x^7항, a와 ㉠의 x^8항이 곱해질 때 나타난다.

(i) ㉠에서 x^7항은 ${}_9C_2x^7=36x^7$

(ii) ㉠에서 x^8항은 ${}_9C_1x^8=9x^8$

(i), (ii)에서 x^8의 계수는 $36+9a$이므로

$36+9a=45$, $9a=9$ $\quad\therefore a=1$

08 답 7

풀이 $\left(x+\frac{1}{x}\right)^6$ $\quad\cdots\cdots$ ㉠

$(x^2+1)\left(x+\frac{1}{x}\right)^6$의 전개식에서 x^6항은 x^2과 ㉠의 x^4항, 1과 ㉠의 x^6항이 곱해질 때 나타난다.

(i) ㉠에서 x^4항은 x를 5번, $\frac{1}{x}$을 1번 곱한 경우이므로

${}_6C_5x^5\left(\frac{1}{x}\right)=6x^4$

(ii) ㉠에서 x^6항은 ${}_6C_6x^6=x^6$

(i), (ii)에서 구하는 x^6의 계수는

$6+1=7$

09 답 ${}_7C_2$

풀이 ${}_4C_2+{}_4C_1+{}_5C_1+{}_6C_1={}_4C_1+{}_4C_2+{}_5C_1+{}_6C_1$

$={}_5C_2+{}_5C_1+{}_6C_1$

$={}_5C_1+{}_5C_2+{}_6C_1$

$={}_6C_2+{}_6C_1$

$={}_6C_1+{}_6C_2$

$={}_7C_2$

10 답 ${}_{10}C_3$

풀이 ${}_2C_2={}_3C_3$이고 ${}_nC_r={}_{n-1}C_{r-1}+{}_{n-1}C_r$이므로

${}_2C_2+{}_3C_2+{}_4C_2+{}_5C_2+\cdots+{}_9C_2$

$={}_3C_3+{}_3C_2+{}_4C_2+{}_5C_2+\cdots+{}_9C_2$

$={}_4C_3+{}_4C_2+{}_5C_2+\cdots+{}_9C_2$

$={}_5C_3+{}_5C_2+\cdots+{}_9C_2$

$={}_9C_3+{}_9C_2={}_{10}C_3$

11 답 1023

풀이 ${}_{10}C_0+{}_{10}C_1+{}_{10}C_2+\cdots+{}_{10}C_9+{}_{10}C_{10}=2^{10}$이므로

${}_{10}C_0+{}_{10}C_1+{}_{10}C_2+\cdots+{}_{10}C_9=2^{10}-{}_{10}C_{10}$

$=2^{10}-1$

$=1023$

12 답 -1

풀이 ${}_8C_0-{}_8C_1+{}_8C_2-\cdots-{}_8C_7+{}_8C_8=0$이므로

${}_8C_0-{}_8C_1+{}_8C_2-\cdots-{}_8C_7=-{}_8C_8=-1$

13 답 64

풀이 ${}_8C_0+{}_8C_2+{}_8C_4+{}_8C_6+{}_8C_8=2^{8-1}=2^7=128$

${}_7C_1+{}_7C_3+{}_7C_5+{}_7C_7=2^{7-1}=2^6=64$

$\therefore$ (주어진 식)$=128-64=64$

14 답 10

풀이 ${}_nC_0+{}_nC_1+{}_nC_2+\cdots+{}_nC_n=2^n$이고 ${}_nC_0=1$이므로

${}_nC_1+{}_nC_2+{}_nC_3+\cdots+{}_nC_n=2^n-1$

즉, 주어진 부등식은 $2^n-1<2000$

$\therefore 2^n<2001$

그런데 $2^{10}=1024$, $2^{11}=2048$이므로 $n<11$

따라서 자연수 n의 최댓값은 10이다.

15 답 2^{30}

풀이 ${}_{31}C_0+{}_{31}C_1+{}_{31}C_2+\cdots+{}_{31}C_{31}=2^{31}$이므로

${}_{31}C_0+{}_{31}C_1+{}_{31}C_2+\cdots+{}_{31}C_{15}$

$={}_{31}C_{16}+{}_{31}C_{17}+{}_{39}C_{18}+\cdots+{}_{31}C_{31}$

$=\frac{1}{2}\times2^{31}=2^{30}$

16 답 21

풀이 ${}_nC_1+{}_nC_3+{}_nC_5+\cdots+{}_nC_n=2^{n-1}$이므로

$2^{n-1}=2^{20}$, $n-1=20$ $\quad\therefore n=21$

확률

Ⅱ-1 확률의 뜻과 활용 044~057쪽

01 답 (1) $\{1, 2, 3, 4, 5, 6\}$ (2) $\{2, 4, 6\}$ (3) $\{1, 5\}$

풀이 (1) 한 개의 주사위를 던질 때, 나올 수 있는 눈은 1, 2, 3, 4, 5, 6이므로 표본공간은 $\{1, 2, 3, 4, 5, 6\}$이다.
(2) 짝수의 눈은 2, 4, 6이므로 짝수의 눈이 나올 사건은 $\{2, 4, 6\}$이다.
(3) 5의 약수의 눈은 1, 5이므로 5의 약수의 눈이 나올 사건은 $\{1, 5\}$이다.

02 답 (1) 전사건 (2) 공사건 (3) 근원사건

풀이 (1) 한 개의 공을 꺼낼 때, 공에 적힌 수는 모두 10 이하이다. 즉, 반드시 일어나는 사건이므로 전사건이다.
(2) 공에 적힌 수가 12인 사건은 결코 일어나지 않는 사건이므로 공사건이다.
(3) 공에 적힌 수가 두 자리 수인 사건은 $\{10\}$이므로 근원사건이다.

03 답 (1) ① $\{2, 3, 4, 5, 6\}$ ② $\{2\}$ ③ $\{1, 4, 6\}$ ④ $\{1, 3, 5\}$
(2) ① $\{1, 3, 5, 6, 7, 9\}$ ② $\{3, 9\}$ ③ $\{2, 4, 6, 8\}$ ④ $\{1, 2, 4, 5, 7, 8\}$
(3) ① $\{1, 2, 4, 8\}$ ② $\{4, 8\}$ ③ $\{3, 5, 6, 7, 9, 10\}$ ④ $\{1, 2, 3, 5, 6, 7, 9, 10\}$

풀이 (1) 표본공간을 S라고 하면 $S=\{1, 2, 3, 4, 5, 6\}$, $A=\{2, 3, 5\}$, $B=\{2, 4, 6\}$
① $A\cup B=\{2, 3, 4, 5, 6\}$
② $A\cap B=\{2\}$
③ $A^C=\{1, 4, 6\}$
④ $B^C=\{1, 3, 5\}$
(2) 표본공간을 S라고 하면 $S=\{1, 2, 3, \cdots, 9\}$
$A=\{1, 3, 5, 7, 9\}$, $B=\{3, 6, 9\}$
① $A\cup B=\{1, 3, 5, 6, 7, 9\}$
② $A\cap B=\{3, 9\}$
③ $A^C=\{2, 4, 6, 8\}$
④ $B^C=\{1, 2, 4, 5, 7, 8\}$
(3) 표본공간을 S라고 하면 $S=\{1, 2, 3, \cdots, 10\}$
$A=\{1, 2, 4, 8\}$, $B=\{4, 8\}$
① $A\cup B=\{1, 2, 4, 8\}$
② $A\cap B=\{4, 8\}$
③ $A^C=\{3, 5, 6, 7, 9, 10\}$
④ $B^C=\{1, 2, 3, 5, 6, 7, 9, 10\}$

04 답 (1) 배반사건 (2) 배반사건 (3) 배반사건이 아니다. (4) 배반사건이 아니다. (5) 배반사건

풀이 (1) $A=\{1, 3, 5, 7, 9\}$, $B=\{4, 8\}$에서
$A\cap B=\varnothing$
따라서 두 사건 A, B는 서로 배반사건이다.
(2) $A=\{2, 4, 6, 8, 10\}$, $B=\{7\}$에서
$A\cap B=\varnothing$
따라서 두 사건 A, B는 서로 배반사건이다.
(3) $A=\{2, 3, 5, 7\}$, $B=\{1, 2\}$에서
$A\cap B\neq\varnothing$
따라서 두 사건 A, B는 서로 배반사건이 아니다.
(4) $A=\{3, 6, 9\}$, $B=\{1, 2, 3\}$에서
$A\cap B\neq\varnothing$
따라서 두 사건 A, B는 서로 배반사건이 아니다.
(5) $A=\{7, 8, 9, 10\}$, $B=\{1, 5\}$에서
$A\cap B=\varnothing$
따라서 두 사건 A, B는 서로 배반사건이다.

05 답 (1) $\frac{1}{3}$ (2) $\frac{1}{9}$ (3) $\frac{1}{8}$ (4) $\frac{4}{9}$ (5) $\frac{5}{36}$ (6) $\frac{1}{4}$

풀이 (1) (ⅰ) 한 개의 동전과 한 개의 주사위를 동시에 던질 때, 일어날 수 있는 모든 경우의 수는
$2\times6=12$
(ⅱ) 동전은 뒷면, 주사위는 6의 약수의 눈이 나오는 경우는 (뒷, 1), (뒷, 2), (뒷, 3), (뒷, 6)으로 4가지
(ⅰ), (ⅱ)에서 구하는 확률은 $\frac{4}{12}=\frac{1}{3}$
(2) (ⅰ) 서로 다른 두 개의 주사위를 동시에 던질 때, 일어날 수 있는 모든 경우의 수는
$6\times6=36$
(ⅱ) 두 눈의 수의 합이 5일 경우는 (1, 4), (2, 3), (3, 2), (4, 1)로 4가지
(ⅰ), (ⅱ)에서 구하는 확률은 $\frac{4}{36}=\frac{1}{9}$
(3) (ⅰ) 서로 다른 네 개의 동전을 동시에 던질 때, 일어날 수 있는 모든 경우의 수는
$2\times2\times2\times2=16$
(ⅱ) 동전이 모두 같은 면이 나오는 경우는 (앞, 앞, 앞, 앞), (뒷, 뒷, 뒷, 뒷)으로 2가지
(ⅰ), (ⅱ)에서 구하는 확률은 $\frac{2}{16}=\frac{1}{8}$
(4) (ⅰ) 서로 다른 두 개의 주사위를 동시에 던질 때, 일어날 수 있는 모든 경우의 수는
$6\times6=36$
(ⅱ) 두 눈의 수의 차가 1 이하일 경우는 (1, 1), (1, 2), (2, 1), (2, 2), (2, 3), (3, 2), (3, 3), (3, 4), (4, 3), (4, 4), (4, 5), (5, 4), (5, 5), (5, 6), (6, 5), (6, 6)으로 16가지
(ⅰ), (ⅱ)에서 구하는 확률은 $\frac{16}{36}=\frac{4}{9}$

(5) (ⅰ) 서로 다른 두 개의 주사위를 동시에 던질 때, 일어날 수 있는 모든 경우의 수는
$6\times6=36$
(ⅱ) 눈의 수의 곱이 8의 배수일 경우는 (2, 4), (4, 2), (4, 4), (4, 6), (6, 4)로 5가지
(ⅰ), (ⅱ)에서 구하는 확률은 $\frac{5}{36}$

(6) (ⅰ) 서로 다른 두 개의 동전과 한 개의 주사위를 동시에 던질 때, 일어날 수 있는 모든 경우의 수는
$2\times2\times6=24$
(ⅱ) 동전은 서로 다른 면, 주사위는 소수의 눈이 나오는 경우는 (앞, 뒷, 2), (앞, 뒷, 3), (앞, 뒷, 5), (뒷, 앞, 2), (뒷, 앞, 3), (뒷, 앞, 5)로 6가지
(ⅰ), (ⅱ)에서 구하는 확률은 $\frac{6}{24}=\frac{1}{4}$

06 답 (1) $\frac{3}{10}$ (2) $\frac{1}{15}$ (3) $\frac{2}{5}$ (4) $\frac{1}{35}$

풀이 (1) (ⅰ) 5개의 문자를 일렬로 나열하는 모든 경우의 수는 5!
(ⅱ) 모음 o, u, e가 이웃하는 경우의 수는 모음 3개를 한 묶음으로 생각하여 나열한 후 모음끼리 자리를 바꾸는 경우의 수와 같으므로 $3!\times3!$
(ⅰ)(ⅱ)에서 구하는 확률은 $\frac{3!\times3!}{5!}=\frac{3}{10}$

(2) (ⅰ) 6명의 학생이 일렬로 서는 모든 경우의 수는 6!
(ⅱ) 남학생 2명을 양 끝에 고정하고 여학생 4명이 일렬로 서는 경우의 수는 4!이고, 이때 남학생끼리 자리를 바꾸는 경우의 수가 2!이므로 남학생 2명이 양 끝에 서는 경우의 수는 $4!\times2!$
(ⅰ), (ⅱ)에서 구하는 확률은 $\frac{4!\times2!}{6!}=\frac{1}{15}$

(3) (ⅰ) 5명의 가족이 의자에 일렬로 앉는 모든 경우의 수는 5!
(ⅱ) 부모 2명이 이웃하여 앉는 경우의 수는 부모 2명을 한 묶음으로 생각하여 나열한 후 부모끼리 자리를 바꾸는 경우의 수와 같으므로 $4!\times2!$
(ⅰ), (ⅱ)에서 구하는 확률은 $\frac{4!\times2!}{5!}=\frac{2}{5}$

(4) (ⅰ) 7권의 책을 책꽂이에 꽂는 모든 경우의 수는 7!
(ⅱ) 과학책 3권을 책꽂이에 꽂는 경우의 수는 3!이고, 과학책의 양 끝과 그 사이사이 4곳에 소설책 4권을 꽂는 경우의 수는 4!이므로 소설책과 과학책을 번갈아 꽂는 경우의 수는 $3!\times4!$
(ⅰ), (ⅱ)에서 구하는 확률은 $\frac{3!\times4!}{7!}=\frac{1}{35}$

07 답 (1) $\frac{2}{5}$ (2) $\frac{1}{2}$ (3) $\frac{1}{35}$ (4) $\frac{2}{5}$

풀이 (1) (ⅰ) 6명이 원탁에 둘러앉는 모든 경우의 수는
$(6-1)!=5!$
(ⅱ) A, B가 이웃하여 앉는 경우의 수는 A, B를 한 묶음으로 생각하여 원탁에 앉힌 후 A, B가 서로 자리를 바꾸는 경우의 수와 같으므로
$(5-1)!\times2!=4!\times2!$
(ⅰ), (ⅱ)에서 구하는 확률은 $\frac{4!\times2!}{5!}=\frac{2}{5}$

(2) (ⅰ) 5명이 원탁에 둘러앉는 모든 경우의 수는
$(5-1)!=4!$
(ⅱ) 여학생끼리 이웃하여 앉는 경우의 수는 여학생을 한 묶음으로 생각하여 원탁에 앉힌 후 여학생끼리 서로 자리를 바꾸는 경우의 수와 같으므로
$(3-1)!\times3!=2!\times3!$
(ⅰ), (ⅱ)에서 구하는 확률은 $\frac{2!\times3!}{4!}=\frac{1}{2}$

(3) (ⅰ) 8명이 원탁에 둘러앉는 모든 경우의 수는
$(8-1)!=7!$
(ⅱ) 축구 선수 4명이 원탁에 둘러앉는 모든 경우의 수는 $(4-1)!=3!$이고, 축구 선수 사이의 4곳에 농구 선수 4명이 앉는 경우의 수는 4!이므로 축구 선수와 농구 선수가 번갈아 앉을 경우의 수는 $3!\times4!$
(ⅰ), (ⅱ)에서 구하는 확률은 $\frac{3!\times4!}{7!}=\frac{1}{35}$

(4) (ⅰ) 원 모양에 6가지 색을 칠하는 모든 경우의 수는
$(6-1)!=5!$
(ⅱ) 빨강과 주황을 이웃하여 색칠하는 경우의 수는 빨강과 주황을 한 묶음으로 생각하여 색칠한 후 빨강과 주황이 서로 자리를 바꾸는 경우의 수와 같으므로
$(5-1)!\times2!=4!\times2!$
(ⅰ), (ⅱ)에서 구하는 확률은 $\frac{4!\times2!}{5!}=\frac{2}{5}$

08 답 (1) $\frac{2}{3}$ (2) $\frac{1}{2}$ (3) $\frac{2}{9}$ (4) $\frac{2}{3}$

풀이 (1) (ⅰ) 중복을 허락하여 만들 수 있는 모든 세 자리 수는 ${}_3\Pi_3=3^3=27$
(ⅱ) 200보다 큰 세 자리 수는 2□□, 3□□이므로
${}_3\Pi_2\times2=3^2\times2=18$
(ⅰ), (ⅱ)에서 구하는 확률은 $\frac{18}{27}=\frac{2}{3}$

(2) (ⅰ) 중복을 허락하여 만들 수 있는 모든 세 자리 수는
${}_4\Pi_3=4^3=64$
(ⅱ) 300보다 작은 세 자리 수는 1□□, 2□□이므로
${}_4\Pi_2\times2=4^2\times2=32$
(ⅰ), (ⅱ)에서 구하는 확률은 $\frac{32}{64}=\frac{1}{2}$

(3) (ⅰ) 함수의 개수는 a, b, c에서 중복을 허락하여 3개를 뽑는 중복순열의 수와 같으므로 ${}_3\Pi_3=3^3=27$
(ⅱ) 일대일함수의 개수는 a, b, c를 일렬로 나열하는 순열의 수와 같으므로 ${}_3P_3=6$
(ⅰ), (ⅱ)에서 구하는 확률은 $\frac{6}{27}=\frac{2}{9}$

(4) (ⅰ) 2명의 학생을 임의로 각각 한 반에 배정하는 경우의 수는 3개 중에서 중복을 허락하여 2개를 뽑는 중복순열의 수와 같으므로 ${}_3\Pi_2=3^2=9$

(ⅱ) 서로 다른 반에 배정될 경우의 수는 3개 중에서 2개를 뽑는 순열의 수와 같으므로 ${}_3P_2=6$

(ⅰ), (ⅱ)에서 구하는 확률은 $\frac{6}{9}=\frac{2}{3}$

09 답 (1) $\frac{1}{10}$ (2) $\frac{1}{5}$ (3) $\frac{1}{5}$ (4) $\frac{1}{2}$

풀이 (1) (ⅰ) a, b, b, c, c를 일렬로 나열하는 모든 경우의 수는 $\frac{5!}{2!2!}=30$

(ⅱ) b가 양 끝에 오는 경우의 수는 양 끝에 b를 놓고 중간에 a, c, c를 일렬로 나열하면 되므로 $\frac{3!}{2!}=3$

(ⅰ), (ⅱ)에서 구하는 확률은 $\frac{3}{30}=\frac{1}{10}$

(2) (ⅰ) 1, 1, 2, 3, 3을 일렬로 나열하는 모든 경우의 수는 $\frac{5!}{2!2!}=30$

(ⅱ) 2가 맨 앞에 오는 경우의 수는 맨 앞에 2를 놓고 1, 1, 3, 3을 일렬로 나열하면 되므로 $\frac{4!}{2!2!}=6$

(ⅰ), (ⅱ)에서 구하는 확률은 $\frac{6}{30}=\frac{1}{5}$

(3) (ⅰ) a, b, b, c, c, c를 일렬로 나열하는 모든 경우의 수는 $\frac{6!}{2!3!}=60$

(ⅱ) c, c, c가 모두 이웃할 경우의 수는 c, c, c를 한 문자 C로 바꾸어 a, b, b, C를 일렬로 나열하면 되므로 $\frac{4!}{2!}=12$

(ⅰ), (ⅱ)에서 구하는 확률은 $\frac{12}{60}=\frac{1}{5}$

(4) (ⅰ) t가 2개, o가 2개, m이 1개, a가 1개이므로 6개의 문자를 일렬로 나열하는 경우의 수는 $\frac{6!}{2!2!}=180$

(ⅱ) a, m의 순서가 정해져 있으므로 a, m을 모두 x로 생각하여 5개의 문자 x, x, t, t, o, o를 일렬로 나열한 후 2개의 x자리에 a, m을 순서대로 바꾸면 되므로 a가 m보다 앞에 오는 경우의 수는 $\frac{6!}{2!2!2!}=90$

(ⅰ), (ⅱ)에서 구하는 확률은 $\frac{90}{180}=\frac{1}{2}$

10 답 (1) $\frac{1}{2}$ (2) $\frac{4}{7}$ (3) $\frac{3}{7}$ (4) $\frac{5}{126}$

풀이 (1) (ⅰ) 6명의 학생 중에서 대표 3명을 뽑는 모든 경우의 수는 ${}_6C_3=20$

(ⅱ) A가 반드시 뽑혀야 하므로 A를 미리 뽑아 놓고 나머지 5명 중 대표 2명을 뽑는 경우의 수는 ${}_5C_2=10$

(ⅰ), (ⅱ)에서 구하는 확률은 $\frac{10}{20}=\frac{1}{2}$

(2) (ⅰ) 8개의 공 중에서 4개의 공을 꺼내는 모든 경우의 수는 ${}_8C_4=70$

(ⅱ) 흰 공 1개, 검은 공 3개를 꺼내는 경우의 수는 ${}_2C_1\times{}_6C_3=2\times20=40$

(ⅰ), (ⅱ)에서 구하는 확률은 $\frac{40}{70}=\frac{4}{7}$

(3) (ⅰ) 8명의 학생 중에서 계주 선수 4명을 뽑는 모든 경우의 수는 ${}_8C_4=70$

(ⅱ) 여학생 수와 남학생 수가 같으므로 여학생 2명, 남학생 2명을 뽑는 경우의 수는 ${}_5C_2\times{}_3C_2=10\times3=30$

(ⅰ), (ⅱ)에서 구하는 확률은 $\frac{30}{70}=\frac{3}{7}$

(4) (ⅰ) 9개의 공 중에서 4개의 공을 꺼내는 모든 경우의 수는 ${}_9C_4=126$

(ⅱ) 홀수가 적힌 공 5개 중에서 4개를 꺼내는 경우의 수는 ${}_5C_4=5$

(ⅰ), (ⅱ)에서 구하는 확률은 $\frac{5}{126}$

11 답 (1) $\frac{15}{28}$ (2) $\frac{34}{35}$ (3) $\frac{1}{2}$ (4) $\frac{121}{126}$

풀이 (1) (ⅰ) 8개의 제비 중에서 3개의 제비를 뽑는 모든 경우의 수는 ${}_8C_3=56$

(ⅱ) 당첨 제비가 아닌 제비는 3개 있으므로 당첨 제비가 2개 뽑힐 경우의 수는 ${}_5C_2\times{}_3C_1=10\times3=30$

(ⅰ), (ⅱ)에서 구하는 확률은 $\frac{30}{56}=\frac{15}{28}$

(2) (ⅰ) 7개의 공 중에서 3개의 공을 뽑는 모든 경우의 수는 ${}_7C_3=35$

(ⅱ) 검은 공이 적어도 1개 뽑힐 경우의 수는 전체 경우의 수에서 흰 공 3개를 뽑는 경우의 수를 빼면 되므로 $35-{}_3C_3=34$

(ⅰ), (ⅱ)에서 구하는 확률은 $\frac{34}{35}$

(3) (ⅰ) 10개의 제비 중에서 4개의 제비를 뽑는 모든 경우의 수는 ${}_{10}C_4=210$

(ⅱ) 당첨 제비가 아닌 제비는 3개 있으므로 당첨 제비가 3개 뽑힐 경우의 수는 ${}_7C_3\times{}_3C_1=35\times3=105$

(ⅰ), (ⅱ)에서 구하는 확률은 $\frac{105}{210}=\frac{1}{2}$

(4) (ⅰ) 9명의 학생 중에서 4명의 학생을 뽑는 모든 경우의 수는 ${}_9C_4=126$

(ⅱ) 여학생이 적어도 1명 뽑힐 경우의 수는 전체 경우의 수에서 남학생이 4명 뽑히는 경우의 수를 빼면 되므로 $126-{}_5C_4=126-5=121$

(ⅰ), (ⅱ)에서 구하는 확률은 $\frac{121}{126}$

12 답 (1) $\frac{22}{25}$ (2) $\frac{1}{5}$ (3) $\frac{499}{500}$ (4) $\frac{3}{5}$

풀이 (1) 타석에 100번 섰을 때, 홈런을 치지 못한 횟수는 $100-12=88$이므로 구하는 확률은

$\frac{88}{100}=\frac{22}{25}$

(2) 구슬을 한 개씩 500번 꺼냈을 때, 그중 흰 구슬이 100개였으므로 흰 구슬을 꺼낼 확률은

$\frac{100}{500}=\frac{1}{5}$

(3) 자동차 1000대 중 정상품은 $1000-2=998$(대)이므로 구하는 확률은

$\frac{998}{1000}=\frac{499}{500}$

(4) 숫을 100번 던졌을 때, 2점숫 또는 3점숫을 모두 $45+15=60$(개) 넣었으므로 구하는 확률은

$\frac{60}{100}=\frac{3}{5}$

13 답 (1) 3 (2) 2

풀이 (1) 흰 공이 n개 들어 있다고 하면 2개 모두 흰 공이 나올 확률은 $\frac{{}_nC_2}{{}_7C_2}$이므로

$\frac{{}_nC_2}{{}_7C_2}=\frac{1}{7}$

${}_nC_2=\frac{1}{7}\times{}_7C_2$

$\frac{n(n-1)}{2}=\frac{1}{7}\times\frac{7\times6}{2}$

$n(n-1)=6=3\times2$

$\therefore n=3$

(2) 파란 공이 n개 들어 있다고 하면 2개 모두 파란 공이 나올 확률은 $\frac{{}_nC_2}{{}_7C_2}$이므로

$\frac{{}_nC_2}{{}_7C_2}=\frac{1}{21}$

${}_nC_2=\frac{1}{21}\times{}_7C_2$

$\frac{n(n-1)}{2}=\frac{1}{21}\times\frac{7\times6}{2}$

$n(n-1)=2$

$\therefore n=2$

14 답 (1) 5 (2) 3

풀이 (1) 당첨 제비가 n개 들어 있다고 하면 2개 모두 당첨 제비가 나올 확률은 $\frac{{}_nC_2}{{}_8C_2}$이므로

$\frac{{}_nC_2}{{}_8C_2}=\frac{5}{14}$

${}_nC_2=\frac{5}{14}\times{}_8C_2$

$\frac{n(n-1)}{2}=\frac{5}{14}\times\frac{8\times7}{2}$

$n(n-1)=20=5\times4$

$\therefore n=5$

(2) 당첨 제비가 아닌 제비가 n개 들어 있다고 하면 2개 모두 당첨 제비가 아닌 제비가 나올 확률은 $\frac{{}_nC_2}{{}_8C_2}$이므로

$\frac{{}_nC_2}{{}_8C_2}=\frac{3}{28}$

${}_nC_2=\frac{3}{28}\times{}_8C_2$

$\frac{n(n-1)}{2}=\frac{3}{28}\times\frac{8\times7}{2}$

$n(n-1)=6=3\times2$

$\therefore n=3$

15 답 (1) $\frac{3}{4}$ (2) $\frac{5}{9}$ (3) $\frac{5}{16}$

풀이 (1) 전체 경우는 반지름의 길이가 4인 원 전체이고, $\overline{OP}\ge2$인 경우는 오른쪽 그림의 색칠한 부분이므로

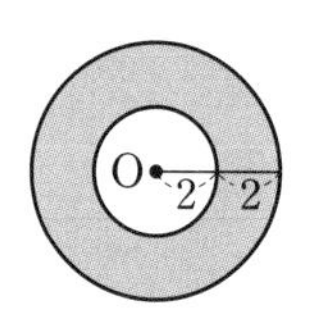

$$(\text{구하는 확률})=\frac{(\text{색칠한 부분의 넓이})}{(\text{전체 넓이})}=\frac{\pi\times4^2-\pi\times2^2}{\pi\times4^2}=\frac{12\pi}{16\pi}=\frac{3}{4}$$

(2) $$(\text{색칠한 부분에 맞힐 확률})=\frac{(\text{색칠한 부분의 넓이})}{(\text{전체 넓이})}=\frac{\pi\times6^2-\pi\times4^2}{\pi\times6^2}=\frac{20\pi}{36\pi}=\frac{5}{9}$$

(3) 전체 경우는 반지름이 8인 원 전체이고, $4\le\overline{OP}\le6$인 경우는 오른쪽 그림의 색칠한 부분이므로

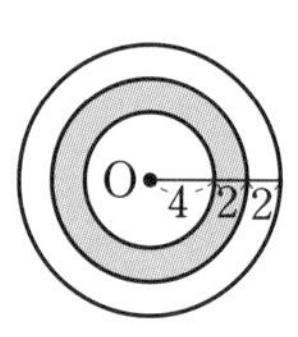

$$(\text{구하는 확률})=\frac{(\text{색칠한 부분의 넓이})}{(\text{전체 넓이})}=\frac{\pi\times6^2-\pi\times4^2}{\pi\times8^2}=\frac{20\pi}{64\pi}=\frac{5}{16}$$

16 답 (1) $\frac{1}{2}$ (2) $\frac{2}{3}$ (3) $\frac{1}{4}$

풀이 (1) 이차방정식 $x^2+2ax+3a=0$이 실근을 가질 조건은

$\frac{D}{4}=a^2-3a\ge0$

$a(a-3)\ge0$

$\therefore a\le0$ 또는 $a\ge3$

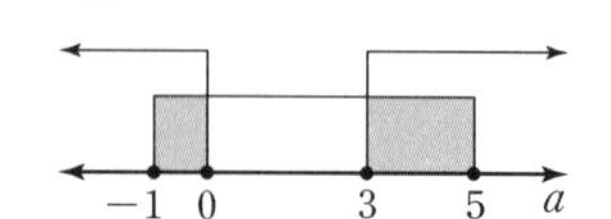

따라서 전체 구간의 길이는 $5-(-1)=6$이고 색칠한 부분의 길이는 $\{0-(-1)\}+(5-3)=3$이므로 구하는 확률은

$\frac{3}{6}=\frac{1}{2}$

(2) 이차방정식 $x^2-ax+a=0$이 실근을 가질 조건은

$D=a^2-4a\geq 0$

$a(a-4)\geq 0$

$\therefore a\leq 0$ 또는 $a\geq 4$

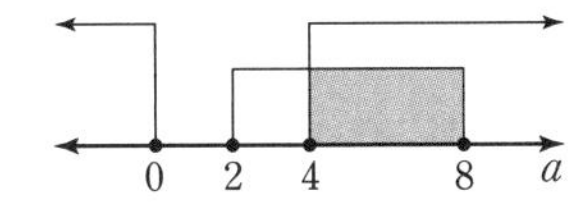

따라서 전체 구간의 길이는 $8-2=6$이고 색칠한 부분의 길이는 $8-4=4$이므로 구하는 확률은

$\frac{4}{6}=\frac{2}{3}$

(3) 이차방정식 $x^2+2ax+4=0$이 양의 실근을 가질 조건은

㉠ $\frac{D}{4}=a^2-4\geq 0$

$(a+2)(a-2)\geq 0$

$\therefore a\leq -2$ 또는 $a\geq 2$

㉡ (두 근의 합)$=-2a>0$

$\therefore a<0$

㉠, ㉡에서 $a\leq -2$

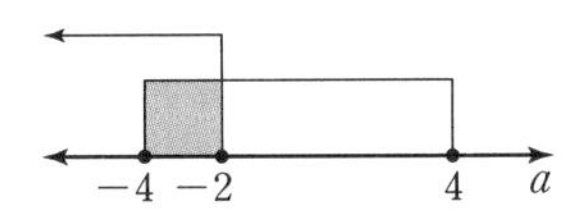

따라서 전체 구간의 길이는 $4-(-4)=8$이고 색칠한 부분의 길이는 $-2-(-4)=2$이므로 구하는 확률은

$\frac{2}{8}=\frac{1}{4}$

17 답 (1) ① 0 ② 1 (2) ① 1 ② 0

풀이 (1) ① 주사위를 던질 때, 6보다 큰 수의 눈이 나오는 사건은 공사건이므로 구하는 확률은 0

② 주사위를 던질 때, 한 자리 수의 눈이 나오는 사건은 전사건이므로 구하는 확률은 1

(2) ① 노란 공이나 파란 공이 나오는 사건은 전사건이므로 구하는 확률은 1

② 빨간 공이 나오는 사건은 공사건이므로 구하는 확률은 0

18 답 (1) $\frac{1}{2}$ (2) $\frac{1}{2}$ (3) 1 (4) 0

풀이 (1) 1부터 10까지의 자연수 중에서 짝수는 5개이므로 구하는 확률은 $\frac{5}{10}=\frac{1}{2}$

(2) 1부터 10까지의 자연수 중에서 홀수는 5개이므로 구하는 확률은 $\frac{5}{10}=\frac{1}{2}$

(3) 짝수 또는 홀수가 적힌 공을 꺼내는 사건은 전사건이므로 구하는 확률은 1

(4) 짝수이면서 홀수인 수는 없으므로 구하는 확률은 0

19 답 (1) $\frac{7}{10}$ (2) $\frac{2}{3}$ (3) $\frac{3}{5}$ (4) $\frac{1}{2}$

풀이 (1) $\mathrm{P}(S)=\mathrm{P}(A\cup B)=1$이므로

$\mathrm{P}(A\cup B)=\mathrm{P}(A)+\mathrm{P}(B)-\mathrm{P}(A\cap B)$에서

$\mathrm{P}(B)=\mathrm{P}(A\cup B)-\mathrm{P}(A)+\mathrm{P}(A\cap B)$

$=1-\frac{2}{5}+\frac{1}{10}=\frac{7}{10}$

(2) $\mathrm{P}(A\cup B)=\mathrm{P}(A)+\mathrm{P}(B)-\mathrm{P}(A\cap B)$

$=\frac{1}{2}+\frac{1}{3}-\frac{1}{6}=\frac{2}{3}$

(3) $\mathrm{P}(A\cup B)=\mathrm{P}(A)+\mathrm{P}(B)-\mathrm{P}(A\cap B)$에서

$\mathrm{P}(A)=\mathrm{P}(A\cup B)-\mathrm{P}(B)+\mathrm{P}(A\cap B)$

$=\frac{7}{10}-\frac{3}{10}+\frac{1}{5}=\frac{3}{5}$

(4) $\mathrm{P}(S)=\mathrm{P}(A\cup B)=1$이므로

$\mathrm{P}(A\cup B)=\mathrm{P}(A)+\mathrm{P}(B)-\mathrm{P}(A\cap B)$에서

$\mathrm{P}(B)=\mathrm{P}(A\cup B)-\mathrm{P}(A)+\mathrm{P}(A\cap B)$

$=1-\frac{7}{10}+\frac{1}{5}=\frac{1}{2}$

20 답 (1) $\frac{2}{3}$ (2) $\frac{7}{15}$ (3) $\frac{7}{15}$ (4) $\frac{1}{3}$

풀이 (1) 2의 배수가 적힌 카드가 나오는 사건을 A, 3의 배수가 적힌 카드가 나오는 사건을 B라고 하면

$A=\{2, 4, 6, 8, 10, 12, 14\}$, $B=\{3, 6, 9, 12, 15\}$,

$A\cap B=\{6, 12\}$

따라서 $n(A)=7$, $n(B)=5$, $n(A\cap B)=2$이므로

$\mathrm{P}(A\cup B)=\mathrm{P}(A)+\mathrm{P}(B)-\mathrm{P}(A\cap B)$

$=\frac{7}{15}+\frac{5}{15}-\frac{2}{15}=\frac{2}{3}$

(2) 3의 배수가 적힌 카드가 나오는 사건을 A, 4의 배수가 적힌 카드가 나오는 사건을 B라고 하면

$A=\{3, 6, 9, 12, 15\}$, $B=\{4, 8, 12\}$,

$A\cap B=\{12\}$

따라서 $n(A)=5$, $n(B)=3$, $n(A\cap B)=1$이므로

$\mathrm{P}(A\cup B)=\mathrm{P}(A)+\mathrm{P}(B)-\mathrm{P}(A\cap B)$

$=\frac{5}{15}+\frac{3}{15}-\frac{1}{15}=\frac{7}{15}$

(3) 5의 배수가 적힌 카드가 나오는 사건을 A, 두 자리 수가 적힌 카드가 나오는 사건을 B라고 하면

$A=\{5, 10, 15\}$, $B=\{10, 11, 12, 13, 14, 15\}$,

$A\cap B=\{10, 15\}$

따라서 $n(A)=3$, $n(B)=6$, $n(A\cap B)=2$이므로

$\mathrm{P}(A\cup B)=\mathrm{P}(A)+\mathrm{P}(B)-\mathrm{P}(A\cap B)$

$=\frac{3}{15}+\frac{6}{15}-\frac{2}{15}=\frac{7}{15}$

(4) 4의 약수가 적힌 카드가 나오는 사건을 A, 10의 약수가 적힌 카드가 나오는 사건을 B라고 하면
$A=\{1, 2, 4\}$, $B=\{1, 2, 5, 10\}$,
$A\cap B=\{1, 2\}$
따라서 $n(A)=3$, $n(B)=4$, $n(A\cap B)=2$이므로
$\mathrm{P}(A\cup B)=\mathrm{P}(A)+\mathrm{P}(B)-\mathrm{P}(A\cap B)$
$=\frac{3}{15}+\frac{4}{15}-\frac{2}{15}=\frac{1}{3}$

21 답 (1) $\frac{7}{36}$ (2) $\frac{5}{36}$ (3) $\frac{2}{9}$ (4) $\frac{5}{18}$

풀이 (1) 눈의 수의 합이 8인 사건을 A, 눈의 수의 차가 4인 사건을 B라고 하면
$A=\{(2, 6), (3, 5), (4, 4), (5, 3), (6, 2)\}$
$B=\{(1, 5), (2, 6), (5, 1), (6, 2)\}$
$A\cap B=\{(2, 6), (6, 2)\}$
따라서 $n(A)=5$, $n(B)=4$, $n(A\cap B)=2$이므로
$\mathrm{P}(A\cup B)=\mathrm{P}(A)+\mathrm{P}(B)-\mathrm{P}(A\cap B)$
$=\frac{5}{36}+\frac{4}{36}-\frac{2}{36}=\frac{7}{36}$

(2) 눈의 수의 합이 5인 사건을 A, 눈의 수의 곱이 4인 사건을 B라고 하면
$A=\{(1, 4), (2, 3), (3, 2), (4, 1)\}$
$B=\{(1, 4), (2, 2), (4, 1)\}$
$A\cap B=\{(1, 4), (4, 1)\}$
따라서 $n(A)=4$, $n(B)=3$, $n(A\cap B)=2$이므로
$\mathrm{P}(A\cup B)=\mathrm{P}(A)+\mathrm{P}(B)-\mathrm{P}(A\cap B)$
$=\frac{4}{36}+\frac{3}{36}-\frac{2}{36}=\frac{5}{36}$

(3) 눈의 수가 같은 사건을 A, 눈의 수의 합이 10인 사건을 B라고 하면
$A=\{(1, 1), (2, 2), \cdots, (6, 6)\}$
$B=\{(4, 6), (5, 5), (6, 4)\}$
$A\cap B=\{(5, 5)\}$
따라서 $n(A)=6$, $n(B)=3$, $n(A\cap B)=1$이므로
$\mathrm{P}(A\cup B)=\mathrm{P}(A)+\mathrm{P}(B)-\mathrm{P}(A\cap B)$
$=\frac{6}{36}+\frac{3}{36}-\frac{1}{36}=\frac{2}{9}$

(4) 눈의 수의 합이 10 이상인 사건을 A, 눈의 수의 차가 0인 사건을 B라고 하면
$A=\{(4, 6), (5, 5), (5, 6), (6, 4), (6, 5), (6, 6)\}$
$B=\{(1, 1), (2, 2), \cdots, (6, 6)\}$
$A\cap B=\{(5, 5), (6, 6)\}$
따라서 $n(A)=6$, $n(B)=6$, $n(A\cap B)=2$이므로
$\mathrm{P}(A\cup B)=\mathrm{P}(A)+\mathrm{P}(B)-\mathrm{P}(A\cap B)$
$=\frac{6}{36}+\frac{6}{36}-\frac{2}{36}=\frac{5}{18}$

22 답 (1) $\frac{11}{21}$ (2) $\frac{1}{7}$ (3) $\frac{2}{5}$ (4) $\frac{5}{18}$

풀이 (1) 모두 500원짜리 동전이 나오는 사건을 A, 모두 100원짜리 동전이 나오는 사건을 B라고 하면
$\mathrm{P}(A)=\frac{{}_2\mathrm{C}_2}{{}_7\mathrm{C}_2}=\frac{1}{21}$
$\mathrm{P}(B)=\frac{{}_5\mathrm{C}_2}{{}_7\mathrm{C}_2}=\frac{10}{21}$
이때 두 사건 A, B는 배반사건이므로 구하는 확률은
$\mathrm{P}(A\cup B)=\mathrm{P}(A)+\mathrm{P}(B)$
$=\frac{1}{21}+\frac{10}{21}=\frac{11}{21}$

(2) 3개 모두 노란 공이 나오는 사건을 A, 3개 모두 붉은 공이 나오는 사건을 B라고 하면
$\mathrm{P}(A)=\frac{{}_4\mathrm{C}_3}{{}_7\mathrm{C}_3}=\frac{4}{35}$,
$\mathrm{P}(B)=\frac{{}_3\mathrm{C}_3}{{}_7\mathrm{C}_3}=\frac{1}{35}$
이때 두 사건 A, B는 배반사건이므로 구하는 확률은
$\mathrm{P}(A\cup B)=\mathrm{P}(A)+\mathrm{P}(B)$
$=\frac{4}{35}+\frac{1}{35}=\frac{1}{7}$

(3) d가 맨 앞에 오는 사건을 A, y가 맨 앞에 오는 사건을 B라고 하면
$\mathrm{P}(A)=\frac{4!}{5!}=\frac{1}{5}$,
$\mathrm{P}(B)=\frac{4!}{5!}=\frac{1}{5}$
이때 두 사건 A, B는 배반사건이므로 구하는 확률은
$\mathrm{P}(A\cup B)=\mathrm{P}(A)+\mathrm{P}(B)$
$=\frac{1}{5}+\frac{1}{5}=\frac{2}{5}$

(4) 사과 2개를 사는 사건을 A, 배 2개를 사는 사건을 B, 감 2개를 사는 사건을 C라고 하면
$\mathrm{P}(A)=\frac{{}_3\mathrm{C}_2}{{}_9\mathrm{C}_2}=\frac{3}{36}=\frac{1}{12}$,
$\mathrm{P}(B)=\frac{{}_2\mathrm{C}_2}{{}_9\mathrm{C}_2}=\frac{1}{36}$,
$\mathrm{P}(C)=\frac{{}_4\mathrm{C}_2}{{}_9\mathrm{C}_2}=\frac{6}{36}=\frac{1}{6}$
이때 세 사건 A, B, C는 배반사건이므로 구하는 확률은
$\mathrm{P}(A\cup B\cup C)=\mathrm{P}(A)+\mathrm{P}(B)+\mathrm{P}(C)$
$=\frac{1}{12}+\frac{1}{36}+\frac{1}{6}=\frac{5}{18}$

23 답 (1) $\frac{3}{4}$ (2) $\frac{4}{5}$ (3) $\frac{7}{10}$

풀이 (1) 카드에 적힌 수가 4의 배수인 사건을 A라고 하면
$A=\{4, 8, 12, \cdots, 40\}$
$n(A)=10$이므로 $\mathrm{P}(A)=\frac{10}{40}=\frac{1}{4}$
따라서 구하는 확률은
$\mathrm{P}(A^C)=1-\mathrm{P}(A)=1-\frac{1}{4}=\frac{3}{4}$

(2) 카드에 적힌 수가 40의 약수인 사건을 A라고 하면
$A=\{1, 2, 4, 5, 8, 10, 20, 40\}$
$n(A)=8$이므로 $\mathrm{P}(A)=\frac{8}{40}=\frac{1}{5}$

따라서 구하는 확률은

$P(A^C)=1-P(A)=1-\frac{1}{5}=\frac{4}{5}$

(3) 카드에 적힌 수가 소수인 사건을 A라고 하면

$A=\{2, 3, 5, 7, 11, 13, 17, 19, 23, 29, 31, 37\}$

$n(A)=12$이므로 $P(A)=\frac{12}{40}=\frac{3}{10}$

따라서 구하는 확률은

$P(A^C)=1-P(A)=1-\frac{3}{10}=\frac{7}{10}$

24 답 (1) $\frac{11}{12}$ (2) $\frac{5}{6}$ (3) $\frac{5}{6}$

풀이 (1) 두 눈의 수의 합이 2 또는 3인 사건을 A라고 하면

$A=\{(1, 1), (1, 2), (2, 1)\}$

$n(A)=3$이므로 $P(A)=\frac{3}{36}=\frac{1}{12}$

따라서 구하는 확률은

$P(A^C)=1-P(A)=1-\frac{1}{12}=\frac{11}{12}$

(2) 두 눈의 수의 곱이 20보다 큰 사건을 A라고 하면

$A=\{(4, 6), (5, 5), (5, 6), (6, 4), (6, 5), (6, 6)\}$

$n(A)=6$이므로 $P(A)=\frac{6}{36}=\frac{1}{6}$

따라서 구하는 확률은

$P(A^C)=1-P(A)=1-\frac{1}{6}=\frac{5}{6}$

(3) 두 눈의 수의 차가 3보다 큰 사건을 A라고 하면

$A=\{(1, 5), (1, 6), (2, 6), (5, 1), (6, 1), (6, 2)\}$

$n(A)=6$이므로 $P(A)=\frac{6}{36}=\frac{1}{6}$

따라서 구하는 확률은

$P(A^C)=1-P(A)=1-\frac{1}{6}=\frac{5}{6}$

25 답 (1) $\frac{16}{21}$ (2) $\frac{55}{56}$ (3) $\frac{9}{10}$ (4) $\frac{9}{14}$

풀이 (1) 적어도 한 개가 빨간 구슬인 사건을 A라고 하면 A^C은 3개 모두 빨간 구슬이 아닌 사건이다.

$P(A^C)=\frac{{}_6C_3}{{}_9C_3}=\frac{20}{84}=\frac{5}{21}$

따라서 구하는 확률은

$P(A)=1-P(A^C)=1-\frac{5}{21}=\frac{16}{21}$

(2) 적어도 한 개가 당첨 제비일 사건을 A라고 하면 A^C은 3개 모두 당첨 제비가 아닌 사건이다.

$P(A^C)=\frac{{}_3C_3}{{}_8C_3}=\frac{1}{56}$

따라서 구하는 확률은

$P(A)=1-P(A^C)=1-\frac{1}{56}=\frac{55}{56}$

(3) 적어도 한쪽 끝에 모음이 놓일 사건을 A라고 하면 A^C은 양쪽 끝에 모두 자음이 놓이는 사건이다.

$P(A^C)=\frac{3!\times2!}{5!}=\frac{1}{10}$

따라서 구하는 확률은

$P(A)=1-P(A^C)=1-\frac{1}{10}=\frac{9}{10}$

(4) 파란 공을 적어도 2개 꺼내는 사건을 A라고 하면 A^C은 파란 공을 안 꺼내거나 1개 꺼내는 사건이다.

$P(A^C)=\frac{{}_5C_4}{{}_9C_4}+\frac{{}_5C_3\times{}_4C_1}{{}_9C_4}$

$=\frac{5}{126}+\frac{40}{126}=\frac{45}{126}=\frac{5}{14}$

따라서 구하는 확률은

$P(A)=1-P(A^C)=1-\frac{5}{14}=\frac{9}{14}$

26 답 (1) $\frac{3}{4}$ (2) $\frac{11}{14}$ (3) $\frac{7}{8}$ (4) $\frac{11}{12}$

풀이 (1) 두 눈의 수의 곱이 짝수인 사건을 A라고 하면 A^C은 두 눈의 수의 곱이 홀수인 사건이다.

두 눈의 수의 곱이 홀수일 확률은 두 눈의 수가 모두 홀수일 확률과 같으므로

$P(A^C)=\frac{9}{36}=\frac{1}{4}$

따라서 구하는 확률은

$P(A)=1-P(A^C)=1-\frac{1}{4}=\frac{3}{4}$

(2) 카드에 적힌 두 수의 곱이 짝수인 사건을 A라고 하면 A^C은 두 수의 곱이 홀수인 사건이다.

두 수의 곱이 홀수일 확률은 두 수가 모두 홀수일 확률과 같으므로

$P(A^C)=\frac{{}_4C_2}{{}_8C_2}=\frac{6}{28}=\frac{3}{14}$

따라서 구하는 확률은

$P(A)=1-P(A^C)=1-\frac{3}{14}=\frac{11}{14}$

(3) 세 눈의 수의 곱이 짝수인 사건을 A라고 하면 A^C은 세 눈의 수의 곱이 홀수인 사건이다.

세 눈의 수의 곱이 홀수일 확률은 세 눈의 수가 모두 홀수일 확률과 같으므로

$P(A^C)=\frac{3^3}{6^3}=\frac{1}{8}$

따라서 구하는 확률은

$P(A)=1-P(A^C)=1-\frac{1}{8}=\frac{7}{8}$

(4) 카드에 적힌 세 수의 곱이 짝수인 사건을 A라고 하면 A^C은 세 수의 곱이 홀수인 사건이다.

세 수의 곱이 홀수일 확률은 세 수가 모두 홀수일 확률과 같으므로

$P(A^C)=\frac{{}_5C_3}{{}_{10}C_3}=\frac{10}{120}=\frac{1}{12}$

따라서 구하는 확률은

$P(A)=1-P(A^C)=1-\frac{1}{12}=\frac{11}{12}$

27 답 (1) ① 0.7 ② 0.4 (2) ① 0.4 ② 0.3
(3) ① 0.5 ② 0.4 (4) ① 0.6 ② 0.1

풀이 (1) ① $P(A^C)=1-P(A)=1-0.3=\underline{0.7}$

② $P(A\cup B)=0.3+0.4-0.1=0.6$이므로

$$P(A^C\cap B^C)=P((A\cup B)^C)=1-P(A\cup B)=1-0.6=\underline{0.4}$$

(2) ① $P(B^C)=1-P(B)=1-0.6=0.4$

② $P(A\cup B)=0.2+0.6-0.1=0.7$이므로

$$P(A^C\cap B^C)=P((A\cup B)^C)=1-P(A\cup B)=1-0.7=0.3$$

(3) ① $P(A)=1-P(A^C)=1-0.5=0.5$

② $P(A\cup B)=0.5+0.3-0.2=0.6$이므로

$$P(A^C\cap B^C)=P((A\cup B)^C)=1-P(A\cup B)=1-0.6=0.4$$

(4) ① $P(B)=1-P(B^C)=1-0.4=0.6$

② $P(A\cup B)=0.6+0.6-0.3=0.9$이므로

$$P(A^C\cap B^C)=P((A\cup B)^C)=1-P(A\cup B)=1-0.9=0.1$$

28 답 (1) $\frac{2}{3}$ (2) $\frac{8}{15}$ (3) $\frac{13}{30}$ (4) $\frac{2}{5}$

풀이 (1) 카드에 적힌 수가 4의 배수인 사건을 A, 6의 배수인 사건을 B라고 하면 카드에 적힌 수가 4의 배수도 6의 배수도 아닐 확률은

$P(A^C\cap B^C)=P((A\cup B)^C)=1-P(A\cup B)$

이때 $P(A)=\frac{7}{30}$, $P(B)=\frac{5}{30}$, $P(A\cap B)=\frac{2}{30}$이므로

$$P(A\cup B)=P(A)+P(B)-P(A\cap B)=\frac{7}{30}+\frac{5}{30}-\frac{2}{30}=\frac{10}{30}=\frac{1}{3}$$

따라서 구하는 확률은

$$P(A^C\cap B^C)=1-P(A\cup B)=1-\frac{1}{3}=\frac{2}{3}$$

(2) 카드에 적힌 수가 3의 배수인 사건을 A, 5의 배수인 사건을 B라고 하면 카드에 적힌 수가 3의 배수도 5의 배수도 아닐 확률은

$P(A^C\cap B^C)=P((A\cup B)^C)=1-P(A\cup B)$

이때 $P(A)=\frac{10}{30}$, $P(B)=\frac{6}{30}$, $P(A\cap B)=\frac{2}{30}$

이므로

$$P(A\cup B)=P(A)+P(B)-P(A\cap B)=\frac{10}{30}+\frac{6}{30}-\frac{2}{30}=\frac{14}{30}=\frac{7}{15}$$

따라서 구하는 확률은

$$P(A^C\cap B^C)=1-P(A\cup B)=1-\frac{7}{15}=\frac{8}{15}$$

(3) 카드에 적힌 수가 짝수인 사건을 A, 7의 배수인 사건을 B라고 하면 카드에 적힌 수가 짝수도 7의 배수도 아닐 확률은

$P(A^C\cap B^C)=P((A\cup B)^C)=1-P(A\cup B)$

이때 $P(A)=\frac{15}{30}$, $P(B)=\frac{4}{30}$, $P(A\cap B)=\frac{2}{30}$이므로

$$P(A\cup B)=P(A)+P(B)-P(A\cap B)=\frac{15}{30}+\frac{4}{30}-\frac{2}{30}=\frac{17}{30}$$

따라서 구하는 확률은

$$P(A^C\cap B^C)=1-P(A\cup B)=1-\frac{17}{30}=\frac{13}{30}$$

(4) 카드에 적힌 수가 홀수인 사건을 A, 18의 약수인 사건을 B라고 하면 카드에 적힌 수가 홀수도 18의 약수도 아닐 확률은

$P(A^C\cap B^C)=P((A\cup B)^C)=1-P(A\cup B)$

이때 $P(A)=\frac{15}{30}$, $P(B)=\frac{6}{30}$, $P(A\cap B)=\frac{3}{30}$이므로

$$P(A\cup B)=P(A)+P(B)-P(A\cap B)=\frac{15}{30}+\frac{6}{30}-\frac{3}{30}=\frac{18}{30}=\frac{3}{5}$$

따라서 구하는 확률은

$$P(A^C\cap B^C)=1-P(A\cup B)=1-\frac{3}{5}=\frac{2}{5}$$

중단원 점검문제 | Ⅱ-1. 확률의 뜻과 활용 058-059쪽

01 답 (1) $\{1, 3, 4, 5\}$ (2) $\{2, 6\}$

풀이 표본공간을 S라고 하면

$S=\{1, 2, 3, 4, 5, 6\}$, $A=\{1, 3, 5\}$, $B=\{4\}$

(1) $A\cup B=\{1, 3, 4, 5\}$

(2) $A^C\cap B^C=(A\cup B)^C=\{2, 6\}$

02 답 사건 B와 C

풀이 $A=\{1, 3, 5, 7, 9\}$, $B=\{1, 2, 3, 6\}$, $C=\{5\}$에서

$A\cap B=\{1, 3\}$, $B\cap C=\varnothing$, $C\cap A=\{5\}$

따라서 서로 배반사건인 두 사건은 B와 C이다.

03 답 $\frac{5}{36}$

풀이 (i) 주사위 2개를 던질 때, 일어날 수 있는 모든 경우의 수는 $6\times6=36$

(ii) 두 눈의 수의 곱이 8의 배수인 경우는 $(2, 4)$, $(4, 2)$, $(4, 4)$, $(4, 6)$, $(6, 4)$의 5가지

(i), (ii)에서 구하는 확률은 $\frac{5}{36}$

04 답 $\frac{1}{30}$

풀이 (i) 6명이 일렬로 서는 모든 경우의 수는 $6!$

(ii) C를 맨 앞에, D를 맨 뒤에 고정하고 나머지 4명을 일렬로 세우는 경우의 수는 $4!$

(i), (ii)에서 구하는 확률은 $\frac{4!}{6!}=\frac{1}{30}$

05 답 $\frac{1}{3}$

풀이 (i) 4개의 숫자를 한 번씩 사용하여 만들 수 있는 네 자리 수의 개수는 $4!=24$

(ii) 34□□인 네 자리 수의 개수는 2이고, 4□□□인 네 자리 수의 개수는 $3!=6$이므로 3400보다 큰 네 자리 수의 개수는 $2+6=8$

(i), (ii)에서 구하는 확률은 $\frac{8}{24}=\frac{1}{3}$

06 답 $\frac{2}{15}$

풀이 (i) 6명이 원탁에 둘러앉는 모든 경우의 수는 $(6-1)!=5!$

(ii) 부부끼리 이웃하여 앉는 경우의 수는 각 부부를 한 묶음으로 생각하여 원탁에 앉힌 후 부부끼리 서로 자리를 바꾸는 경우의 수와 같으므로

$(3-1)!\times2!\times2!\times2!=2!\times2!\times2!\times2!$

(i), (ii)에서 구하는 확률은

$\frac{2!\times2!\times2!\times2!}{5!}=\frac{2}{15}$

07 답 $\frac{3}{8}$

풀이 (i) 3통의 편지를 임의로 한 우체통에 넣는 방법의 수는 4개 중에서 중복을 허락하여 3개를 뽑는 중복순열의 수와 같으므로

${}_4\Pi_3=4^3=64$

(ii) 서로 다른 우체통에 넣는 방법의 수는 4개 중에서 3개를 뽑는 순열의 수와 같으므로 ${}_4P_3=24$

(i), (ii)에서 구하는 확률은 $\frac{24}{64}=\frac{3}{8}$

08 답 $\frac{1}{6}$

풀이 (i) 공 6개를 일렬로 나열하는 모든 경우의 수는

$\frac{6!}{3!2!}=60$

(ii) 흰 공이 맨 앞에 오는 경우의 수는 흰 공을 맨 앞에 고정하고 빨간 공 3개, 노란 공 2개를 나열하면 되므로

$\frac{5!}{3!2!}=10$

(i), (ii)에서 구하는 확률은 $\frac{10}{60}=\frac{1}{6}$

09 답 $\frac{9}{20}$

풀이 (i) A에서 B로 가는 모든 최단 경로의 수는

$\frac{6!}{3!3!}=20$

(ii) A → P → B로 가는 최단 경로의 수는

$\frac{3!}{1!2!}\times\frac{3!}{2!1!}=9$

(i), (ii)에서 구하는 확률은 $\frac{9}{20}$

10 답 ㄷ

풀이 ㄱ. 임의의 사건 A에 대하여 $0\le P(A)\le1$

ㄴ. A, B가 서로 배반사건이고 $A\cup B=S$인 경우에만 $P(A)+P(B)=P(S)$이다.

ㄷ. $P(S)=1$, $P(\varnothing)=0$이므로 $P(S)+P(\varnothing)=1$

따라서 옳은 것은 ㄷ이다.

11 답 $\frac{7}{36}$

풀이 두 눈의 수의 합이 8인 사건을 A, 곱이 12인 사건을 B라고 하면

$A=\{(2, 6), (3, 5), (4, 4), (5, 3), (6, 2)\}$

$B=\{(2, 6), (3, 4), (4, 3), (6, 2)\}$

$A\cap B=\{(2, 6), (6, 2)\}$

따라서 $n(A)=5$, $n(B)=4$, $n(A\cap B)=2$이므로

$P(A\cup B)=P(A)+P(B)-P(A\cap B)$

$=\frac{5}{36}+\frac{4}{36}-\frac{2}{36}=\frac{7}{36}$

12 답 $\frac{3}{7}$

풀이 사과 2개를 꺼내는 사건을 A, 배 2개를 꺼내는 사건을 B라고 하면

$P(A)=\frac{{}_3C_2}{{}_7C_2}=\frac{3}{21}=\frac{1}{7}$

$P(B)=\frac{{}_4C_2}{{}_7C_2}=\frac{6}{21}=\frac{2}{7}$

이때 두 사건 A, B는 배반사건이므로 구하는 확률은

$P(A\cup B)=P(A)+P(B)=\frac{1}{7}+\frac{2}{7}=\frac{3}{7}$

13 답 $\frac{3}{5}$

풀이 희라와 철규가 이웃하여 서는 사건을 A라고 하면

$P(A)=\frac{4!\times2}{5!}=\frac{2}{5}$

따라서 구하는 확률은

$P(A^C)=1-P(A)=1-\frac{2}{5}=\frac{3}{5}$

14 답 $\frac{15}{16}$

풀이 뒷면이 적어도 1개인 사건을 A라고 하면 A^C은 4개 모두 앞면인 사건이다.

$P(A^C)=\frac{1}{2^4}=\frac{1}{16}$

따라서 구하는 확률은

$P(A)=1-P(A^C)=1-\frac{1}{16}=\frac{15}{16}$

15 답 $\frac{5}{12}$

풀이 $P(A\cup B)=P(A)+P(B)-P(A\cap B)$

$=\frac{1}{2}+\frac{1}{4}-\frac{1}{6}=\frac{7}{12}$

$\therefore \mathrm{P}(A^C \cap B^C) = \mathrm{P}((A \cup B)^C)$
$= 1 - \mathrm{P}(A \cup B)$
$= 1 - \frac{7}{12} = \frac{5}{12}$

16 답 $\frac{2}{5}$

풀이 카드에 적힌 수가 홀수인 사건을 A, 5의 배수인 사건을 B라고 하면 카드에 적힌 수가 홀수도 5의 배수도 아닐 확률은 $\mathrm{P}(A^C \cap B^C) = \mathrm{P}((A \cup B)^C) = 1 - \mathrm{P}(A \cup B)$

이때 $\mathrm{P}(A) = \frac{20}{40} = \frac{1}{2}$, $\mathrm{P}(B) = \frac{8}{40} = \frac{1}{5}$,

$\mathrm{P}(A \cap B) = \frac{4}{40} = \frac{1}{10}$이므로

$\mathrm{P}(A \cup B) = \mathrm{P}(A) + \mathrm{P}(B) - \mathrm{P}(A \cap B)$
$= \frac{1}{2} + \frac{1}{5} - \frac{1}{10} = \frac{3}{5}$

따라서 구하는 확률은

$\mathrm{P}(A^C \cap B^C) = 1 - \mathrm{P}(A \cup B) = 1 - \frac{3}{5} = \frac{2}{5}$

Ⅱ-2 조건부확률 060~076쪽

01 답 (1) $\mathrm{P}(B|A) = \frac{2}{3}$, $\mathrm{P}(A|B) = \frac{4}{9}$

(2) $\mathrm{P}(B|A) = \frac{2}{3}$, $\mathrm{P}(A|B) = \frac{4}{5}$

(3) $\mathrm{P}(B|A) = \frac{5}{12}$, $\mathrm{P}(A|B) = \frac{1}{2}$

풀이 (1) $\mathrm{P}(B|A) = \frac{\mathrm{P}(A \cap B)}{\mathrm{P}(A)} = \frac{\frac{2}{9}}{\frac{1}{3}} = \frac{2}{3}$

$\mathrm{P}(A|B) = \frac{\mathrm{P}(A \cap B)}{\mathrm{P}(B)} = \frac{\frac{2}{9}}{\frac{1}{2}} = \frac{4}{9}$

(2) $\mathrm{P}(B|A) = \frac{\mathrm{P}(A \cap B)}{\mathrm{P}(A)} = \frac{\frac{1}{2}}{\frac{3}{4}} = \frac{2}{3}$

$\mathrm{P}(A|B) = \frac{\mathrm{P}(A \cap B)}{\mathrm{P}(B)} = \frac{\frac{1}{2}}{\frac{5}{8}} = \frac{4}{5}$

(3) $\mathrm{P}(B|A) = \frac{\mathrm{P}(A \cap B)}{\mathrm{P}(A)} = \frac{\frac{1}{3}}{\frac{4}{5}} = \frac{5}{12}$

$\mathrm{P}(A|B) = \frac{\mathrm{P}(A \cap B)}{\mathrm{P}(B)} = \frac{\frac{1}{3}}{\frac{2}{3}} = \frac{1}{2}$

02 답 (1) $\frac{2}{3}$ (2) $\frac{2}{7}$ (3) $\frac{3}{7}$

풀이 (1) $\mathrm{P}(B|A) = \frac{\mathrm{P}(A \cap B)}{\mathrm{P}(A)}$에서

$\mathrm{P}(A \cap B) = \mathrm{P}(B|A)\mathrm{P}(A) = 0.5 \times 0.8 = 0.4$

$\therefore \mathrm{P}(A|B) = \frac{\mathrm{P}(A \cap B)}{\mathrm{P}(B)} = \frac{0.4}{0.6} = \frac{2}{3}$

(2) $\mathrm{P}(B|A) = \frac{\mathrm{P}(A \cap B)}{\mathrm{P}(A)}$에서

$\mathrm{P}(A \cap B) = \mathrm{P}(B|A)\mathrm{P}(A) = 0.4 \times 0.5 = 0.2$

$\therefore \mathrm{P}(A|B) = \frac{\mathrm{P}(A \cap B)}{\mathrm{P}(B)} = \frac{0.2}{0.7} = \frac{2}{7}$

(3) $\mathrm{P}(A|B) = \frac{\mathrm{P}(A \cap B)}{\mathrm{P}(B)}$에서

$\mathrm{P}(A \cap B) = \mathrm{P}(A|B)\mathrm{P}(B) = 0.5 \times 0.6 = 0.3$

$\therefore \mathrm{P}(B|A) = \frac{\mathrm{P}(A \cap B)}{\mathrm{P}(A)} = \frac{0.3}{0.7} = \frac{3}{7}$

03 답 (1) $\mathrm{P}(B|A^C) = \frac{5}{6}$, $\mathrm{P}(A|B^C) = \frac{4}{5}$

(2) $\mathrm{P}(B|A^C) = \frac{3}{4}$, $\mathrm{P}(A|B^C) = \frac{6}{7}$

(3) $\mathrm{P}(B|A^C) = \frac{2}{3}$, $\mathrm{P}(A|B^C) = \frac{7}{8}$

(4) $\mathrm{P}(B|A^C) = \frac{4}{7}$, $\mathrm{P}(A|B^C) = \frac{1}{2}$

풀이 (1) 두 사건 A, B가 배반사건이므로 $\mathrm{P}(A \cap B) = 0$

$\mathrm{P}(B|A^C) = \frac{\mathrm{P}(B \cap A^C)}{\mathrm{P}(A^C)}$
$= \frac{\mathrm{P}(B) - \mathrm{P}(A \cap B)}{1 - \mathrm{P}(A)}$
$= \frac{0.5 - 0}{1 - 0.4} = \frac{0.5}{0.6} = \frac{5}{6}$

$\mathrm{P}(A|B^C) = \frac{\mathrm{P}(A \cap B^C)}{\mathrm{P}(B^C)}$
$= \frac{\mathrm{P}(A) - \mathrm{P}(A \cap B)}{1 - \mathrm{P}(B)}$
$= \frac{0.4 - 0}{1 - 0.5} = \frac{0.4}{0.5} = \frac{4}{5}$

(2) 두 사건 A, B가 배반사건이므로 $\mathrm{P}(A \cap B) = 0$

$\mathrm{P}(B|A^C) = \frac{\mathrm{P}(B \cap A^C)}{\mathrm{P}(A^C)}$
$= \frac{\mathrm{P}(B) - \mathrm{P}(A \cap B)}{1 - \mathrm{P}(A)}$
$= \frac{0.3 - 0}{1 - 0.6} = \frac{0.3}{0.4} = \frac{3}{4}$

$\mathrm{P}(A|B^C) = \frac{\mathrm{P}(A \cap B^C)}{\mathrm{P}(B^C)}$
$= \frac{\mathrm{P}(A) - \mathrm{P}(A \cap B)}{1 - \mathrm{P}(B)}$
$= \frac{0.6 - 0}{1 - 0.3} = \frac{0.6}{0.7} = \frac{6}{7}$

(3) 두 사건 A, B가 배반사건이므로 $\mathrm{P}(A \cap B) = 0$

$\mathrm{P}(B|A^C) = \frac{\mathrm{P}(B \cap A^C)}{\mathrm{P}(A^C)}$
$= \frac{\mathrm{P}(B) - \mathrm{P}(A \cap B)}{1 - \mathrm{P}(A)}$
$= \frac{0.2 - 0}{1 - 0.7} = \frac{0.2}{0.3} = \frac{2}{3}$

$\mathrm{P}(A|B^C) = \frac{\mathrm{P}(A \cap B^C)}{\mathrm{P}(B^C)}$
$= \frac{\mathrm{P}(A) - \mathrm{P}(A \cap B)}{1 - \mathrm{P}(B)}$
$= \frac{0.7 - 0}{1 - 0.2} = \frac{0.7}{0.8} = \frac{7}{8}$

(4) 두 사건 A, B가 배반사건이므로 $P(A\cap B)=0$

$$P(B|A^C)=\frac{P(B\cap A^C)}{P(A^C)}=\frac{P(B)-P(A\cap B)}{1-P(A)}=\frac{0.4-0}{1-0.3}=\frac{0.4}{0.7}=\frac{4}{7}$$

$$P(A|B^C)=\frac{P(A\cap B^C)}{P(B^C)}=\frac{P(A)-P(A\cap B)}{1-P(B)}=\frac{0.3-0}{1-0.4}=\frac{0.3}{0.6}=\frac{1}{2}$$

04 답 (1) $\frac{1}{3}$ (2) $\frac{2}{3}$ (3) $\frac{1}{6}$ (4) $\frac{1}{3}$

풀이 (1) 소수의 눈이 나오는 사건을 A, 짝수의 눈이 나오는 사건을 B라고 하면 구하는 확률은 $P(B|A)$이다.

$A=\{2, 3, 5\}$, $B=\{2, 4, 6\}$, $A\cap B=\{2\}$에서

$P(A)=\frac{3}{6}=\frac{1}{2}$, $P(A\cap B)=\frac{1}{6}$이므로

$$P(B|A)=\frac{P(A\cap B)}{P(A)}=\frac{\frac{1}{6}}{\frac{1}{2}}=\frac{1}{3}$$

(2) 홀수의 눈이 나오는 사건을 A, 6의 약수의 눈이 나오는 사건을 B라고 하면 구하는 확률은 $P(B|A)$이다.

$A=\{1, 3, 5\}$, $B=\{1, 2, 3, 6\}$, $A\cap B=\{1, 3\}$에서

$P(A)=\frac{3}{6}=\frac{1}{2}$, $P(A\cap B)=\frac{2}{6}=\frac{1}{3}$이므로

$$P(B|A)=\frac{P(A\cap B)}{P(A)}=\frac{\frac{1}{3}}{\frac{1}{2}}=\frac{2}{3}$$

(3) 눈의 수가 같은 것이 나오는 사건을 A, 두 눈의 수의 합이 10인 사건을 B라고 하면 구하는 확률은 $P(B|A)$이다.

$A=\{(1, 1), (2, 2), \cdots, (6, 6)\}$,

$B=\{(4, 6), (5, 5), (6, 4)\}$, $A\cap B=\{(5, 5)\}$에서

$P(A)=\frac{6}{36}=\frac{1}{6}$, $P(A\cap B)=\frac{1}{36}$이므로

$$P(B|A)=\frac{P(A\cap B)}{P(A)}=\frac{\frac{1}{36}}{\frac{1}{6}}=\frac{1}{6}$$

(4) 뒷면이 1개 나오는 사건을 A, 50원짜리 동전의 뒷면이 나오는 사건을 B라고 하면 구하는 확률은 $P(B|A)$이다. 이때 (500원짜리, 100원짜리, 50원짜리)의 순서쌍으로 나타내면

$A=\{$(앞, 앞, 뒷), (앞, 뒷, 앞), (뒷, 앞, 앞)$\}$,

$B=\{$(앞, 앞, 뒷), (앞, 뒷, 뒷), (뒷, 앞, 뒷), (뒷, 뒷, 뒷)$\}$

$A\cap B=\{$(앞, 앞, 뒷)$\}$에서

$P(A)=\frac{3}{8}$, $P(A\cap B)=\frac{1}{8}$이므로

$$P(B|A)=\frac{P(A\cap B)}{P(A)}=\frac{\frac{1}{8}}{\frac{3}{8}}=\frac{1}{3}$$

05 답 (1) $\frac{9}{10}$ (2) $\frac{4}{15}$ (3) $\frac{1}{5}$ (4) $\frac{11}{20}$

풀이 (1) 임의로 뽑은 한 개의 장난감이 가 회사의 제품인 사건을 A, 정상품인 사건을 B라고 하면 구하는 확률은 $P(B|A)$이다.

이때 $P(A)=\frac{40}{100}$, $P(A\cap B)=\frac{36}{100}$이므로

$$P(B|A)=\frac{P(A\cap B)}{P(A)}=\frac{\frac{36}{100}}{\frac{40}{100}}=\frac{9}{10}$$

(2) 임의로 뽑은 한 개의 장난감이 나 회사의 제품인 사건을 A, 불량품인 사건을 B라고 하면 구하는 확률은 $P(B|A)$이다.

이때 $P(A)=\frac{60}{100}$, $P(A\cap B)=\frac{16}{100}$이므로

$$P(B|A)=\frac{P(A\cap B)}{P(A)}=\frac{\frac{16}{100}}{\frac{60}{100}}=\frac{4}{15}$$

(3) 임의로 뽑은 한 개의 장난감이 불량품인 사건을 A, 가 회사의 제품인 사건을 B라고 하면 구하는 확률은 $P(B|A)$이다.

이때 $P(A)=\frac{20}{100}$, $P(A\cap B)=\frac{4}{100}$이므로

$$P(B|A)=\frac{P(A\cap B)}{P(A)}=\frac{\frac{4}{100}}{\frac{20}{100}}=\frac{1}{5}$$

(4) 임의로 뽑은 한 개의 장난감이 정상품인 사건을 A, 나 회사의 제품인 사건을 B라고 하면 구하는 확률은 $P(B|A)$이다.

이때 $P(A)=\frac{80}{100}$, $P(A\cap B)=\frac{44}{100}$이므로

$$P(B|A)=\frac{P(A\cap B)}{P(A)}=\frac{\frac{44}{100}}{\frac{80}{100}}=\frac{11}{20}$$

06 답 (1) $\frac{4}{5}$ (2) $\frac{7}{15}$ (3) $\frac{2}{5}$ (4) $\frac{3}{10}$

풀이 (1) 임의로 뽑은 학생이 여학생인 사건을 A, 강아지를 좋아하는 학생인 사건을 B라고 하면 구하는 확률은 $P(B|A)$이다.

이때 $P(A)=\frac{60}{120}$, $P(A\cap B)=\frac{48}{120}$이므로

$$P(B|A)=\frac{P(A\cap B)}{P(A)}=\frac{\frac{48}{120}}{\frac{60}{120}}=\frac{4}{5}$$

(2) 임의로 뽑은 학생이 남학생인 사건을 A, 고양이를 좋아하는 학생인 사건을 B라고 하면 구하는 확률은 $P(B|A)$이다.

이때 $P(A)=\frac{60}{120}$, $P(A\cap B)=\frac{28}{120}$이므로

$$P(B|A)=\frac{P(A\cap B)}{P(A)}=\frac{\frac{28}{120}}{\frac{60}{120}}=\frac{7}{15}$$

(3) 임의로 뽑은 학생이 강아지를 좋아하는 학생인 사건을 A, 남학생인 사건을 B라고 하면 구하는 확률은 $\mathrm{P}(B|A)$이다.

이때 $\mathrm{P}(A)=\frac{80}{120}$, $\mathrm{P}(A\cap B)=\frac{32}{120}$이므로

$$\mathrm{P}(B|A)=\frac{\mathrm{P}(A\cap B)}{\mathrm{P}(A)}=\frac{\frac{32}{120}}{\frac{80}{120}}=\frac{2}{5}$$

(4) 임의로 뽑은 학생이 고양이를 좋아하는 학생인 사건을 A, 여학생인 사건을 B라고 하면 구하는 확률은 $\mathrm{P}(B|A)$이다.

이때 $\mathrm{P}(A)=\frac{40}{120}$, $\mathrm{P}(A\cap B)=\frac{12}{120}$이므로

$$\mathrm{P}(B|A)=\frac{\mathrm{P}(A\cap B)}{\mathrm{P}(A)}=\frac{\frac{12}{120}}{\frac{40}{120}}=\frac{3}{10}$$

07 답 (1) $\frac{4}{7}$ (2) $\frac{2}{5}$ (3) $\frac{5}{8}$

풀이 (1) 어른을 뽑는 사건을 A, 안경을 쓴 사람을 뽑는 사건을 B라고 하면 구하는 확률은 $\mathrm{P}(B|A)$이다.

이때 $\mathrm{P}(A)=\frac{70}{100}$, $\mathrm{P}(A\cap B)=\frac{40}{100}$이므로

$$\mathrm{P}(B|A)=\frac{\mathrm{P}(A\cap B)}{\mathrm{P}(A)}=\frac{\frac{40}{100}}{\frac{70}{100}}=\frac{4}{7}$$

(2) 여학생을 뽑는 사건을 A, 봄에 태어난 학생을 뽑는 사건을 B라고 하면 구하는 확률은 $\mathrm{P}(B|A)$이다.

이때 $\mathrm{P}(A)=\frac{50}{100}$, $\mathrm{P}(A\cap B)=\frac{20}{100}$이므로

$$\mathrm{P}(B|A)=\frac{\mathrm{P}(A\cap B)}{\mathrm{P}(A)}=\frac{\frac{20}{100}}{\frac{50}{100}}=\frac{2}{5}$$

(3) 축구를 좋아하는 학생을 뽑는 사건을 A, 남학생을 뽑는 사건을 B라고 하면 구하는 확률은 $\mathrm{P}(B|A)$이다.

이때 $\mathrm{P}(A)=\frac{80}{100}$, $\mathrm{P}(A\cap B)=\frac{50}{100}$이므로

$$\mathrm{P}(B|A)=\frac{\mathrm{P}(A\cap B)}{\mathrm{P}(A)}=\frac{\frac{50}{100}}{\frac{80}{100}}=\frac{5}{8}$$

08 답 (1) $\mathrm{P}(A\cap E)=\frac{1}{4}$, $\mathrm{P}(B\cap E)=\frac{3}{16}$, $\mathrm{P}(C\cap E)=\frac{9}{64}$

(2) $\frac{37}{64}$ (3) $\frac{16}{37}$ (4) $\frac{12}{37}$ (5) $\frac{9}{37}$

풀이 (1) 우산을 잃어버릴 확률은 $\frac{1}{4}$이고 잃어버리지 않을 확률은 $1-\frac{1}{4}=\frac{3}{4}$이다.

$\mathrm{P}(A\cap E)=\frac{1}{4}$,

$\mathrm{P}(B\cap E)=\frac{3}{4}\times\frac{1}{4}=\frac{3}{16}$,

$\mathrm{P}(C\cap E)=\frac{3}{4}\times\frac{3}{4}\times\frac{1}{4}=\frac{9}{64}$

(2) $\mathrm{P}(E)=\mathrm{P}(A\cap E)+\mathrm{P}(B\cap E)+\mathrm{P}(C\cap E)$

$=\frac{1}{4}+\frac{3}{16}+\frac{9}{64}=\frac{37}{64}$

(3) $\mathrm{P}(A|E)=\frac{\mathrm{P}(A\cap E)}{\mathrm{P}(E)}=\frac{\frac{1}{4}}{\frac{37}{64}}=\frac{16}{37}$

(4) $\mathrm{P}(B|E)=\frac{\mathrm{P}(B\cap E)}{\mathrm{P}(E)}=\frac{\frac{3}{16}}{\frac{37}{64}}=\frac{12}{37}$

(5) $\mathrm{P}(C|E)=\frac{\mathrm{P}(C\cap E)}{\mathrm{P}(E)}=\frac{\frac{9}{64}}{\frac{37}{64}}=\frac{9}{37}$

09 답 (1) ① $\frac{1}{5}$ ② $\frac{4}{5}$ (2) ① $\frac{1}{4}$ ② $\frac{2}{5}$ (3) ① $\frac{1}{10}$ ② $\frac{1}{5}$

풀이 (1) ① $\mathrm{P}(A\cap B)=\mathrm{P}(A)\mathrm{P}(B|A)$

$=\frac{3}{5}\times\frac{1}{3}=\frac{1}{5}$

② $\mathrm{P}(A|B)=\frac{\mathrm{P}(A\cap B)}{\mathrm{P}(B)}=\frac{\frac{1}{5}}{\frac{1}{4}}=\frac{4}{5}$

(2) ① $\mathrm{P}(A\cap B)=\mathrm{P}(A)\mathrm{P}(B|A)$

$=\frac{1}{2}\times\frac{1}{2}=\frac{1}{4}$

② $\mathrm{P}(A|B)=\frac{\mathrm{P}(A\cap B)}{\mathrm{P}(B)}=\frac{\frac{1}{4}}{\frac{5}{8}}=\frac{2}{5}$

(3) ① $\mathrm{P}(A\cap B)=\mathrm{P}(B)\mathrm{P}(A|B)$

$=\frac{2}{5}\times\frac{1}{4}=\frac{1}{10}$

② $\mathrm{P}(B|A)=\frac{\mathrm{P}(A\cap B)}{\mathrm{P}(A)}=\frac{\frac{1}{10}}{\frac{1}{2}}=\frac{1}{5}$

10 답 (1) ① $\frac{3}{7}$ ② $\frac{1}{3}$ ③ $\frac{1}{7}$ (2) ① $\frac{5}{9}$ ② $\frac{1}{2}$ ③ $\frac{5}{18}$

(3) ① $\frac{3}{10}$ ② $\frac{2}{9}$ ③ $\frac{1}{15}$ (4) ① $\frac{2}{5}$ ② $\frac{1}{3}$ ③ $\frac{2}{15}$

(5) ① $\frac{4}{11}$ ② $\frac{3}{10}$ ③ $\frac{6}{55}$

풀이 (1) 첫 번째에 500원짜리 동전을 꺼내는 사건을 A, 두 번째에 500원짜리 동전을 꺼내는 사건을 B라고 하면

① 첫 번째에 500원짜리 동전을 꺼낼 확률은

$\mathrm{P}(A)=\frac{3}{7}$

② 꺼낸 동전을 다시 넣지 않으므로 첫 번째에 500원짜리 동전을 꺼냈을 때, 두 번째에 500원짜리 동전을 꺼낼 확률은

$\mathrm{P}(B|A)=\frac{2}{6}=\frac{1}{3}$

③ 2개 모두 500원짜리 동전을 꺼낼 확률은

$\mathrm{P}(A\cap B)=\mathrm{P}(A)\mathrm{P}(B|A)$

$=\frac{3}{7}\times\frac{1}{3}=\frac{1}{7}$

(2) 첫 번째에 파란 공을 꺼내는 사건을 A, 두 번째에 파란 공을 꺼내는 사건을 B라고 하면

① 첫 번째에 파란 공을 꺼낼 확률은 $\mathrm{P}(A)=\frac{5}{9}$

② 첫 번째에 파란 공을 꺼냈을 때, 두 번째에 파란 공을 꺼낼 확률은 $\mathrm{P}(B|A)=\frac{4}{8}=\frac{1}{2}$

③ 2개 모두 파란 공을 꺼낼 확률은

$\mathrm{P}(A\cap B)=\mathrm{P}(A)\mathrm{P}(B|A)$

$=\frac{5}{9}\times\frac{1}{2}=\frac{5}{18}$

(3) 갑이 당첨 제비를 뽑는 사건을 A, 을이 당첨 제비를 뽑는 사건을 B라고 하면

① 갑이 당첨 제비를 뽑을 확률은 $\mathrm{P}(A)=\frac{3}{10}$

② 갑이 당첨 제비를 뽑았을 때, 을이 당첨 제비를 뽑을 확률은 $\mathrm{P}(B|A)=\frac{2}{9}$

③ 두 사람 모두 당첨 제비를 뽑을 확률은

$\mathrm{P}(A\cap B)=\mathrm{P}(A)\mathrm{P}(B|A)$

$=\frac{3}{10}\times\frac{2}{9}=\frac{1}{15}$

(4) 갑이 노란 구슬을 꺼내는 사건을 A, 을이 노란 구슬을 꺼내는 사건을 B라고 하면

① 갑이 노란 구슬을 꺼낼 확률은 $\mathrm{P}(A)=\frac{4}{10}=\frac{2}{5}$

② 갑이 노란 구슬을 꺼냈을 때, 을이 노란 구슬을 꺼낼 확률은 $\mathrm{P}(B|A)=\frac{3}{9}=\frac{1}{3}$

③ 두 사람 모두 노란 구슬을 꺼낼 확률은

$\mathrm{P}(A\cap B)=\mathrm{P}(A)\mathrm{P}(B|A)$

$=\frac{2}{5}\times\frac{1}{3}=\frac{2}{15}$

(5) 첫 번째에 모음이 적힌 카드를 꺼내는 사건을 A, 두 번째에 모음이 적힌 카드를 꺼내는 사건을 B라고 하면

① 첫 번째에 모음이 적힌 카드를 꺼낼 확률은

$\mathrm{P}(A)=\frac{4}{11}$

② 첫 번째에 모음이 적힌 카드를 꺼냈을 때, 두 번째에 모음이 적힌 카드를 꺼낼 확률은

$\mathrm{P}(B|A)=\frac{3}{10}$

③ 2장 모두 모음이 적힌 카드를 꺼낼 확률은

$\mathrm{P}(A\cap B)=\mathrm{P}(A)\mathrm{P}(B|A)$

$=\frac{4}{11}\times\frac{3}{10}=\frac{6}{55}$

11 답 (1) ① $\frac{1}{7}$ ② $\frac{2}{7}$ ③ $\frac{3}{7}$ (2) ① $\frac{5}{18}$ ② $\frac{5}{18}$ ③ $\frac{5}{9}$

(3) ① $\frac{1}{15}$ ② $\frac{7}{30}$ ③ $\frac{3}{10}$ (4) ① $\frac{2}{15}$ ② $\frac{4}{15}$ ③ $\frac{2}{5}$

(5) ① $\frac{6}{55}$ ② $\frac{14}{55}$ ③ $\frac{4}{11}$

풀이 **(1)** 첫 번째에 500원짜리 동전을 꺼내는 사건을 A, 두 번째에 500원짜리 동전을 꺼내는 사건을 B라고 하면

$\mathrm{P}(A)=\frac{3}{7}$, $\mathrm{P}(A^C)=\frac{4}{7}$,

$\mathrm{P}(B|A)=\frac{2}{6}=\frac{1}{3}$, $\mathrm{P}(B|A^C)=\frac{3}{6}=\frac{1}{2}$

① 첫 번째와 두 번째 모두 500원짜리 동전을 꺼낼 확률은 $\mathrm{P}(A\cap B)$이므로

$\mathrm{P}(A\cap B)=\mathrm{P}(A)\mathrm{P}(B|A)$

$=\frac{3}{7}\times\frac{1}{3}=\frac{1}{7}$

② 첫 번째에 100원짜리 동전, 두 번째에 500원짜리 동전을 꺼낼 확률은 $\mathrm{P}(A^C\cap B)$이므로

$\mathrm{P}(A^C\cap B)=\mathrm{P}(A^C)\mathrm{P}(B|A^C)$

$=\frac{4}{7}\times\frac{1}{2}=\frac{2}{7}$

③ 두 번째에 500원짜리 동전을 꺼낼 확률은 $\mathrm{P}(B)$이므로

$\mathrm{P}(B)=\mathrm{P}(A\cap B)+\mathrm{P}(A^C\cap B)$

$=\frac{1}{7}+\frac{2}{7}=\frac{3}{7}$

(2) 첫 번째에 파란 공을 꺼내는 사건을 A, 두 번째에 파란 공을 꺼내는 사건을 B라고 하면

$\mathrm{P}(A)=\frac{5}{9}$, $\mathrm{P}(A^C)=\frac{4}{9}$

$\mathrm{P}(B|A)=\frac{4}{8}=\frac{1}{2}$, $\mathrm{P}(B|A^C)=\frac{5}{8}$

① 첫 번째와 두 번째 모두 파란 공을 꺼낼 확률은 $\mathrm{P}(A\cap B)$이므로

$\mathrm{P}(A\cap B)=\mathrm{P}(A)\mathrm{P}(B|A)$

$=\frac{5}{9}\times\frac{1}{2}=\frac{5}{18}$

② 첫 번째에 흰 공을 꺼내고, 두 번째에 파란 공을 꺼낼 확률은 $\mathrm{P}(A^C\cap B)$이므로

$\mathrm{P}(A^C\cap B)=\mathrm{P}(A^C)\mathrm{P}(B|A^C)$

$=\frac{4}{9}\times\frac{5}{8}=\frac{5}{18}$

③ 두 번째에 파란 공을 꺼낼 확률은 $\mathrm{P}(B)$이므로

$\mathrm{P}(B)=\mathrm{P}(A\cap B)+\mathrm{P}(A^C\cap B)$

$=\frac{5}{18}+\frac{5}{18}=\frac{5}{9}$

(3) 갑이 당첨 제비를 뽑는 사건을 A, 을이 당첨 제비를 뽑는 사건을 B라고 하면

$\mathrm{P}(A)=\frac{3}{10}$, $\mathrm{P}(A^C)=\frac{7}{10}$,

$\mathrm{P}(B|A)=\frac{2}{9}$, $\mathrm{P}(B|A^C)=\frac{3}{9}=\frac{1}{3}$

① 갑과 을이 모두 당첨 제비를 뽑을 확률은 $\mathrm{P}(A\cap B)$이므로

$\mathrm{P}(A\cap B)=\mathrm{P}(A)\mathrm{P}(B|A)$

$=\frac{3}{10}\times\frac{2}{9}=\frac{1}{15}$

② 갑이 당첨 제비를 뽑지 않고, 을이 당첨 제비를 뽑을 확률은 $\mathrm{P}(A^C\cap B)$이므로

$\mathrm{P}(A^C\cap B)=\mathrm{P}(A^C)\mathrm{P}(B|A^C)$

$=\frac{7}{10}\times\frac{1}{3}=\frac{7}{30}$

③ 을이 당첨 제비를 뽑을 확률은 $\mathrm{P}(B)$이므로

$\mathrm{P}(B)=\mathrm{P}(A\cap B)+\mathrm{P}(A^{C}\cap B)$

$=\frac{1}{15}+\frac{7}{30}=\frac{3}{10}$

(4) 갑이 노란 구슬을 꺼내는 사건을 A, 을이 노란 구슬을 꺼내는 사건을 B라고 하면

$\mathrm{P}(A)=\frac{4}{10}=\frac{2}{5}$, $\mathrm{P}(A^{C})=\frac{3}{5}$,

$\mathrm{P}(B|A)=\frac{3}{9}=\frac{1}{3}$, $\mathrm{P}(B|A^{C})=\frac{4}{9}$

① 갑과 을이 모두 노란 구슬을 꺼낼 확률은 $\mathrm{P}(A\cap B)$이므로

$\mathrm{P}(A\cap B)=\mathrm{P}(A)\mathrm{P}(B|A)$

$=\frac{2}{5}\times\frac{1}{3}=\frac{2}{15}$

② 갑이 파란 구슬을 꺼내고, 을이 노란 구슬을 꺼낼 확률은 $\mathrm{P}(A^{C}\cap B)$이므로

$\mathrm{P}(A^{C}\cap B)=\mathrm{P}(A^{C})\mathrm{P}(B|A^{C})$

$=\frac{3}{5}\times\frac{4}{9}=\frac{4}{15}$

③ 을이 노란 구슬을 꺼낼 확률은 $\mathrm{P}(B)$이므로

$\mathrm{P}(B)=\mathrm{P}(A\cap B)+\mathrm{P}(A^{C}\cap B)$

$=\frac{2}{15}+\frac{4}{15}=\frac{2}{5}$

(5) 첫 번째에 모음이 적힌 카드를 꺼내는 사건을 A, 두 번째에 모음이 적힌 카드를 꺼내는 사건을 B라고 하면

$\mathrm{P}(A)=\frac{4}{11}$, $\mathrm{P}(A^{C})=\frac{7}{11}$,

$\mathrm{P}(B|A)=\frac{3}{10}$, $\mathrm{P}(B|A^{C})=\frac{4}{10}=\frac{2}{5}$

① 첫 번째와 두 번째 모두 모음이 적힌 카드를 꺼낼 확률은 $\mathrm{P}(A\cap B)$이므로

$\mathrm{P}(A\cap B)=\mathrm{P}(A)\mathrm{P}(B|A)$

$=\frac{4}{11}\times\frac{3}{10}=\frac{6}{55}$

② 첫 번째에 자음이 적힌 카드를 꺼내고 두 번째에 모음이 적힌 카드를 꺼낼 확률은 $\mathrm{P}(A^{C}\cap B)$이므로

$\mathrm{P}(A^{C}\cap B)=\mathrm{P}(A^{C})\mathrm{P}(B|A^{C})$

$=\frac{7}{11}\times\frac{2}{5}=\frac{14}{55}$

③ 두 번째에 모음이 적힌 카드를 꺼낼 확률은 $\mathrm{P}(B)$이므로

$\mathrm{P}(B)=\mathrm{P}(A\cap B)+\mathrm{P}(A^{C}\cap B)$

$=\frac{6}{55}+\frac{14}{55}$

$=\frac{20}{55}=\frac{4}{11}$

12 **답** **(1)** ① 0.28 ② 0.06 ③ 0.34

(2) ① 0.72 ② 0.02 ③ 0.74

(3) ① 0.28 ② 0.3 ③ 0.58

(4) ① 0.3 ② 0.08 ③ 0.38

풀이 **(1)** 오늘 날씨가 흐린 사건을 A, 내일 비가 오는 사건을 E라고 하면

$\mathrm{P}(A)=0.4$, $\mathrm{P}(E|A)=0.7$,

$\mathrm{P}(A^{C})=0.6$, $\mathrm{P}(E|A^{C})=0.1$

① 오늘 날씨가 흐리고, 내일 비가 올 확률은 $\mathrm{P}(A\cap E)$이므로

$\mathrm{P}(A\cap E)=\mathrm{P}(A)\mathrm{P}(E|A)$

$=0.4\times0.7=0.28$

② 오늘 날씨가 흐리지 않고, 내일 비가 올 확률은 $\mathrm{P}(A^{C}\cap E)$이므로

$\mathrm{P}(A^{C}\cap E)=\mathrm{P}(A^{C})\mathrm{P}(E|A^{C})$

$=0.6\times0.1=0.06$

③ 내일 비가 올 확률은 $\mathrm{P}(E)$이므로

$\mathrm{P}(E)=\mathrm{P}(A\cap E)+\mathrm{P}(A^{C}\cap E)$

$=0.28+0.06=0.34$

(2) 정상인 물건을 택하는 사건을 A, 정상으로 판정하는 사건을 E라고 하면

$\mathrm{P}(A)=0.8$, $\mathrm{P}(E|A)=0.9$

$\mathrm{P}(A^{C})=0.2$, $\mathrm{P}(E|A^{C})=0.1$

① 정상인 물건을 택하고, 그 물건을 정상으로 판정할 확률은 $\mathrm{P}(A\cap E)$이므로

$\mathrm{P}(A\cap E)=\mathrm{P}(A)\mathrm{P}(E|A)$

$=0.8\times0.9=0.72$

② 불량인 물건을 택하고, 그 물건을 정상으로 판정할 확률은 $\mathrm{P}(A^{C}\cap E)$이므로

$\mathrm{P}(A^{C}\cap E)=\mathrm{P}(A^{C})\mathrm{P}(E|A^{C})$

$=0.2\times0.1=0.02$

③ 택한 물건을 정상으로 판정할 확률은 $\mathrm{P}(E)$이므로

$\mathrm{P}(E)=\mathrm{P}(A\cap E)+\mathrm{P}(A^{C}\cap E)$

$=0.72+0.02=0.74$

(3) 홈 경기인 사건을 A, 경기에서 이기는 사건을 E라고 하면

$\mathrm{P}(A)=0.4$, $\mathrm{P}(E|A)=0.7$,

$\mathrm{P}(A^{C})=0.6$, $\mathrm{P}(E|A^{C})=0.5$

① 홈 경기이고, 그 경기에서 이길 확률은 $\mathrm{P}(A\cap E)$이므로

$\mathrm{P}(A\cap E)=\mathrm{P}(A)\mathrm{P}(E|A)$

$=0.4\times0.7=0.28$

② 원정 경기이고, 그 경기에서 이길 확률은 $\mathrm{P}(A^{C}\cap E)$이므로

$\mathrm{P}(A^{C}\cap E)=\mathrm{P}(A^{C})\mathrm{P}(E|A^{C})$

$-0.6\times0.5-0.3$

③ 경기를 한 번 했을 때, 이길 확률은 $\mathrm{P}(E)$이므로

$\mathrm{P}(E)=\mathrm{P}(A\cap E)+\mathrm{P}(A^{C}\cap E)$

$=0.28+0.3$

$=0.58$

(4) 내일 비가 내리는 사건을 A, 낮잠을 자는 사건을 E라고 하면

$\mathrm{P}(A)=0.6$, $\mathrm{P}(E|A)=0.5$,
$\mathrm{P}(A^C)=0.4$, $\mathrm{P}(E|A^C)=0.2$
① 내일 비가 내리고, 낮잠을 잘 확률은 $\mathrm{P}(A\cap E)$이므로
$\mathrm{P}(A\cap E)=\mathrm{P}(A)\mathrm{P}(E|A)$
$=0.6\times 0.5=0.3$
② 내일 비가 내리지 않고, 낮잠을 잘 확률은 $\mathrm{P}(A^C\cap E)$ 이므로
$\mathrm{P}(A^C\cap E)=\mathrm{P}(A^C)\mathrm{P}(E|A^C)$
$=0.4\times 0.2=0.08$
③ 내일 낮잠을 잘 확률은 $\mathrm{P}(E)$이므로
$\mathrm{P}(E)=\mathrm{P}(A\cap E)+\mathrm{P}(A^C\cap E)$
$=0.3+0.08=0.38$

13 **답** (1) 0.042 (2) $\frac{5}{7}$ (3) $\frac{2}{7}$

풀이 (1) 갑과 을이 조립한 물건인 사건을 각각 A, B라 하고, 잘못 조립된 물건인 사건을 E라고 하면
$\mathrm{P}(A)=0.6$, $\mathrm{P}(B)=0.4$,
$\mathrm{P}(E|A)=0.05$, $\mathrm{P}(E|B)=0.03$
따라서 구하는 확률은
$\mathrm{P}(E)=\mathrm{P}(A\cap E)+\mathrm{P}(B\cap E)$
$=\mathrm{P}(A)\mathrm{P}(E|A)+\mathrm{P}(B)\mathrm{P}(E|B)$
$=0.6\times 0.05+0.4\times 0.03$
$=\underline{0.03}+\underline{0.012}=\underline{0.042}$

(2) $\mathrm{P}(A|E)=\frac{\mathrm{P}(A\cap E)}{\mathrm{P}(E)}$
$=\frac{0.03}{0.042}=\frac{5}{7}$

(3) $\mathrm{P}(B|E)=\frac{\mathrm{P}(B\cap E)}{\mathrm{P}(E)}$
$=\frac{0.012}{0.042}=\frac{2}{7}$

14 **답** (1) 0.46 (2) $\frac{14}{23}$ (3) $\frac{9}{23}$ (4) 0.54 (5) $\frac{2}{9}$ (6) $\frac{7}{9}$

풀이 (1) 내일 날씨가 맑은 사건을 A, 경기에서 이기는 사건을 E라고 하면
$\mathrm{P}(A)=0.4$, $\mathrm{P}(E|A)=0.7$,
$\mathrm{P}(A^C)=0.6$, $\mathrm{P}(E|A^C)=0.3$
따라서 내일 경기에서 이길 확률은 $\mathrm{P}(E)$이므로
$\mathrm{P}(E)=\mathrm{P}(A\cap E)+\mathrm{P}(A^C\cap E)$
$=\mathrm{P}(A)\mathrm{P}(E|A)+\mathrm{P}(A^C)\mathrm{P}(E|A^C)$
$=0.4\times 0.7+0.6\times 0.3$
$=0.28+0.18=0.46$

(2) $\mathrm{P}(A|E)=\frac{\mathrm{P}(A\cap E)}{\mathrm{P}(E)}$
$=\frac{0.28}{0.46}=\frac{14}{23}$

(3) $\mathrm{P}(A^C|E)=\frac{\mathrm{P}(A^C\cap E)}{\mathrm{P}(E)}$
$=\frac{0.18}{0.46}=\frac{9}{23}$

(4) $\mathrm{P}(E^C)=1-\mathrm{P}(E)=1-0.46=0.54$

(5) $\mathrm{P}(A|E^C)=\frac{\mathrm{P}(A\cap E^C)}{\mathrm{P}(E^C)}$
$=\frac{\mathrm{P}(A)\mathrm{P}(E^C|A)}{\mathrm{P}(E^C)}$
$=\frac{0.4\times(1-0.7)}{0.54}=\frac{0.4\times 0.3}{0.54}$
$=\frac{0.12}{0.54}=\frac{2}{9}$

(6) $\mathrm{P}(A^C|E^C)=\frac{\mathrm{P}(A^C\cap E^C)}{\mathrm{P}(E^C)}$
$=\frac{\mathrm{P}(A^C)\mathrm{P}(E^C|A^C)}{\mathrm{P}(E^C)}$
$=\frac{0.6\times(1-0.3)}{0.54}=\frac{0.6\times 0.7}{0.54}$
$=\frac{0.42}{0.54}=\frac{7}{9}$

15 **답** (1) 0.31 (2) $\frac{24}{31}$ (3) $\frac{7}{31}$ (4) 0.69 (5) $\frac{2}{23}$ (6) $\frac{21}{23}$

풀이 (1) 택한 사람이 독감에 걸린 사람인 사건을 A, 독감에 걸렸다고 진단 받는 사건을 E라고 하면
$\mathrm{P}(A)=0.3$, $\mathrm{P}(E|A)=0.8$,
$\mathrm{P}(A^C)=0.7$, $\mathrm{P}(E|A^C)=0.1$
따라서 독감에 걸렸다고 진단 받을 확률은 $\mathrm{P}(E)$이므로
$\mathrm{P}(E)=\mathrm{P}(A\cap E)+\mathrm{P}(A^C\cap E)$
$=\mathrm{P}(A)\mathrm{P}(E|A)+\mathrm{P}(A^C)\mathrm{P}(E|A^C)$
$=0.3\times 0.8+0.7\times 0.1$
$=0.24+0.07=0.31$

(2) $\mathrm{P}(A|E)=\frac{\mathrm{P}(A\cap E)}{\mathrm{P}(E)}$
$=\frac{0.24}{0.31}=\frac{24}{31}$

(3) $\mathrm{P}(A^C|E)=\frac{\mathrm{P}(A^C\cap E)}{\mathrm{P}(E)}$
$=\frac{0.07}{0.31}=\frac{7}{31}$

(4) $\mathrm{P}(E^C)=1-\mathrm{P}(E)=1-0.31=0.69$

(5) $\mathrm{P}(A|E^C)=\frac{\mathrm{P}(A\cap E^C)}{\mathrm{P}(E^C)}$
$=\frac{\mathrm{P}(A)\mathrm{P}(E^C|A)}{\mathrm{P}(E^C)}$
$=\frac{0.3\times(1-0.8)}{0.69}=\frac{0.3\times 0.2}{0.69}$
$=\frac{0.06}{0.69}=\frac{2}{23}$

(6) $\mathrm{P}(A^C|E^C)=\frac{\mathrm{P}(A^C\cap E^C)}{\mathrm{P}(E^C)}$
$=\frac{\mathrm{P}(A^C)\mathrm{P}(E^C|A^C)}{\mathrm{P}(E^C)}$
$=\frac{0.7\times(1-0.1)}{0.69}=\frac{0.7\times 0.9}{0.69}$
$=\frac{0.63}{0.69}=\frac{21}{23}$

16 **답** (1) $\mathrm{P}(A\cap B)=0.12$, $\mathrm{P}(A\cup B)=0.58$
(2) 0.6 (3) 0.6

풀이 (1) 두 사건 A, B가 서로 독립이므로

$P(A\cap B)=P(A)P(B)$
$=0.4\times0.3=\underline{0.12}$

$P(A\cup B)=P(A)+P(B)-P(A\cap B)$
$=0.4+0.3-0.12=\underline{0.58}$

(2) 두 사건 A, B가 서로 독립이므로

$P(A\cap B)=P(A)P(B)$
$=0.2\times0.5=0.1$

$P(A\cup B)=P(A)+P(B)-P(A\cap B)$
$=0.2+0.5-0.1=0.6$

(3) $P(A\cap B)=P(A)P(B)=0.5\times P(B)$를

$P(A\cup B)=P(A)+P(B)-P(A\cap B)$에 대입하면

$0.8=0.5+P(B)-0.5\times P(B)$

$0.5\times P(B)=0.3 \quad \therefore P(B)=\frac{0.3}{0.5}=\frac{3}{5}=0.6$

17 **답** (1) 독립 (2) 독립 (3) 독립

풀이 (1) $P(A^C\cap B)=P(B)-P(A\cap B)$
$=P(B)-P(A)P(B)$
$=P(B)\{1-P(A)\}$
$=P(B)P(A^C)$
$=P(A^C)P(B)$

따라서 사건 A^C과 B는 서로 독립이다.

(2) $P(A\cap B^C)=P(A)-P(A\cap B)$
$=P(A)-P(A)P(B)$
$=P(A)\{1-P(B)\}$
$=P(A)P(B^C)$

따라서 사건 A와 B^C은 서로 독립이다.

(3) $P(A^C\cap B^C)=P((A\cup B)^C)$
$=1-P(A\cup B)$
$=1-\{P(A)+P(B)-P(A\cap B)\}$
$=1-P(A)-P(B)+P(A)P(B)$
$=\{1-P(A)\}\{1-P(B)\}$
$=P(A^C)P(B^C)$

따라서 사건 A^C과 B^C도 서로 독립이다.

18 **답** (1) 독립 (2) 독립 (3) 종속 (4) 독립 (5) 종속

풀이 (1) $A=\{2, 3, 5, 7\}$, $B=\{3, 6\}$, $A\cap B=\{3\}$에서

$P(A)=\frac{4}{8}=\frac{1}{2}$, $P(B)=\frac{2}{8}=\frac{1}{4}$, $P(A\cap B)=\frac{1}{8}$

따라서 $P(A\cap B)=P(A)P(B)$이므로 사건 A와 B는 서로 독립이다.

(2) $A=\{2, 3, 5, 7\}$, $C=\{1, 2, 3, 6\}$, $A\cap C=\{2, 3\}$에서

$P(A)=\frac{4}{8}=\frac{1}{2}$, $P(C)=\frac{4}{8}=\frac{1}{2}$, $P(A\cap C)=\frac{2}{8}=\frac{1}{4}$

따라서 $P(A\cap C)=P(A)P(C)$이므로 사건 A와 C는 서로 독립이다.

(3) $B=\{3, 6\}$, $C=\{1, 2, 3, 6\}$, $B\cap C=\{3, 6\}$에서

$P(B)=\frac{2}{8}=\frac{1}{4}$, $P(C)=\frac{4}{8}=\frac{1}{2}$, $P(B\cap C)=\frac{2}{8}=\frac{1}{4}$

따라서 $P(B\cap C)\neq P(B)P(C)$이므로 사건 B와 C는 종속이다.

(4) $A^C=\{1, 4, 6, 8\}$, $B=\{3, 6\}$, $A^C\cap B=\{6\}$에서

$P(A^C)=\frac{4}{8}=\frac{1}{2}$, $P(B)=\frac{2}{8}=\frac{1}{4}$, $P(A^C\cap B)=\frac{1}{8}$

따라서 $P(A^C\cap B)=P(A^C)P(B)$이므로 사건 A^C과 B는 독립이다.

(5) $B=\{3, 6\}$, $C^C=\{4, 5, 7, 8\}$, $B\cap C^C=\varnothing$에서

$P(B)=\frac{2}{8}=\frac{1}{4}$, $P(C^C)=\frac{4}{8}=\frac{1}{2}$, $P(B\cap C^C)=0$

따라서 $P(B\cap C^C)\neq P(B)P(C^C)$이므로 사건 B와 C^C은 종속이다.

19 **답** (1) 참 (2) 참 (3) 거짓 (4) 참 (5) 참

풀이 (1) $P(A|B)P(B|A)=\frac{P(A\cap B)}{P(B)}\times\frac{P(B\cap A)}{P(A)}$
$=\frac{P(A)P(B)}{P(B)}\times\frac{P(B)P(A)}{P(A)}$
$=P(A)P(B)$
$=P(A\cap B)$

따라서 주어진 명제는 참이다.

(2) $P(A|B)=\frac{P(A\cap B)}{P(B)}=\frac{P(A)P(B)}{P(B)}=P(A)$

$P(A|B^C)=\frac{P(A\cap B^C)}{P(B^C)}=\frac{P(A)P(B^C)}{P(B^C)}=P(A)$

$\therefore P(A|B)=P(A|B^C)$

따라서 주어진 명제는 참이다.

(3) $P(A|B)P(A)=\frac{P(A\cap B)}{P(B)}\times P(A)$
$=\frac{P(A)P(B)}{P(B)}\times P(A)=\{P(A)\}^2$

따라서 주어진 명제는 거짓이다.

(4) $P(A|B^C)+P(A^C|B)$
$=\frac{P(A\cap B^C)}{P(B^C)}+\frac{P(A^C\cap B)}{P(B)}$
$=\frac{P(A)P(B^C)}{P(B^C)}+\frac{P(A^C)P(B)}{P(B)}$
$=P(A)+P(A^C)=1$

따라서 주어진 명제는 참이다.

(5) $1-P(A\cup B)=1-\{P(A)+P(B)-P(A\cap B)\}$
$=1-P(A)-P(B)+P(A\cap B)$
$=1-P(A)-P(B)+P(A)P(B)$
$=\{1-P(A)\}\{1-P(B)\}$

따라서 주어진 명제는 참이다.

20 **답** (1) $\frac{3}{8}$ (2) $\frac{19}{40}$ (3) $\frac{3}{20}$ (4) $\frac{17}{20}$

풀이 (1) 슛을 쏘는 사건은 서로 독립이고, 각각 슛을 성공시켜야 하므로 구하는 확률은

$\frac{3}{5}\times\frac{5}{8}=\frac{3}{8}$

(2) (i) 갑은 성공시키고, 을은 성공시키지 못할 확률은

$\frac{3}{5}\times\left(1-\frac{5}{8}\right)=\frac{3}{5}\times\frac{3}{8}=\frac{9}{40}$

(ii) 갑은 성공시키지 못하고, 을은 성공시킬 확률은

$\left(1-\frac{3}{5}\right)\times\frac{5}{8}=\frac{2}{5}\times\frac{5}{8}=\frac{1}{4}$

(i), (ii)에서 구하는 확률은 $\frac{9}{40}+\frac{1}{4}=\frac{19}{40}$

(3) 2명 모두 슛을 성공시키지 못할 확률은

$\left(1-\frac{3}{5}\right)\times\left(1-\frac{5}{8}\right)=\frac{2}{5}\times\frac{3}{8}=\frac{3}{20}$

(4) (적어도 1명이 슛을 성공시킬 확률)

$=1-$(2명 모두 슛을 성공시키지 못할 확률)

$=1-\frac{3}{20}=\frac{17}{20}$

21 **답** (1) 0.4 (2) 0.5 (3) 0.1 (4) 0.9

풀이 (1) 일을 끝마치는 사건은 서로 독립이고, 각각 일을 끝마쳐야 하므로 구하는 확률은

$0.5\times0.8=0.4$

(2) (i) 갑은 일을 끝마치고, 을은 일을 끝마치지 못할 확률은

$0.5\times(1-0.8)=0.5\times0.2=0.1$

(ii) 갑은 일을 끝마치지 못하고, 을은 일을 끝마칠 확률은

$(1-0.5)\times0.8=0.5\times0.8=0.4$

(i), (ii)에서 구하는 확률은 $0.1+0.4=0.5$

(3) 2명 모두 일을 끝마치지 못할 확률은

$(1-0.5)\times(1-0.8)=0.5\times0.2=0.1$

(4) (적어도 1명이 일을 끝마칠 확률)

$=1-$(2명 모두 일을 끝마치지 못할 확률)

$=1-0.1=0.9$

22 **답** (1) $\frac{4}{15}$ (2) $\frac{7}{15}$ (3) $\frac{7}{30}$ (4) $\frac{1}{30}$ (5) $\frac{29}{30}$

풀이 (1) 문제를 맞히는 사건은 서로 독립이고, 각각 문제를 맞혀야 하므로 구하는 확률은

$\frac{1}{2}\times\frac{4}{5}\times\frac{2}{3}=\frac{4}{15}$

(2) (i) 갑, 을은 맞히고, 병은 틀릴 확률은

$\frac{1}{2}\times\frac{4}{5}\times\left(1-\frac{2}{3}\right)=\frac{1}{2}\times\frac{4}{5}\times\frac{1}{3}=\frac{2}{15}$

(ii) 갑, 병은 맞히고, 을은 틀릴 확률은

$\frac{1}{2}\times\left(1-\frac{4}{5}\right)\times\frac{2}{3}=\frac{1}{2}\times\frac{1}{5}\times\frac{2}{3}=\frac{1}{15}$

(iii) 을, 병은 맞히고, 갑은 틀릴 확률은

$\left(1-\frac{1}{2}\right)\times\frac{4}{5}\times\frac{2}{3}=\frac{1}{2}\times\frac{4}{5}\times\frac{2}{3}=\frac{4}{15}$

(i), (ii), (iii)에서 구하는 확률은

$\frac{2}{15}+\frac{1}{15}+\frac{4}{15}=\frac{7}{15}$

(3) (i) 갑은 맞히고, 을, 병은 틀릴 확률은

$\frac{1}{2}\times\left(1-\frac{4}{5}\right)\times\left(1-\frac{2}{3}\right)=\frac{1}{2}\times\frac{1}{5}\times\frac{1}{3}=\frac{1}{30}$

(ii) 을은 맞히고, 갑, 병은 틀릴 확률은

$\left(1-\frac{1}{2}\right)\times\frac{4}{5}\times\left(1-\frac{2}{3}\right)=\frac{1}{2}\times\frac{4}{5}\times\frac{1}{3}=\frac{2}{15}$

(iii) 병은 맞히고, 갑, 을은 틀릴 확률은

$\left(1-\frac{1}{2}\right)\times\left(1-\frac{4}{5}\right)\times\frac{2}{3}=\frac{1}{2}\times\frac{1}{5}\times\frac{2}{3}=\frac{1}{15}$

(i), (ii), (iii)에서 구하는 확률은

$\frac{1}{30}+\frac{2}{15}+\frac{1}{15}=\frac{7}{30}$

(4) 3명 모두 문제를 틀릴 확률은

$\left(1-\frac{1}{2}\right)\times\left(1-\frac{4}{5}\right)\times\left(1-\frac{2}{3}\right)$

$=\frac{1}{2}\times\frac{1}{5}\times\frac{1}{3}=\frac{1}{30}$

(5) (적어도 1명이 문제를 맞힐 확률)

$=1-$(3명 모두 문제를 틀릴 확률)

$=1-\frac{1}{30}=\frac{29}{30}$

23 **답** (1) $\frac{3}{40}$ (2) $\frac{2}{5}$ (3) $\frac{17}{40}$ (4) $\frac{1}{10}$ (5) $\frac{9}{10}$

풀이 (1) A, B, C 세 도시에서 내일 비가 올 확률은 각각 $\frac{1}{5}$, $\frac{1}{2}$, $\frac{3}{4}$이다.

내일 비가 올 사건은 서로 독립이고, 각각 비가 와야 하므로 구하는 확률은

$\frac{1}{5}\times\frac{1}{2}\times\frac{3}{4}=\frac{3}{40}$

(2) (i) A, B는 비가 오고, C는 비가 오지 않을 확률은

$\frac{1}{5}\times\frac{1}{2}\times\left(1-\frac{3}{4}\right)=\frac{1}{5}\times\frac{1}{2}\times\frac{1}{4}=\frac{1}{40}$

(ii) A, C는 비가 오고, B는 비가 오지 않을 확률은

$\frac{1}{5}\times\left(1-\frac{1}{2}\right)\times\frac{3}{4}=\frac{1}{5}\times\frac{1}{2}\times\frac{3}{4}=\frac{3}{40}$

(iii) B, C는 비가 오고, A는 비가 오지 않을 확률은

$\left(1-\frac{1}{5}\right)\times\frac{1}{2}\times\frac{3}{4}=\frac{4}{5}\times\frac{1}{2}\times\frac{3}{4}=\frac{3}{10}$

(i), (ii), (iii)에서 구하는 확률은

$\frac{1}{40}+\frac{3}{40}+\frac{3}{10}=\frac{16}{40}=\frac{2}{5}$

(3) (i) A는 비가 오고, B, C는 비가 오지 않을 확률은

$\frac{1}{5}\times\left(1-\frac{1}{2}\right)\times\left(1-\frac{3}{4}\right)=\frac{1}{5}\times\frac{1}{2}\times\frac{1}{4}=\frac{1}{40}$

(ii) B는 비가 오고, A, C는 비가 오지 않을 확률은

$\left(1-\frac{1}{5}\right)\times\frac{1}{2}\times\left(1-\frac{3}{4}\right)=\frac{4}{5}\times\frac{1}{2}\times\frac{1}{4}=\frac{1}{10}$

(iii) C는 비가 오고, A, B는 비가 오지 않을 확률은

$\left(1-\frac{1}{5}\right)\times\left(1-\frac{1}{2}\right)\times\frac{3}{4}=\frac{4}{5}\times\frac{1}{2}\times\frac{3}{4}=\frac{3}{10}$

(i), (ii), (iii)에서 구하는 확률은

$\frac{1}{40}+\frac{1}{10}+\frac{3}{10}=\frac{17}{40}$

(4) 3도시 모두 비가 오지 않을 확률은

$\left(1-\frac{1}{5}\right)\times\left(1-\frac{1}{2}\right)\times\left(1-\frac{3}{4}\right)$

$=\frac{4}{5}\times\frac{1}{2}\times\frac{1}{4}=\frac{1}{10}$

(5) (적어도 1도시에만 비가 올 확률)

$=1-$(3도시 모두 비가 오지 않을 확률)

$=1-\frac{1}{10}=\frac{9}{10}$

24 **답** (1) ① $\frac{49}{100}$ ② $\frac{7}{15}$ (2) ① $\frac{9}{16}$ ② $\frac{15}{28}$

(3) ① $\frac{25}{64}$ ② $\frac{5}{14}$ (4) ① $\frac{16}{81}$ ② $\frac{1}{6}$

(5) ① $\frac{4}{9}$ ② $\frac{1}{2}$ (6) ① $\frac{12}{25}$ ② $\frac{8}{15}$

풀이 (1) ① 첫 번째 꺼낸 제비가 당첨 제비일 확률은 $\frac{7}{10}$ 이다. 그 후 꺼낸 제비를 다시 넣으므로 두 번째 꺼낸 제비가 당첨 제비일 확률도 $\frac{7}{10}$이다.

따라서 구하는 확률은 $\frac{7}{10} \times \frac{7}{10} = \frac{49}{100}$

② 첫 번째 꺼낸 제비가 당첨 제비일 확률은 $\frac{7}{10}$이다. 그 후 꺼낸 제비가 1개 빠지므로 두 번째 꺼낸 제비가 당첨 제비일 확률은 $\frac{6}{9} = \frac{2}{3}$이다.

따라서 구하는 확률은 $\frac{7}{10} \times \frac{2}{3} = \frac{7}{15}$

(2) ① 첫 번째 꺼낸 공이 노란 공일 확률은 $\frac{6}{8} = \frac{3}{4}$이다. 그 후 꺼낸 공을 다시 넣으므로 두 번째 꺼낸 공이 노란 공일 확률도 $\frac{3}{4}$이다.

따라서 구하는 확률은 $\frac{3}{4} \times \frac{3}{4} = \frac{9}{16}$

② 첫 번째 꺼낸 공이 노란 공일 확률은 $\frac{6}{8} = \frac{3}{4}$이다. 그 후 꺼낸 공이 1개 빠지므로 두 번째 꺼낸 공이 노란 공일 확률은 $\frac{5}{7}$이다.

따라서 구하는 확률은 $\frac{3}{4} \times \frac{5}{7} = \frac{15}{28}$

(3) ① 첫 번째 꺼낸 볼펜이 검정 볼펜일 확률은 $\frac{5}{8}$이다. 그 후 꺼낸 볼펜을 다시 넣으므로 두 번째 꺼낸 볼펜이 검정 볼펜일 확률도 $\frac{5}{8}$이다.

따라서 구하는 확률은 $\frac{5}{8} \times \frac{5}{8} = \frac{25}{64}$

② 첫 번째 꺼낸 볼펜이 검정 볼펜일 확률은 $\frac{5}{8}$이다. 그 후 꺼낸 볼펜이 1자루 빠지므로 두 번째 꺼낸 볼펜이 검정 볼펜일 확률은 $\frac{4}{7}$이다.

따라서 구하는 확률은 $\frac{5}{8} \times \frac{4}{7} = \frac{5}{14}$

(4) ① 첫 번째 꺼낸 과일이 귤일 확률은 $\frac{4}{9}$이다. 그 후 꺼낸 귤을 다시 넣으므로 두 번째 꺼낸 과일이 귤일 확률도 $\frac{4}{9}$이다.

따라서 구하는 확률은 $\frac{4}{9} \times \frac{4}{9} = \frac{16}{81}$

② 첫 번째 꺼낸 과일이 귤일 확률은 $\frac{4}{9}$이다. 그 후 꺼낸 귤이 1개 빠지므로 두 번째 꺼낸 과일이 귤일 확률은 $\frac{3}{8}$이다.

따라서 구하는 확률은 $\frac{4}{9} \times \frac{3}{8} = \frac{1}{6}$

(5) ① 첫 번째 수학 문제집을 꺼낼 확률은 $\frac{3}{9} = \frac{1}{3}$이고 이 수학 문제집을 다시 넣은 후 두 번째 과학 문제집을 꺼낼 확률은 $\frac{6}{9} = \frac{2}{3}$이므로 수학 문제집과 과학 문제집을 차례로 꺼낼 확률은 $\frac{1}{3} \times \frac{2}{3} = \frac{2}{9}$이다.

첫 번째 과학 문제집을 꺼낼 확률은 $\frac{6}{9} = \frac{2}{3}$이고 이 과학 문제집을 다시 넣은 후 두 번째 수학 문제집을 꺼낼 확률은 $\frac{3}{9} = \frac{1}{3}$이므로 과학 문제집과 수학 문제집을 차례로 꺼낼 확률은 $\frac{2}{3} \times \frac{1}{3} = \frac{2}{9}$이다.

따라서 구하는 확률은 $\frac{2}{9} + \frac{2}{9} = \frac{4}{9}$

② 첫 번째 수학 문제집을 꺼낼 확률은 $\frac{3}{9} = \frac{1}{3}$이고 이 수학 문제집 1권이 빠진 후 두 번째 과학 문제집을 꺼낼 확률은 $\frac{6}{8} = \frac{3}{4}$이므로 수학 문제집과 과학 문제집을 차례로 꺼낼 확률은 $\frac{1}{3} \times \frac{3}{4} = \frac{1}{4}$이다.

첫 번째 과학 문제집을 꺼낼 확률은 $\frac{6}{9} = \frac{2}{3}$이고 이 과학 문제집 1권이 빠진 후 두 번째 수학 문제집을 꺼낼 확률은 $\frac{3}{8}$이므로 과학 문제집과 수학 문제집을 차례로 꺼낼 확률은 $\frac{2}{3} \times \frac{3}{8} = \frac{1}{4}$이다.

따라서 구하는 확률은 $\frac{1}{4} + \frac{1}{4} = \frac{1}{2}$

(6) ① 첫 번째 흰 구슬을 꺼낼 확률은 $\frac{6}{10} = \frac{3}{5}$이고 이 흰 구슬을 다시 넣은 후 두 번째 검은 구슬을 꺼낼 확률은 $\frac{4}{10} = \frac{2}{5}$이므로 흰 구슬과 검은 구슬을 차례로 꺼낼 확률은 $\frac{3}{5} \times \frac{2}{5} = \frac{6}{25}$이다.

첫 번째 검은 구슬을 꺼낼 확률은 $\frac{4}{10} = \frac{2}{5}$이고 이 검은 구슬을 다시 넣은 후 두 번째 흰 구슬을 꺼낼 확률은 $\frac{6}{10} = \frac{3}{5}$이므로 검은 구슬과 흰 구슬을 차례로 꺼낼 확률은 $\frac{2}{5} \times \frac{3}{5} = \frac{6}{25}$이다.

따라서 구하는 확률은 $\frac{6}{25} + \frac{6}{25} = \frac{12}{25}$

② 첫 번째 흰 구슬을 꺼낼 확률은 $\frac{6}{10} = \frac{3}{5}$이고 이 흰 구슬 1개가 빠진 후 두 번째 검은 구슬을 꺼낼 확률은 $\frac{4}{9}$이므로 흰 구슬과 검은 구슬을 차례로 꺼낼 확률은 $\frac{3}{5} \times \frac{4}{9} = \frac{4}{15}$이다.

첫 번째 검은 구슬을 꺼낼 확률은 $\frac{4}{10} = \frac{2}{5}$이고 이 검은 구슬 1개가 빠진 후 두 번째 흰 구슬을 꺼낼 확률은 $\frac{6}{9}=\frac{2}{3}$이므로 검은 구슬과 흰 구슬을 차례로 꺼낼 확률은 $\frac{2}{5}\times\frac{2}{3}=\frac{4}{15}$이다.

따라서 구하는 확률은 $\frac{4}{15}+\frac{4}{15}=\frac{8}{15}$

25 답 (1) ${}_6C_4\left(\frac{2}{5}\right)^4\left(\frac{3}{5}\right)^2$ (2) ${}_{10}C_7\left(\frac{5}{9}\right)^7\left(\frac{4}{9}\right)^3$
(3) ${}_{12}C_{10}(0.7)^{10}(0.3)^2$

풀이 (1) 화살 한 발을 쏘아 과녁에 명중시킬 확률은 $\frac{2}{5}$이고, 명중시키지 못할 확률은 $1-\frac{2}{5}=\frac{3}{5}$이므로

구하는 확률은 ${}_6C_4\left(\frac{2}{5}\right)^4\left(\frac{3}{5}\right)^2$

(2) 슛 성공률은 $\frac{5}{9}$이고, 슛 실패율은 $1-\frac{5}{9}=\frac{4}{9}$이므로 구하는 확률은 ${}_{10}C_7\left(\frac{5}{9}\right)^7\left(\frac{4}{9}\right)^3$

(3) 퀴즈를 맞힐 확률은 0.7이고, 틀릴 확률은 $1-0.7=0.3$이므로 구하는 확률은 ${}_{12}C_{10}(0.7)^{10}(0.3)^2$

26 답 (1) $\frac{10}{243}$ (2) $\frac{5}{16}$ (3) $\frac{135}{512}$

풀이 (1) 한 개의 주사위를 한 번 던질 때, 3의 배수의 눈이 나올 확률은 $\frac{2}{6}=\frac{1}{3}$이므로 구하는 확률은

${}_5C_4\left(\frac{1}{3}\right)^4\left(\frac{2}{3}\right)^1=\frac{10}{243}$

(2) 한 개의 동전을 한 번 던질 때, 앞면이 나올 확률은 $\frac{1}{2}$이므로 구하는 확률은 ${}_6C_3\left(\frac{1}{2}\right)^3\left(\frac{1}{2}\right)^3=\frac{20}{64}=\frac{5}{16}$

(3) 두 개의 동전을 동시에 던질 때, 두 개 모두 뒷면이 나올 확률은 $\frac{1}{4}$이므로 구하는 확률은

${}_5C_2\left(\frac{1}{4}\right)^2\left(\frac{3}{4}\right)^3=10\times\frac{3^3}{4^5}=\frac{135}{512}$

27 답 (1) $\frac{999}{1000}$ (2) $\frac{63}{64}$ (3) $\frac{624}{625}$ (4) $\frac{11}{16}$

풀이 (1) 3발을 쏘아 모두 명중시키지 못할 확률은

${}_3C_0\left(\frac{9}{10}\right)^0\left(\frac{1}{10}\right)^3=\frac{1}{1000}$

따라서 적어도 한 번은 명중시킬 확률은

$1-\frac{1}{1000}=\frac{999}{1000}$

(2) 3번을 던져 모두 성공시키지 못할 확률은

${}_3C_0\left(\frac{3}{4}\right)^0\left(\frac{1}{4}\right)^3=\frac{1}{64}$

따라서 적어도 한 번은 성공시킬 확률은

$1-\frac{1}{64}=\frac{63}{64}$

(3) 5년 후 생존할 확률이 $\frac{80}{100}=\frac{4}{5}$이므로

4명 모두 생존하지 못할 확률은 ${}_4C_0\left(\frac{4}{5}\right)^0\left(\frac{1}{5}\right)^4=\frac{1}{625}$

따라서 적어도 1명이 생존할 확률은

$1-\frac{1}{625}=\frac{624}{625}$

(4) 가위바위보에서 이길 확률은 $0.5=\frac{1}{2}$이므로

4번 모두 질 확률은 ${}_4C_0\left(\frac{1}{2}\right)^0\left(\frac{1}{2}\right)^4=\frac{1}{16}$

1번만 이길 확률은 ${}_4C_1\left(\frac{1}{2}\right)^1\left(\frac{1}{2}\right)^3=\frac{4}{16}=\frac{1}{4}$

따라서 적어도 두 번은 이길 확률은

$1-\frac{1}{16}-\frac{1}{4}=\frac{11}{16}$

28 답 (1) $\frac{13}{729}$ (2) $\frac{1}{64}$ (3) $\frac{1}{16}$

풀이 (1) 축구 경기를 한 번 할 때, 이길 확률은 $\frac{1}{3}$이다.

(i) 6경기 중 5경기를 이길 확률은

${}_6C_5\left(\frac{1}{3}\right)^5\left(\frac{2}{3}\right)^1=\frac{6\times2}{3^6}=\frac{4}{243}$

(ii) 6경기 중 6경기를 이길 확률은

${}_6C_6\left(\frac{1}{3}\right)^6\left(\frac{2}{3}\right)^0=\frac{1}{729}$

(i), (ii)에서 구하는 확률은

$\frac{4}{243}+\frac{1}{729}=\frac{13}{729}$

(2) 문제를 맞힐 확률은 $\frac{1}{4}$이다.

(i) 5개 중 4개를 맞힐 확률은

${}_5C_4\left(\frac{1}{4}\right)^4\left(\frac{3}{4}\right)^1=\frac{5\times3}{4^5}=\frac{15}{1024}$

(ii) 5개 중 5개를 맞힐 확률은

${}_5C_5\left(\frac{1}{4}\right)^5\left(\frac{3}{4}\right)^0=\frac{1}{1024}$

(i), (ii)에서 구하는 확률은

$\frac{15}{1024}+\frac{1}{1024}=\frac{16}{1024}=\frac{1}{64}$

(3) 문제를 맞힐 확률은 $\frac{1}{2}$이다.

(i) 7개 중 6개를 맞힐 확률은

${}_7C_6\left(\frac{1}{2}\right)^6\left(\frac{1}{2}\right)^1=\frac{7}{128}$

(ii) 7개 중 7개를 맞힐 확률은

${}_7C_7\left(\frac{1}{2}\right)^7\left(\frac{1}{2}\right)^0=\frac{1}{128}$

(i), (ii)에서 구하는 확률은

$\frac{7}{128}+\frac{1}{128}=\frac{8}{128}=\frac{1}{16}$

29 답 (1) $\frac{3}{8}$ (2) $\frac{5}{32}$ (3) $\frac{15}{64}$ (4) $\frac{35}{128}$

풀이 (1) 점 O에서 점 A까지 가려면 x축의 양의 방향으로 2만큼, y축의 양의 방향으로 2만큼 가야 한다.

따라서 앞면이 2번, 뒷면이 2번 나오면 되므로 구하는 확률은 ${}_4C_2\left(\frac{1}{2}\right)^2\left(\frac{1}{2}\right)^2=\frac{6}{16}=\frac{3}{8}$

(2) 점 O에서 점 B까지 가려면 x축의 양의 방향으로 1만큼, y축의 양의 방향으로 4만큼 가야 한다.

따라서 앞면이 1번, 뒷면이 4번 나오면 되므로 구하는 확률은 ${}_5C_1\left(\frac{1}{2}\right)^1\left(\frac{1}{2}\right)^4=\frac{5}{32}$

(3) 점 O에서 점 C까지 가려면 x축의 양의 방향으로 4만큼, y축의 양의 방향으로 2만큼 가야 한다.
따라서 앞면이 4번, 뒷면이 2번 나오면 되므로 구하는 확률은 ${}_6C_4\left(\frac{1}{2}\right)^4\left(\frac{1}{2}\right)^2=\frac{15}{64}$

(4) 점 O에서 점 D까지 가려면 x축의 양의 방향으로 3만큼, y축의 양의 방향으로 4만큼 가야 한다.
따라서 앞면이 3번, 뒷면이 4번 나오면 되므로 구하는 확률은 ${}_7C_3\left(\frac{1}{2}\right)^3\left(\frac{1}{2}\right)^4=\frac{35}{128}$

30 답 (1) $\frac{3}{8}$ (2) $\frac{5}{32}$ (3) $\frac{1}{4}$ (4) $\frac{15}{64}$

풀이 (1) 동전을 한 번 던질 때, 앞면이 나올 확률은 $\frac{1}{2}$이다.
점 P가 처음 출발 위치로 돌아오려면 5만큼 이동해야 하므로 앞면이 2번, 뒷면이 1번 나와야 한다.
따라서 구하는 확률은
${}_3C_2\left(\frac{1}{2}\right)^2\left(\frac{1}{2}\right)^1=\frac{3}{8}$

(2) 동전을 한 번 던질 때, 앞면이 나올 확률은 $\frac{1}{2}$이다.
점 P가 처음 출발 위치로 돌아오려면 6만큼 이동해야 하므로 앞면이 1번, 뒷면이 4번 나와야 한다.
따라서 구하는 확률은
${}_5C_1\left(\frac{1}{2}\right)^1\left(\frac{1}{2}\right)^4=\frac{5}{32}$

(3) 동전을 한 번 던질 때, 앞면이 나올 확률은 $\frac{1}{2}$이다.
점 P가 동전을 4번 던져 점 A의 위치로 돌아오려면 7만큼 이동해야 하므로 앞면이 3번, 뒷면이 1번 나와야 한다. 따라서 구하는 확률은
${}_4C_3\left(\frac{1}{2}\right)^3\left(\frac{1}{2}\right)^1=\frac{4}{16}=\frac{1}{4}$

(4) 동전을 한 번 던질 때, 앞면이 나올 확률은 $\frac{1}{2}$이다.
점 P가 동전을 6번 던져 점 A의 위치로 돌아오려면 10만큼 이동해야 하므로 앞면이 4번, 뒷면이 2번 나와야 한다. 따라서 구하는 확률은
${}_6C_4\left(\frac{1}{2}\right)^4\left(\frac{1}{2}\right)^2=\frac{15}{64}$

중단원 점검문제 | Ⅱ-2. 조건부확률 077-078쪽

01 답 $\frac{2}{3}$

풀이 $P(A|B)=\frac{P(A\cap B)}{P(B)}$에서
$P(A\cap B)=P(B)P(A|B)=\frac{2}{5}\times\frac{1}{2}=\frac{1}{5}$
$\therefore P(B|A)=\frac{P(A\cap B)}{P(A)}=\frac{\frac{1}{5}}{\frac{3}{10}}=\frac{2}{3}$

02 답 $\frac{2}{5}$

풀이 짝수가 나오는 사건을 A, 6의 약수가 나오는 사건을 B라고 하면 구하는 확률은 $P(B|A)$이다.
$A=\{2, 4, 6, 8, 10\}$, $B=\{1, 2, 3, 6\}$, $A\cap B=\{2, 6\}$에서
$P(A)=\frac{5}{10}=\frac{1}{2}$, $P(A\cap B)=\frac{2}{10}=\frac{1}{5}$이므로
$P(B|A)=\frac{P(A\cap B)}{P(A)}=\frac{\frac{1}{5}}{\frac{1}{2}}=\frac{2}{5}$

03 답 $\frac{3}{7}$

풀이 임의로 뽑은 학생이 남학생인 사건을 A, 안경 쓴 학생인 사건을 B라고 하면 구하는 확률은 $P(B|A)$이다.
이때 $P(A)=\frac{14}{30}=\frac{7}{15}$, $P(A\cap B)=\frac{6}{30}=\frac{1}{5}$이므로
$P(B|A)=\frac{P(A\cap B)}{P(A)}=\frac{\frac{1}{5}}{\frac{7}{15}}=\frac{3}{7}$

04 답 $\frac{5}{8}$

풀이 임의로 뽑은 학생이 체육을 좋아하는 학생인 사건을 A, 남학생인 사건을 B라고 하면 구하는 확률은 $P(B|A)$이다.
이때 $P(A)=\frac{4}{5}$, $P(A\cap B)=\frac{1}{2}$이므로
$P(B|A)=\frac{P(A\cap B)}{P(A)}=\frac{\frac{1}{2}}{\frac{4}{5}}=\frac{5}{8}$

05 답 $\frac{3}{4}$

풀이 $P(A|B)=\frac{P(A\cap B)}{P(B)}$에서
$P(A\cap B)=P(B)P(A|B)=0.6\times0.5=0.3$
$\therefore P(B|A)=\frac{P(A\cap B)}{P(A)}=\frac{0.3}{0.4}=\frac{3}{4}$

06 답 $\frac{5}{14}$

풀이 처음에 꺼낸 공이 흰색 탁구공일 확률은 $\frac{5}{8}$이다.
그 후 꺼낸 탁구공이 1개 빠지므로 두 번째 꺼낸 공이 흰색 탁구공일 확률은 $\frac{4}{7}$이다.
따라서 구하는 확률은 $\frac{5}{8}\times\frac{4}{7}=\frac{5}{14}$

07 답 0.52

풀이 오늘 안타를 칠 사건을 A, 내일 안타를 칠 사건을 E라고 하면
$P(A)=0.6$, $P(E|A)=0.4$,
$P(A^C)=0.4$, $P(E|A^C)=0.7$
따라서 구하는 확률은

$\mathrm{P}(E)=\mathrm{P}(A\cap E)+\mathrm{P}(A^C\cap E)$
$=\mathrm{P}(A)\mathrm{P}(E|A)+\mathrm{P}(A^C)\mathrm{P}(E|A^C)$
$=0.6\times0.4+0.4\times0.7$
$=0.24+0.28=0.52$

08 답 $\frac{16}{31}$

풀이 가, 나 두 회사의 휴대폰인 사건을 각각 A, B라 하고, 고가의 휴대폰인 사건을 E라고 하면
$\mathrm{P}(A)=0.6$, $\mathrm{P}(B)=0.4$,
$\mathrm{P}(E|A)=0.5$, $\mathrm{P}(E|B)=0.8$
이때 구하는 확률은 $\mathrm{P}(B|E)$이다.
$\mathrm{P}(E)=\mathrm{P}(A\cap E)+\mathrm{P}(B\cap E)$
$=\mathrm{P}(A)\mathrm{P}(E|A)+\mathrm{P}(B)\mathrm{P}(E|B)$
$=0.6\times0.5+0.4\times0.8$
$=0.3+0.32=0.62$
$\therefore \mathrm{P}(B|E)=\frac{\mathrm{P}(B\cap E)}{\mathrm{P}(E)}=\frac{0.32}{0.62}=\frac{16}{31}$

09 답 $\frac{4}{5}$

풀이 두 사건 A, B가 서로 독립이므로
$\mathrm{P}(A\cap B)=\mathrm{P}(A)\mathrm{P}(B)$
$=\frac{1}{2}\times\frac{3}{5}=\frac{3}{10}$
$\therefore \mathrm{P}(A\cup B)=\mathrm{P}(A)+\mathrm{P}(B)-\mathrm{P}(A\cap B)$
$=\frac{1}{2}+\frac{3}{5}-\frac{3}{10}=\frac{4}{5}$

10 답 ㄱ, ㄷ

풀이 $A=\{2, 4, 6\}$, $B=\{2, 3, 5\}$, $C=\{3, 6\}$,
$A\cap B=\{2\}$, $B\cap C=\{3\}$, $A\cap C=\{6\}$에서
$\mathrm{P}(A)=\frac{3}{6}=\frac{1}{2}$, $\mathrm{P}(B)=\frac{3}{6}=\frac{1}{2}$, $\mathrm{P}(C)=\frac{2}{6}=\frac{1}{3}$,
$\mathrm{P}(A\cap B)=\frac{1}{6}$, $\mathrm{P}(B\cap C)=\frac{1}{6}$, $\mathrm{P}(A\cap C)=\frac{1}{6}$
ㄱ. $\mathrm{P}(A\cap B)\neq\mathrm{P}(A)\mathrm{P}(B)$이므로 사건 A와 B는 종속이다.
ㄴ. $\mathrm{P}(B\cap C)=\mathrm{P}(B)\mathrm{P}(C)$이므로 사건 B와 C는 독립이다.
ㄷ. $\mathrm{P}(A\cap C)=\mathrm{P}(A)\mathrm{P}(C)$이므로 사건 A와 C는 독립이다.
ㄹ. $B\cap C\neq\varnothing$이므로 사건 B와 C는 배반사건이 아니다.
따라서 옳은 것은 ㄱ, ㄷ이다.

11 답 0.5

풀이 (ⅰ) 갑이 합격하고, 을이 불합격할 확률은
$0.8\times(1-0.5)=0.8\times0.5=0.4$
(ⅱ) 갑이 불합격하고, 을이 합격할 확률은
$(1-0.8)\times0.5=0.2\times0.5=0.1$
(ⅰ), (ⅱ)에서 구하는 확률은 $0.4+0.1=0.5$

12 답 $\frac{35}{36}$

풀이 (ⅰ) 제비를 다시 넣지 않는 경우
처음에 뽑은 제비가 당첨 제비일 확률은 $\frac{8}{10}=\frac{4}{5}$이다.
그 후 제비가 1개 빠지므로 두 번째에 뽑은 제비가 당첨 제비일 확률은 $\frac{7}{9}$이다.
$\therefore a=\frac{4}{5}\times\frac{7}{9}=\frac{28}{45}$
(ⅱ) 제비를 다시 넣는 경우
처음에 뽑은 제비가 당첨 제비일 확률은 $\frac{8}{10}=\frac{4}{5}$이고,
두 번째에 뽑은 제비가 당첨 제비일 확률도 $\frac{4}{5}$이다.
$\therefore b=\frac{4}{5}\times\frac{4}{5}=\frac{16}{25}$
$\therefore a\div b=\frac{28}{45}\div\frac{16}{25}=\frac{28}{45}\times\frac{25}{16}=\frac{35}{36}$

13 답 $\frac{7}{64}$

풀이 한 개의 주사위를 한 번 던질 때, 소수의 눈이 나올 확률은
$\frac{3}{6}=\frac{1}{2}$이다.
(ⅰ) 소수의 눈이 5번 나올 확률은
${}_6\mathrm{C}_5\left(\frac{1}{2}\right)^5\left(\frac{1}{2}\right)^1=\frac{6}{64}=\frac{3}{32}$
(ⅱ) 소수의 눈이 6번 나올 확률은
${}_6\mathrm{C}_6\left(\frac{1}{2}\right)^6\left(\frac{1}{2}\right)^0=\frac{1}{64}$
(ⅰ), (ⅱ)에서 구하는 확률은
$\frac{3}{32}+\frac{1}{64}=\frac{7}{64}$

14 답 $\frac{624}{625}$

풀이 질병에 대한 치료율은 $0.8=\frac{4}{5}$이고, 질병이 치료되지 못할 확률은 $1-\frac{4}{5}=\frac{1}{5}$이다.
한 명도 치료되지 않을 확률은
${}_4\mathrm{C}_0\left(\frac{4}{5}\right)^0\left(\frac{1}{5}\right)^4=\frac{1}{625}$
따라서 적어도 한 명이 치료될 확률은
$1-\frac{1}{625}=\frac{624}{625}$

15 답 $\frac{5}{16}$

풀이 동전을 한 번 던질 때, 앞면이 나올 확률은 $\frac{1}{2}$이다.
점 P가 동전을 5번 던져서 1의 위치에 있으려면 앞면이 2번, 뒷면이 3번 나와야 한다.
따라서 구하는 확률은
${}_5\mathrm{C}_2\left(\frac{1}{2}\right)^2\left(\frac{1}{2}\right)^3=\frac{10}{32}=\frac{5}{16}$

통계

Ⅲ-1 확률분포 080쪽~106쪽

01 답 (1) ○ (2) × (3) ○

풀이 (2) 버스를 기다리는 시간을 확률변수 X라고 하면 X가 가질 수 있는 값은 $0 \le X \le 10$인 모든 실수이므로 이산확률변수가 아니다.

02 답 (1) $\frac{3}{5}$ (2) $\frac{1}{5}$ (3) $\frac{7}{10}$

풀이 (1) $P(X^2=1)=P(X=-1)+P(X=1)$

$=\frac{1}{5}+\frac{2}{5}=\underline{\frac{3}{5}}$

(2) $P(X=-2$ 또는 $X=0)$

$=P(X=-2)+P(X=0)$

$=\frac{1}{10}+\frac{1}{10}=\underline{\frac{1}{5}}$

(3) $P(0 \le X \le 2)=P(X=0)+P(X=1)+P(X=2)$

$=\frac{1}{10}+\frac{2}{5}+\frac{1}{5}=\underline{\frac{7}{10}}$

03 답 (1) 풀이 참조 (2) 풀이 참조

풀이 (1) 주어진 도수분포표에서 확률변수 X가 가질 수 있는 값은 4, 5, 6이고, 그 확률은 각각

$P(X=4)=\frac{2}{20}=\frac{1}{10}$

$P(X=5)=\frac{11}{20}$

$P(X=6)=\frac{7}{20}$

따라서 확률변수 X의 확률분포를 표로 나타내면

X	4	5	6	합계
$P(X=x)$	$\frac{1}{10}$	$\frac{11}{20}$	$\frac{7}{20}$	1

(2) 주어진 도수분포표에서 확률변수 X가 가질 수 있는 값은 2, 3, 4, 5이고, 그 확률은 각각

$P(X=2)=\frac{3}{10}$

$P(X=3)=\frac{4}{10}=\frac{2}{5}$

$P(X=4)=\frac{2}{10}=\frac{1}{5}$

$P(X=5)=\frac{1}{10}$

따라서 확률변수 X의 확률분포를 표로 나타내면

X	2	3	4	5	합계
$P(X=x)$	$\frac{3}{10}$	$\frac{2}{5}$	$\frac{1}{5}$	$\frac{1}{10}$	1

04 답 (1) ① 0, 1, 2 ② 풀이 참조
(2) ① 0, 1, 2, 3 ② 풀이 참조
(3) ① 0, 1, 2 ② 풀이 참조

풀이 (1) ① 확률변수 X는 앞면의 개수이므로 X가 가질 수 있는 값은 $\underline{0, 1, 2}$이다.

② $P(X=0)=$(앞면이 0개 나올 확률)$=\frac{1}{4}$

$P(X=1)=$(앞면이 1개 나올 확률)$=\frac{2}{4}=\underline{\frac{1}{2}}$

$P(X=2)=$(앞면이 2개 나올 확률)$=\frac{1}{4}$

따라서 확률변수 X의 확률분포를 표로 나타내면

X	0	1	2	합계
$P(X=x)$	$\frac{1}{4}$	$\frac{1}{2}$	$\frac{1}{4}$	1

(2) ① 확률변수 X는 뒷면의 개수이므로 X가 가질 수 있는 값은 0, 1, 2, 3이다.

② $P(X=0)=$(뒷면이 0개 나올 확률)$=\frac{1}{8}$

$P(X=1)=$(뒷면이 1개 나올 확률)$=\frac{3}{8}$

$P(X=2)=$(뒷면이 2개 나올 확률)$=\frac{3}{8}$

$P(X=3)=$(뒷면이 3개 나올 확률)$=\frac{1}{8}$

따라서 확률변수 X의 확률분포를 표로 나타내면

X	0	1	2	3	합계
$P(X=x)$	$\frac{1}{8}$	$\frac{3}{8}$	$\frac{3}{8}$	$\frac{1}{8}$	1

(3) ① 확률변수 X는 흰 공의 개수이므로 X가 가질 수 있는 값은 0, 1, 2이다.

② $P(X=0)=$(흰 공이 0개 나올 확률)

$=\frac{{}_3C_0 \times {}_2C_2}{{}_5C_2}=\frac{1}{10}$

$P(X=1)=$(흰 공이 1개 나올 확률)

$=\frac{{}_3C_1 \times {}_2C_1}{{}_5C_2}=\frac{6}{10}=\frac{3}{5}$

$P(X=2)=$(흰 공이 2개 나올 확률)

$=\frac{{}_3C_2 \times {}_2C_0}{{}_5C_2}=\frac{3}{10}$

따라서 확률변수 X의 확률분포를 표로 나타내면

X	0	1	2	합계
$P(X=x)$	$\frac{1}{10}$	$\frac{3}{5}$	$\frac{3}{10}$	1

05 답 (1) 풀이 참조 (2) $\frac{5}{7}$

풀이 (1) 확률변수 X가 가질 수 있는 값은 0, 1, 2이고, 그 확률을 각각 구하면

$P(X=0)=$(여학생 0명, 남학생 2명을 뽑을 확률)

$=\frac{{}_3C_0 \times {}_4C_2}{{}_7C_2}=\frac{6}{21}=\underline{\frac{2}{7}}$

$P(X=1)=$(여학생 1명, 남학생 1명을 뽑을 확률)

$=\frac{{}_3C_1\times{}_4C_1}{{}_7C_2}=\frac{12}{21}=\frac{4}{7}$

$P(X=2)=$(여학생 2명, 남학생 0명을 뽑을 확률)

$=\frac{{}_3C_2\times{}_4C_0}{{}_7C_2}=\frac{3}{21}=\frac{1}{7}$

따라서 확률변수 X의 확률분포를 표로 나타내면

X	0	1	2	합계
$P(X=x)$	$\frac{2}{7}$	$\frac{4}{7}$	$\frac{1}{7}$	1

(2) $P(X\ge1)=P(X=1)+P(X=2)$

$=\frac{4}{7}+\frac{1}{7}=\frac{5}{7}$

06 답 (1) 풀이 참조 (2) $\frac{3}{5}$

풀이 (1) 확률변수 X가 가질 수 있는 값은 0, 1, 2이고, 그 확률을 각각 구하면

$P(X=0)=$(당첨 제비 0개, 당첨 제비가 아닌 제비 2개를 꺼낼 확률)

$=\frac{{}_4C_0\times{}_2C_2}{{}_6C_2}=\frac{1}{15}$

$P(X=1)=$(당첨 제비 1개, 당첨 제비가 아닌 제비 1개를 꺼낼 확률)

$=\frac{{}_4C_1\times{}_2C_1}{{}_6C_2}=\frac{8}{15}$

$P(X=2)=$(당첨 제비 2개, 당첨제비가 아닌 제비 0개를 꺼낼 확률)

$=\frac{{}_4C_2\times{}_2C_0}{{}_6C_2}=\frac{6}{15}=\frac{2}{5}$

따라서 확률변수 X의 확률분포를 표로 나타내면

X	0	1	2	합계
$P(X=x)$	$\frac{1}{15}$	$\frac{8}{15}$	$\frac{2}{5}$	1

(2) $P(X\le1)=P(X=0)+P(X=1)$

$=\frac{1}{15}+\frac{8}{15}=\frac{3}{5}$

07 답 (1) 풀이 참조 (2) $\frac{13}{35}$ (3) $\frac{22}{35}$

풀이 (1) 확률변수 X가 가질 수 있는 값은 0, 1, 2, 3이고, 그 확률을 각각 구하면

$P(X=0)=$(사과 3개, 귤 0개를 꺼낼 확률)

$=\frac{{}_4C_3\times{}_3C_0}{{}_7C_3}=\frac{4}{35}$

$P(X=1)=$(사과 2개, 귤 1개를 꺼낼 확률)

$=\frac{{}_4C_2\times{}_3C_1}{{}_7C_3}=\frac{18}{35}$

$P(X=2)=$(사과 1개, 귤 2개를 꺼낼 확률)

$=\frac{{}_4C_1\times{}_3C_2}{{}_7C_3}=\frac{12}{35}$

$P(X=3)=$(사과 0개, 귤 3개를 꺼낼 확률)

$=\frac{{}_4C_0\times{}_3C_3}{{}_7C_3}=\frac{1}{35}$

따라서 확률변수 X의 확률분포를 표로 나타내면

X	0	1	2	3	합계
$P(X=x)$	$\frac{4}{35}$	$\frac{18}{35}$	$\frac{12}{35}$	$\frac{1}{35}$	1

(2) $P(2\le X\le3)=P(X=2)+P(X=3)$

$=\frac{12}{35}+\frac{1}{35}=\frac{13}{35}$

(3) $P(X^2-X=0)=P(X=0)+P(X=1)$

$=\frac{4}{35}+\frac{18}{35}=\frac{22}{35}$

08 답 (1) 풀이 참조 (2) $\frac{3}{8}$ (3) $\frac{7}{8}$

풀이 (1) 확률변수 X가 가질 수 있는 값은 0, 1, 2, 3이고, 그 확률을 각각 구하면

$P(X=0)=$(두 수의 차가 0일 확률)

$=\frac{4}{16}=\frac{1}{4}$

$P(X=1)=$(두 수의 차가 1일 확률)

$=\frac{6}{16}=\frac{3}{8}$

$P(X=2)=$(두 수의 차가 2일 확률)

$=\frac{4}{16}=\frac{1}{4}$

$P(X=3)=$(두 수의 차가 3일 확률)

$=\frac{2}{16}=\frac{1}{8}$

따라서 확률변수 X의 확률분포를 표로 나타내면

X	0	1	2	3	합계
$P(X=x)$	$\frac{1}{4}$	$\frac{3}{8}$	$\frac{1}{4}$	$\frac{1}{8}$	1

(2) $P(X^2-3X=0)$

$=P(X=0)+P(X=3)$

$=\frac{1}{4}+\frac{1}{8}=\frac{3}{8}$

(3) $P(X^2-2X\le0)$

$=P(X=0)+P(X=1)+P(X=2)$

$=\frac{1}{4}+\frac{3}{8}+\frac{1}{4}=\frac{7}{8}$

09 답 (1) ① $\frac{1}{4}$ ② $\frac{3}{8}$ ③ $\frac{5}{8}$

(2) ① $\frac{1}{10}$ ② $\frac{1}{2}$ ③ $\frac{1}{2}$

(3) ① $\frac{1}{2}$ ② $\frac{3}{4}$ ③ $\frac{1}{2}$

풀이 (1) ① 확률의 총합은 1이므로

$\frac{1}{8}+a+\frac{1}{2}+\frac{a}{2}=1$

$\frac{3}{2}a=\frac{3}{8}$ $\therefore a=\frac{1}{4}$

② $P(X=1$ 또는 $X=2)$

$=P(X=1)+P(X=2)$

$=\frac{1}{8}+\frac{1}{4}=\frac{3}{8}$

③ $P(3\le X\le 4)$

$=P(X=3)+P(X=4)$

$=\frac{1}{2}+\frac{1}{8}=\frac{5}{8}$

(2) ① 확률의 총합은 1이므로

$\frac{1}{5}+3a+4a+\frac{1}{10}=1$

$7a-\frac{7}{10}$

$\therefore a=\frac{1}{10}$

② $P(X=2$ 또는 $X=3)$

$=P(X=2)+P(X=3)$

$=\frac{2}{5}+\frac{1}{10}=\frac{5}{10}=\frac{1}{2}$

③ $P(X^2<2)$

$=P(X=0)+P(X=1)$

$=\frac{1}{5}+\frac{3}{10}=\frac{5}{10}=\frac{1}{2}$

(3) ① 확률의 총합은 1이므로

$\frac{1}{4}+a+a^2=1$

$4a^2+4a-3=0$

$(2a+3)(2a-1)=0$

$\therefore a=\frac{1}{2}(\because a>0)$

② $P(X\le 0)=P(X=-1)+P(X=0)$

$=\frac{1}{4}+\frac{1}{2}=\frac{3}{4}$

③ $P(X^2=1)=P(X=-1)+P(X=1)$

$=\frac{1}{4}+\frac{1}{4}=\frac{1}{2}$

10 답 (1) $\frac{1}{36}$ (2) $\frac{1}{7}$ (3) $\frac{6}{11}$ (4) $\frac{1}{14}$

풀이 (1) 확률의 총합은 1이므로

$P(X=1)+P(X=2)+P(X=3)=1$에서

$k\times 1^3+k\times 2^3+k\times 3^3=1$

$36k=1 \quad \therefore k=\frac{1}{36}$

(2) 확률의 총합은 1이므로

$P(X=1)+P(X=2)+P(X=3)=1$에서

$\frac{k}{2}\times 1^2+\frac{k}{2}\times 2^2+\frac{k}{2}\times 3^2=1$

$7k=1 \quad \therefore k=\frac{1}{7}$

(3) 확률의 총합은 1이므로

$P(X-1)+P(X=2)+P(X=3)=1$에서

$k+\frac{k}{2}+\frac{k}{3}=1,\ \frac{11}{6}k=1$

$\therefore k=\frac{6}{11}$

(4) 확률의 총합은 1이므로

$P(X=1)+P(X=2)+P(X=3)=1$에서

$k\times 2+k\times 2^2+k\times 2^3=1$

$2k+4k+8k=1,\ 14k=1$

$\therefore k=\frac{1}{14}$

11 답 (1) $\frac{1}{2}$ (2) $\frac{1}{2}$ (3) $\frac{3}{4}$ (4) $\frac{5}{14}$ (5) $\frac{1}{5}$

풀이 (1) $P(X^2-5X+4=0)$

$=P(X=1$ 또는 $X=4)$

$=P(X=1)+P(X=4)$

$=\frac{1}{10}+\frac{2}{5}=\frac{5}{10}=\frac{1}{2}$

(2) $P(X\le 2)=P(X=1)+P(X=2)$

$=\frac{1}{6}+\frac{1}{3}=\frac{3}{6}=\frac{1}{2}$

(3) $P(|X|=3)=P(X=-3)+P(X=3)$

$=\frac{3}{8}+\frac{3}{8}=\frac{6}{8}=\frac{3}{4}$

(4) $P(X^2-3X+2=0)$

$=P(X=1$ 또는 $X=2)$

$=P(X=1)+P(X=2)$

$=\frac{1}{14}+\frac{2}{7}=\frac{5}{14}$

(5) $P(X^2-1\le 0)=P(X=-1)+P(X=1)$

$=\frac{1}{10}+\frac{1}{10}=\frac{2}{10}=\frac{1}{5}$

12 답 (1) $\frac{5}{6}$ (2) $\frac{1}{3}$ (3) $\frac{3}{4}$ (4) $\frac{2}{3}$

풀이 (1) 확률의 총합은 1이므로

$P(X=1)+P(X=2)+P(X=3)=1$에서

$k+2k+3k=1,\ 6k=1 \quad \therefore k=\frac{1}{6}$

즉, $P(X=x)=\frac{1}{6}x$이므로

$P(X^2-5X+6\le 0)$

$=P(2\le X\le 3)$

$=P(X=2)+P(X=3)$

$=\frac{1}{3}+\frac{1}{2}=\frac{5}{6}$

(2) 확률의 총합은 1이므로

$P(X=-1)+P(X=1)+P(X=2)=1$에서

$k+k+4k=1,\ 6k=1 \quad \therefore k=\frac{1}{6}$

즉, $P(X=x)=\frac{1}{6}x^2$이므로

$P(X^2=1)=P(X=-1)+P(X=1)$

$=\frac{1}{6}+\frac{1}{6}=\frac{2}{6}=\frac{1}{3}$

(3) 확률의 총합은 1이므로

$P(X=-3)+P(X=-1)+P(X=1)+P(X=3)$

$=1$에서

$3k+k+k+3k=1,\ 8k=1 \quad \therefore k=\frac{1}{8}$

즉, $P(X=x)=\frac{1}{8}|x|$이므로

$\mathrm{P}(X^2>3)=\mathrm{P}(X=-3)+\mathrm{P}(X=3)$

$=\frac{3}{8}+\frac{3}{8}=\frac{6}{8}=\frac{3}{4}$

(4) 확률의 총합은 1이므로

$\mathrm{P}(X=2)+\mathrm{P}(X=3)+\mathrm{P}(X=4)=1$에서

$\frac{2}{k}+\frac{3}{k}+\frac{4}{k}=1,\ \frac{9}{k}=1 \qquad \therefore k=9$

즉, $\mathrm{P}(X=x)=\frac{x}{9}$이므로

$\mathrm{P}(X^2-6X+8=0)$

$=\mathrm{P}(X=2)+\mathrm{P}(X=4)$

$=\frac{2}{9}+\frac{4}{9}=\frac{6}{9}=\frac{2}{3}$

13 **답** (1) 평균: 2, 분산: $\frac{2}{5}$, 표준편차: $\frac{\sqrt{10}}{5}$

(2) 평균: 1, 분산: $\frac{1}{2}$, 표준편차: $\frac{\sqrt{2}}{2}$

(3) 평균: 3, 분산: $\frac{8}{3}$, 표준편차: $\frac{2\sqrt{6}}{3}$

(4) 평균: 2, 분산: 1, 표준편차: 1

(5) 평균: 2, 분산: $\frac{4}{5}$, 표준편차: $\frac{2\sqrt{5}}{5}$

풀이 (1) 평균: $\mathrm{E}(X)=1\times\frac{1}{5}+2\times\frac{3}{5}+3\times\frac{1}{5}$

$=\frac{10}{5}=2$

분산: $\mathrm{E}(X^2)=1^2\times\frac{1}{5}+2^2\times\frac{3}{5}+3^2\times\frac{1}{5}$

$=\frac{22}{5}$

$\therefore \mathrm{V}(X)=\mathrm{E}(X^2)-\{\mathrm{E}(X)\}^2$

$=\frac{22}{5}-2^2=\frac{2}{5}$

표준편차: $\sigma(X)=\sqrt{\mathrm{V}(X)}=\sqrt{\frac{2}{5}}$

$=\frac{\sqrt{10}}{5}$

(2) 평균: $\mathrm{E}(X)=0\times\frac{1}{4}+1\times\frac{1}{2}+2\times\frac{1}{4}$

$=1$

분산: $\mathrm{E}(X^2)=0^2\times\frac{1}{4}+1^2\times\frac{1}{2}+2^2\times\frac{1}{4}$

$=\frac{3}{2}$

$\therefore \mathrm{V}(X)=\mathrm{E}(X^2)-\{\mathrm{E}(X)\}^2$

$=\frac{3}{2}-1^2=\frac{1}{2}$

표준편차: $\sigma(X)=\sqrt{\mathrm{V}(X)}=\sqrt{\frac{1}{2}}=\frac{\sqrt{2}}{2}$

(3) 평균: $\mathrm{E}(X)=1\times\frac{1}{3}+3\times\frac{1}{3}+5\times\frac{1}{3}$

$=3$

분산: $\mathrm{E}(X^2)=1^2\times\frac{1}{3}+3^2\times\frac{1}{3}+5^2\times\frac{1}{3}$

$=\frac{35}{3}$

$\therefore \mathrm{V}(X)=\mathrm{E}(X^2)-\{\mathrm{E}(X)\}^2$

$=\frac{35}{3}-3^2=\frac{8}{3}$

표준편차: $\sigma(X)=\sqrt{\mathrm{V}(X)}=\sqrt{\frac{8}{3}}=\frac{2\sqrt{6}}{3}$

(4) 평균: $\mathrm{E}(X)=0\times\frac{1}{8}+1\times\frac{1}{8}+2\times\frac{3}{8}+3\times\frac{3}{8}$

$=\frac{16}{8}=2$

분산: $\mathrm{E}(X^2)=0^2\times\frac{1}{8}+1^2\times\frac{1}{8}+2^2\times\frac{3}{8}+3^2\times\frac{3}{8}$

$=\frac{40}{8}=5$

$\therefore \mathrm{V}(X)=\mathrm{E}(X^2)-\{\mathrm{E}(X)\}^2$

$=5-2^2=1$

표준편차: $\sigma(X)=\sqrt{\mathrm{V}(X)}=1$

(5) 평균: $\mathrm{E}(X)=1\times\frac{3}{10}+2\times\frac{1}{2}+3\times\frac{1}{10}+4\times\frac{1}{10}$

$=\frac{20}{10}=2$

분산: $\mathrm{E}(X^2)=1^2\times\frac{3}{10}+2^2\times\frac{1}{2}+3^2\times\frac{1}{10}+4^2\times\frac{1}{10}$

$=\frac{48}{10}=\frac{24}{5}$

$\therefore \mathrm{V}(X)=\mathrm{E}(X^2)-\{\mathrm{E}(X)\}^2$

$=\frac{24}{5}-2^2=\frac{4}{5}$

표준편차: $\sigma(X)=\sqrt{\mathrm{V}(X)}=\sqrt{\frac{4}{5}}=\frac{2\sqrt{5}}{5}$

14 **답** (1) ① 풀이 참조

② $\mathrm{E}(X)=1,\ \mathrm{V}(X)=\frac{1}{2},\ \sigma(X)=\frac{\sqrt{2}}{2}$

(2) ① 풀이 참조

② $\mathrm{E}(X)=\frac{3}{2},\ \mathrm{V}(X)=\frac{3}{4},\ \sigma(X)=\frac{\sqrt{3}}{2}$

(3) ① 풀이 참조

② $\mathrm{E}(X)=1,\ \mathrm{V}(X)=\frac{1}{3},\ \sigma(X)=\frac{\sqrt{3}}{3}$

풀이 (1) ① 확률변수 X가 가질 수 있는 값은 0, 1, 2이다.

$\mathrm{E}(X=0)=\frac{1}{4}$

$\mathrm{E}(X=1)=\frac{2}{4}=\frac{1}{2}$

$\mathrm{E}(X=2)=\frac{1}{4}$

따라서 확률변수 X의 확률분포를 표로 나타내면

X	0	1	2	합계
$\mathrm{P}(X=x)$	$\frac{1}{4}$	$\frac{1}{2}$	$\frac{1}{4}$	1

② $\mathrm{E}(X)=0\times\frac{1}{4}+1\times\frac{1}{2}+2\times\frac{1}{4}$

$=1$

$\mathrm{E}(X^2)=0^2\times\frac{1}{4}+1^2\times\frac{1}{2}+2^2\times\frac{1}{4}$

$=\frac{3}{2}$

$\therefore V(X)=E(X^2)-\{E(X)\}^2$

$=\frac{3}{2}-1^2=\frac{1}{2}$

$\sigma(X)=\sqrt{V(X)}=\sqrt{\frac{1}{2}}=\frac{\sqrt{2}}{2}$

(2) ① 확률변수 X가 가질 수 있는 값은 0, 1, 2, 3이다.

$E(X=0)=\frac{1}{8}$, $E(X=1)=\frac{3}{8}$

$E(X=2)=\frac{3}{8}$, $E(X=3)=\frac{1}{8}$

따라서 확률변수 X의 확률분포를 표로 나타내면

X	0	1	2	3	합계
$P(X=x)$	$\frac{1}{8}$	$\frac{3}{8}$	$\frac{3}{8}$	$\frac{1}{8}$	1

② $E(X)=0\times\frac{1}{8}+1\times\frac{3}{8}+2\times\frac{3}{8}+3\times\frac{1}{8}$

$=\frac{3}{2}$

$E(X^2)=0^2\times\frac{1}{8}+1^2\times\frac{3}{8}+2^2\times\frac{3}{8}+3^2\times\frac{1}{8}$

$=3$

$\therefore V(X)=E(X^2)-\{E(X)\}^2$

$=3-\left(\frac{3}{2}\right)^2=\frac{3}{4}$

$\sigma(X)=\sqrt{V(X)}=\sqrt{\frac{3}{4}}=\frac{\sqrt{3}}{2}$

(3) ① 확률변수 X가 가질 수 있는 값은 0, 1, 2이다.

$P(X=0)=\frac{{}_2C_0\times{}_2C_2}{{}_4C_2}=\frac{1}{6}$

$P(X=1)=\frac{{}_2C_1\times{}_2C_1}{{}_4C_2}=\frac{4}{6}=\frac{2}{3}$

$P(X=2)=\frac{{}_2C_2\times{}_2C_0}{{}_4C_2}=\frac{1}{6}$

따라서 확률변수 X의 확률분포를 표로 나타내면

X	0	1	2	합계
$P(X=x)$	$\frac{1}{6}$	$\frac{2}{3}$	$\frac{1}{6}$	1

② $E(X)=0\times\frac{1}{6}+1\times\frac{2}{3}+2\times\frac{1}{6}=1$

$E(X^2)=0^2\times\frac{1}{6}+1^2\times\frac{2}{3}+2^2\times\frac{1}{6}=\frac{4}{3}$

$\therefore V(X)=E(X^2)-\{E(X)\}^2$

$=\frac{4}{3}-1^2=\frac{1}{3}$

$\sigma(X)=\sqrt{V(X)}=\sqrt{\frac{1}{3}}=\frac{\sqrt{3}}{3}$

15 **답** (1) 2600원 (2) 1700원 (3) 1400원

풀이 (1) 복권 한 장에서 받을 수 있는 상금을 X원이라고 할 때, 확률변수 X의 확률분포를 표로 나타내면

X	0	2000	5000	10000	합계
$P(X=x)$	$\frac{2}{5}$	$\frac{3}{10}$	$\frac{1}{5}$	$\frac{1}{10}$	1

$\therefore E(X)=0\times\frac{2}{5}+2000\times\frac{3}{10}+5000\times\frac{1}{5}+10000\times\frac{1}{10}$

$=2600$

따라서 확률변수 X의 기댓값은 2600원이다.

(2) 복권 한 장에서 받을 수 있는 상금을 X원이라고 할 때, 확률변수 X의 확률분포를 표로 나타내면

X	0	3000	6000	10000	합계
$P(X=x)$	$\frac{13}{20}$	$\frac{1}{5}$	$\frac{1}{10}$	$\frac{1}{20}$	1

$\therefore E(X)=0\times\frac{13}{20}+3000\times\frac{1}{5}+6000\times\frac{1}{10}+10000\times\frac{1}{20}$

$=1700$

따라서 확률변수 X의 기댓값은 1700원이다.

(3) 복권 한 장에서 받을 수 있는 상금을 X원이라고 할 때, 확률변수 X의 확률분포를 표로 나타내면

X	0	5000	10000	20000	합계
$P(X=x)$	$\frac{83}{100}$	$\frac{1}{10}$	$\frac{1}{20}$	$\frac{1}{50}$	1

$\therefore E(X)=0\times\frac{83}{100}+5000\times\frac{1}{10}+10000\times\frac{1}{20}+20000\times\frac{1}{50}$

$=1400$

따라서 확률변수 X의 기댓값은 1400원이다.

16 **답** (1) 500원 (2) 150원 (3) 350원

풀이 (1) 500원짜리 동전 2개를 던져서 받을 수 있는 금액은

(앞, 앞) ➡ 500+500=1000(원)

(앞, 뒤) ➡ 500+0=500(원)

(뒤, 앞) ➡ 0+500=500(원)

(뒤, 뒤) ➡ 0+0=0(원)

즉, 확률변수 X가 가질 수 있는 값은 0, 500, 1000이고 X의 확률분포를 표로 나타내면

X	0	500	1000	합계
$P(X=x)$	$\frac{1}{4}$	$\frac{1}{2}$	$\frac{1}{4}$	1

$\therefore E(X)=0\times\frac{1}{4}+500\times\frac{1}{2}+1000\times\frac{1}{4}=500$

따라서 확률변수 X의 기댓값은 500원이다.

(2) 100원짜리 동전 3개를 던져서 받을 수 있는 금액은 뒷면이 0개, 1개, 2개, 3개일 때, 각각 0원, 100원, 200원, 300원이므로 확률변수 X가 가질 수 있는 값은 0, 100, 200, 300이다.

X	0	100	200	300	합계
$P(X=x)$	$\frac{1}{8}$	$\frac{3}{8}$	$\frac{3}{8}$	$\frac{1}{8}$	1

$\therefore \mathrm{E}(X)=0\times\frac{1}{8}+100\times\frac{3}{8}+200\times\frac{3}{8}+300\times\frac{1}{8}$

$=\frac{1200}{8}=150$

따라서 확률변수 X의 기댓값은 150원이다.

(3) 한 개의 주사위를 던져서 받을 수 있는 금액은 100원, 200원, 300원, …, 600원이므로 확률변수 X가 가질 수 있는 값은 100, 200, 300, …, 600이다.

X	100	200	300	400	500	600	합계
$\mathrm{P}(X=x)$	$\frac{1}{6}$	$\frac{1}{6}$	$\frac{1}{6}$	$\frac{1}{6}$	$\frac{1}{6}$	$\frac{1}{6}$	1

$\therefore \mathrm{E}(X)=100\times\frac{1}{6}+200\times\frac{1}{6}+300\times\frac{1}{6}+\cdots+600\times\frac{1}{6}$

$=\frac{2100}{6}=350$

따라서 확률변수 X의 기댓값은 350원이다.

17 답 (1) $\frac{4\sqrt{5}}{15}$ (2) $\frac{3}{5}$ (3) $\frac{5\sqrt{6}}{21}$

풀이 (1) 확률변수 X가 가질 수 있는 값은 0, 1, 2이고, 그 확률을 각각 구하면

$\mathrm{P}(X=0)=$(사이다 2개, 콜라 0개를 꺼낼 확률)

$=\frac{{}_2\mathrm{C}_2\times{}_4\mathrm{C}_0}{{}_6\mathrm{C}_2}=\frac{1}{15}$

$\mathrm{P}(X=1)=$(사이다 1개, 콜라 1개를 꺼낼 확률)

$=\frac{{}_2\mathrm{C}_1\times{}_4\mathrm{C}_1}{{}_6\mathrm{C}_2}=\frac{8}{15}$

$\mathrm{P}(X=2)=$(사이다 0개, 콜라 2개를 꺼낼 확률)

$=\frac{{}_2\mathrm{C}_0\times{}_4\mathrm{C}_2}{{}_6\mathrm{C}_2}=\frac{6}{15}=\frac{2}{5}$

따라서 확률변수 X의 표준편차를 구하면

$\mathrm{E}(X)=0\times\frac{1}{15}+1\times\frac{8}{15}+2\times\frac{2}{5}=\frac{20}{15}=\frac{4}{3}$

$\mathrm{E}(X^2)=0^2\times\frac{1}{15}+1^2\times\frac{8}{15}+2^2\times\frac{2}{5}=\frac{32}{15}$

$\mathrm{V}(X)=\mathrm{E}(X^2)-\{\mathrm{E}(X)\}^2=\frac{32}{15}-\left(\frac{4}{3}\right)^2=\frac{16}{45}$

$\therefore \sigma(X)=\sqrt{\mathrm{V}(X)}=\sqrt{\frac{16}{45}}=\frac{4\sqrt{5}}{15}$

(2) 확률변수 X가 가질 수 있는 값은 0, 1, 2이고, 그 확률을 각각 구하면

$\mathrm{P}(X=0)=\frac{{}_3\mathrm{C}_0\times{}_2\mathrm{C}_2}{{}_5\mathrm{C}_2}=\frac{1}{10}$

$\mathrm{P}(X=1)=\frac{{}_3\mathrm{C}_1\times{}_2\mathrm{C}_1}{{}_5\mathrm{C}_2}=\frac{6}{10}=\frac{3}{5}$

$\mathrm{P}(X=2)=\frac{{}_3\mathrm{C}_2\times{}_2\mathrm{C}_0}{{}_5\mathrm{C}_2}=\frac{3}{10}$

따라서 확률변수 X의 표준편차를 구하면

$\mathrm{E}(X)=0\times\frac{1}{10}+1\times\frac{3}{5}+2\times\frac{3}{10}=\frac{6}{5}$

$\mathrm{E}(X^2)=0^2\times\frac{1}{10}+1^2\times\frac{3}{5}+2^2\times\frac{3}{10}=\frac{9}{5}$

$\mathrm{V}(X)=\mathrm{E}(X^2)-\{\mathrm{E}(X)\}^2$

$=\frac{9}{5}-\left(\frac{6}{5}\right)^2=\frac{9}{25}$

$\therefore \sigma(X)=\sqrt{\mathrm{V}(X)}=\sqrt{\frac{9}{25}}=\frac{3}{5}$

(3) 확률변수 X가 가질 수 있는 값은 0, 1, 2이고, 그 확률을 각각 구하면

$\mathrm{P}(X=0)=\frac{{}_2\mathrm{C}_0\times{}_5\mathrm{C}_2}{{}_7\mathrm{C}_2}=\frac{10}{21}$

$\mathrm{P}(X=1)=\frac{{}_2\mathrm{C}_1\times{}_5\mathrm{C}_1}{{}_7\mathrm{C}_2}=\frac{10}{21}$

$\mathrm{P}(X=2)=\frac{{}_2\mathrm{C}_2\times{}_5\mathrm{C}_0}{{}_7\mathrm{C}_2}=\frac{1}{21}$

따라서 확률변수 X의 표준편차를 구하면

$\mathrm{E}(X)=0\times\frac{10}{21}+1\times\frac{10}{21}+2\times\frac{1}{21}$

$=\frac{12}{21}=\frac{4}{7}$

$\mathrm{E}(X^2)=0^2\times\frac{10}{21}+1^2\times\frac{10}{21}+2^2\times\frac{1}{21}$

$=\frac{14}{21}=\frac{2}{3}$

$\mathrm{V}(X)=\mathrm{E}(X^2)-\{\mathrm{E}(X)\}^2$

$=\frac{2}{3}-\left(\frac{4}{7}\right)^2=\frac{50}{147}$

$\therefore \sigma(X)=\sqrt{\mathrm{V}(X)}=\sqrt{\frac{50}{147}}=\frac{5\sqrt{2}}{7\sqrt{3}}=\frac{5\sqrt{6}}{21}$

18 답 (1) 평균: -14, 분산: 18, 표준편차: $3\sqrt{2}$

(2) 평균: 19, 분산: 32, 표준편차: $4\sqrt{2}$

(3) 평균: 13, 분산: 8, 표준편차: $2\sqrt{2}$

(4) 평균: -26, 분산: 50, 표준편차: $5\sqrt{2}$

풀이 (1) 평균: $\mathrm{E}(-3X+1)=-3\mathrm{E}(X)+1$

$=-15+1=-14$

분산: $\mathrm{V}(-3X+1)=(-3)^2\mathrm{V}(X)$

$=9\mathrm{V}(X)=18$

표준편차: $\sigma(-3X+1)=|-3|\sigma(X)$

$=3\sigma(X)=3\sqrt{2}$

(2) 평균: $\mathrm{E}(4X-1)=4\mathrm{E}(X)-1$

$=20-1=19$

분산: $\mathrm{V}(4X-1)-4^2\mathrm{V}(X)$

$=16\mathrm{V}(X)=32$

표준편차: $\sigma(4X-1)=4\sigma(X)=4\sqrt{2}$

(3) 평균: $\mathrm{E}(2X+3)=2\mathrm{E}(X)+3$

$=10+3=13$

분산: $\mathrm{V}(2X+3)=2^2\mathrm{V}(X)$

$=4\mathrm{V}(X)=8$

표준편차: $\sigma(2X+3)=2\sigma(X)=2\sqrt{2}$

(4) 평균: $\mathrm{E}(-5X-1)=-5\mathrm{E}(X)-1$

$=-25-1=-26$

분산: $\mathrm{V}(-5X-1)=(-5)^2\mathrm{V}(X)$

$=25\mathrm{V}(X)=50$

표준편차: $\sigma(-5X-1)=|-5|\sigma(X)$

$=5\sigma(X)=5\sqrt{2}$

19 답 (1) 41 (2) 15 (3) -49

풀이 (1) $E(3X^2-1)=3E(X^2)-1$이므로 $E(X^2)$을 구하면 $V(X)=E(X^2)-\{E(X)\}^2$에서

$5=E(X^2)-3^2 \quad \therefore E(X^2)=14$

$\therefore E(3X^2-1)=3E(X^2)-1$

$=42-1=\underline{41}$

(2) $E(4X^2+3)=4E(X^2)+3$이므로 $E(X^2)$을 구하면 $V(X)=E(X^2)-\{E(X)\}^2$에서

$2=E(X^2)-1^2 \quad \therefore E(X^2)=3$

$\therefore E(4X^2+3)=4E(X^2)+3$

$=12+3=15$

(3) $E(-2X^2+3)=-2E(X^2)+3$이므로 $E(X^2)$을 구하면 $V(X)=E(X^2)-\{E(X)\}^2$에서

$1=E(X^2)-5^2 \quad \therefore E(X^2)=26$

$\therefore E(-2X^2+3)=-2E(X^2)+3$

$=-52+3=-49$

20 답 (1) 평균: 3, 분산: $\frac{9}{2}$, 표준편차: $\frac{3\sqrt{2}}{2}$

(2) 평균: 3, 분산: 2, 표준편차: $\sqrt{2}$

(3) 평균: 3, 분산: $\frac{1}{2}$, 표준편차: $\frac{\sqrt{2}}{2}$

(4) 평균: 3, 분산: $\frac{25}{2}$, 표준편차: $\frac{5\sqrt{2}}{2}$

풀이 (1) $E(X)=0\times\frac{1}{4}+1\times\frac{1}{2}+2\times\frac{1}{4}=1$

$E(X^2)=0^2\times\frac{1}{4}+1^2\times\frac{1}{2}+2^2\times\frac{1}{4}$

$=\frac{3}{2}$

$V(X)=E(X^2)-\{E(X)\}^2$

$=\frac{3}{2}-1^2=\frac{1}{2}$

$\sigma(X)=\sqrt{V(X)}=\sqrt{\frac{1}{2}}=\frac{\sqrt{2}}{2}$

$\therefore E(Y)=E(3X)=3E(X)=\underline{3}$

$V(Y)=V(3X)=3^2V(X)=\underline{\frac{9}{2}}$

$\sigma(Y)=\sigma(3X)=|3|\sigma(X)=\underline{\frac{3\sqrt{2}}{2}}$

(2) $E(Y)=E(2X+1)$

$=2E(X)+1=3$

$V(Y)=V(2X+1)$

$=2^2V(X)=2$

$\sigma(Y)=\sigma(2X+1)$

$=|2|\sigma(X)=\sqrt{2}$

(3) $E(Y)=E(-X+4)$

$=-E(X)+4=3$

$V(Y)=V(-X+4)$

$=(-1)^2V(X)=\frac{1}{2}$

$\sigma(Y)=\sigma(-X+4)$

$=|-1|\sigma(X)=\frac{\sqrt{2}}{2}$

(4) $E(Y)=E(5X-2)$

$=5E(X)-2=3$

$V(Y)=V(5X-2)$

$=5^2V(X)=\frac{25}{2}$

$\sigma(Y)=\sigma(5X-2)$

$=|5|\sigma(X)=\frac{5\sqrt{2}}{2}$

21 답 (1) 평균: 7, 분산: $\frac{76}{3}$, 표준편차: $\frac{2\sqrt{57}}{3}$

(2) 평균: 9, 분산: 57, 표준편차: $\sqrt{57}$

(3) 평균: $\frac{5}{2}$, 분산: $\frac{57}{4}$, 표준편차: $\frac{\sqrt{57}}{2}$

(4) 평균: 1, 분산: $\frac{19}{3}$, 표준편차: $\frac{\sqrt{57}}{3}$

풀이 (1) 확률의 총합이 1이므로

$2a+a+a+2a=1 \quad \therefore a=\frac{1}{6}$

$E(X)=0\times\frac{2}{6}+1\times\frac{1}{6}+2\times\frac{1}{6}+3\times\frac{2}{6}$

$=\frac{9}{6}=\frac{3}{2}$

$E(X^2)=0^2\times\frac{2}{6}+1^2\times\frac{1}{6}+2^2\times\frac{1}{6}+3^2\times\frac{2}{6}$

$=\frac{23}{6}$

$V(X)=E(X^2)-\{E(X)\}^2$

$=\frac{23}{6}-\left(\frac{3}{2}\right)^2=\frac{19}{12}$

$\sigma(X)=\sqrt{V(X)}=\sqrt{\frac{19}{12}}=\frac{\sqrt{57}}{6}$

$\therefore E(Y)=E(4X+1)=4E(X)+1=\underline{7}$

$V(Y)=V(4X+1)$

$=4^2V(X)=\underline{\frac{76}{3}}$

$\sigma(Y)=\sigma(4X+1)$

$=|4|\sigma(X)=\underline{\frac{2\sqrt{57}}{3}}$

(2) $E(Y)=E(6X)=6E(X)=9$

$V(Y)=V(6X)=6^2V(X)=57$

$\sigma(Y)=\sigma(6X)=|6|\sigma(X)=\sqrt{57}$

(3) $E(Y)=E(3X-2)$

$=3E(X)-2=\frac{5}{2}$

$V(Y)=V(3X-2)$

$=3^2V(X)=\frac{57}{4}$

$\sigma(Y)=\sigma(3X-2)$

$=|3|\sigma(X)=\frac{\sqrt{57}}{2}$

(4) $E(Y)=E(-2X+4)$

$=-2E(X)+4=1$

$V(Y)=V(-2X+4)$

$=(-2)^2V(X)=\frac{19}{3}$

$\sigma(Y)=\sigma(-2X+4)$

$=|-2|\sigma(X)=\frac{\sqrt{57}}{3}$

22 답 (1) 풀이 참조 (2) $E(X)=\frac{4}{5}$, $V(X)=\frac{9}{25}$

(3) $E(-2X+3)=\frac{7}{5}$, $V(-2X+3)=\frac{36}{25}$

풀이 (1) 확률변수 X가 가질 수 있는 값은 0, 1, 2이고, 그 확률은 각각

$P(X=0)=\frac{{}_2C_0\times{}_3C_2}{{}_5C_2}=\frac{3}{10}$

$P(X=1)=\frac{{}_2C_1\times{}_3C_1}{{}_5C_2}=\frac{6}{10}=\frac{3}{5}$

$P(X=2)=\frac{{}_2C_2\times{}_3C_0}{{}_5C_2}=\frac{1}{10}$

따라서 확률변수 X의 확률분포를 표로 나타내면

X	0	1	2	합계
$P(X=x)$	$\frac{3}{10}$	$\frac{3}{5}$	$\frac{1}{10}$	1

(2) $E(X)=0\times\frac{3}{10}+1\times\frac{3}{5}+2\times\frac{1}{10}$

$=\frac{4}{5}$

$E(X^2)=0^2\times\frac{3}{10}+1^2\times\frac{3}{5}+2^2\times\frac{1}{10}$

$=1$

$\therefore V(X)=E(X^2)-\{E(X)\}^2$

$=1-\left(\frac{4}{5}\right)^2=\frac{9}{25}$

(3) $E(-2X+3)=-2E(X)+3=\frac{7}{5}$

$V(-2X+3)=(-2)^2V(X)=\frac{36}{25}$

23 답 (1) 풀이 참조

(2) $E(X)=\frac{4}{3}$, $V(X)=\frac{16}{45}$

(3) $E(3X+1)=5$, $V(3X+1)=\frac{16}{5}$

풀이 (1) 확률변수 X가 가질 수 있는 값은 0, 1, 2이고, 그 확률은 각각

$P(X=0)=\frac{{}_4C_0\times{}_2C_2}{{}_6C_2}=\frac{1}{15}$

$P(X=1)=\frac{{}_4C_1\times{}_2C_1}{{}_6C_2}=\frac{8}{15}$

$P(X=2)=\frac{{}_4C_2\times{}_2C_0}{{}_6C_2}=\frac{6}{15}=\frac{2}{5}$

따라서 확률변수 X의 확률분포를 표로 나타내면

X	0	1	2	합계
$P(X=x)$	$\frac{1}{15}$	$\frac{8}{15}$	$\frac{2}{5}$	1

(2) $E(X)=0\times\frac{1}{15}+1\times\frac{8}{15}+2\times\frac{2}{5}$

$=\frac{20}{15}=\frac{4}{3}$

$E(X^2)=0^2\times\frac{1}{15}+1^2\times\frac{8}{15}+2^2\times\frac{2}{5}$

$=\frac{32}{15}$

$\therefore V(X)=E(X^2)-\{E(X)\}^2$

$=\frac{32}{15}-\left(\frac{4}{3}\right)^2=\frac{16}{45}$

(3) $E(3X+1)=3E(X)+1=5$

$V(3X+1)=3^2V(X)=\frac{16}{5}$

24 답 (1) 풀이 참조

(2) $E(X)=1$, $V(X)=\frac{2}{5}$

(3) $E(-5X+6)=1$, $V(-5X+6)=10$

풀이 (1) 확률변수 X가 가질 수 있는 값은 0, 1, 2이고, 그 확률은 각각

$P(X=0)=\frac{{}_3C_0\times{}_3C_2}{{}_6C_2}=\frac{3}{15}=\frac{1}{5}$

$P(X=1)=\frac{{}_3C_1\times{}_3C_1}{{}_6C_2}=\frac{9}{15}=\frac{3}{5}$

$P(X=2)=\frac{{}_3C_2\times{}_3C_0}{{}_6C_2}=\frac{3}{15}=\frac{1}{5}$

따라서 확률변수 X의 확률분포를 표로 나타내면

X	0	1	2	합계
$P(X=x)$	$\frac{1}{5}$	$\frac{3}{5}$	$\frac{1}{5}$	1

(2) $E(X)=0\times\frac{1}{5}+1\times\frac{3}{5}+2\times\frac{1}{5}$

$=1$

$E(X^2)=0^2\times\frac{1}{5}+1^2\times\frac{3}{5}+2^2\times\frac{1}{5}$

$=\frac{7}{5}$

$\therefore V(X)=E(X^2)-\{E(X)\}^2=\frac{7}{5}-1^2=\frac{2}{5}$

(3) $E(-5X+6)=-5E(X)+6=1$

$V(-5X+6)=(-5)^2V(X)=10$

25 답 (1) $B\left(10, \frac{1}{2}\right)$ (2) $B\left(20, \frac{1}{2}\right)$

풀이 (1) 짝수의 눈이 나올 확률은 $\frac{1}{2}$이므로 짝수의 눈이 나오는 횟수 X는 이항분포 $B\left(10, \frac{1}{2}\right)$을 따른다.

(2) 앞면이 나올 확률은 $\frac{1}{2}$이므로 앞면이 나오는 동전의 개수 X는 이항분포 $B\left(20, \frac{1}{2}\right)$을 따른다.

26 답 (1) $P(X=x)={}_8C_x\left(\frac{1}{2}\right)^8$, $P(X=2)=\frac{7}{64}$

(2) $P(X=x)={}_9C_x\left(\frac{1}{3}\right)^x\left(\frac{2}{3}\right)^{9-x}$, $P(X=2)=\frac{2^9}{3^7}$

풀이 (1) (i) 확률변수 X의 확률질량함수는

$P(X=x)={}_8C_x\left(\frac{1}{2}\right)^x\left(\frac{1}{2}\right)^{8-x}={}_8C_x\left(\frac{1}{2}\right)^8$

(ii) $P(X=2)={}_8C_2\left(\frac{1}{2}\right)^8=28\times\frac{1}{2^8}=\frac{7}{64}$

(2) (i) 확률변수 X의 확률질량함수는

$P(X=x)={}_9C_x\left(\frac{1}{3}\right)^x\left(\frac{2}{3}\right)^{9-x}$

(ii) $P(X=2)={}_9C_2\left(\frac{1}{3}\right)^2\left(\frac{2}{3}\right)^7=36\times\frac{2^7}{3^9}=\frac{2^9}{3^7}$

27 **답** (1) ① $P(X=x)={}_{10}C_x\left(\frac{1}{2}\right)^{10}$

② $\frac{15}{128}$

(2) ① $P(X=x)={}_6C_x\left(\frac{1}{3}\right)^x\left(\frac{2}{3}\right)^{6-x}$

② $\frac{80}{243}$

(3) ① $P(X=x)={}_8C_x\left(\frac{1}{5}\right)^x\left(\frac{4}{5}\right)^{8-x}$

② $\frac{35\times2^9}{5^8}$

풀이 (1) ① 한 개의 동전을 한 번 던질 때, 뒷면이 나올 확률은 $\frac{1}{2}$이므로 확률변수 X는 이항분포 $B\left(10, \frac{1}{2}\right)$을 따른다.

따라서 확률변수 X의 확률질량함수는

$P(X=x)={}_{10}C_x\left(\frac{1}{2}\right)^x\left(\frac{1}{2}\right)^{10-x}$

$={}_{10}C_x\left(\frac{1}{2}\right)^{10}$

② $P(X=3)={}_{10}C_3\left(\frac{1}{2}\right)^{10}$

$=120\times\frac{1}{2^{10}}=\frac{15}{128}$

(2) ① 한 개의 주사위를 한 번 던질 때, 3의 배수의 눈이 나올 확률은 $\frac{1}{3}$이므로 확률변수 X는 이항분포 $B\left(6, \frac{1}{3}\right)$을 따른다.

따라서 확률변수 X의 확률질량함수는

$P(X=x)={}_6C_x\left(\frac{1}{3}\right)^x\left(\frac{2}{3}\right)^{6-x}$

② $P(X=2)={}_6C_2\left(\frac{1}{3}\right)^2\left(\frac{2}{3}\right)^4$

$=15\times\frac{2^4}{3^6}=\frac{80}{243}$

(3) ① 한 개의 문제를 답할 때, 맞힐 확률은 $\frac{1}{5}$이므로 확률변수 X는 이항분포 $B\left(8, \frac{1}{5}\right)$을 따른다.

따라서 확률변수 X의 확률질량함수는

$P(X=x)={}_8C_x\left(\frac{1}{5}\right)^x\left(\frac{4}{5}\right)^{8-x}$

② $P(X=4)={}_8C_4\left(\frac{1}{5}\right)^4\left(\frac{4}{5}\right)^4$

$=70\times\frac{4^4}{5^8}=\frac{35\times2^9}{5^8}$

28 **답** (1) 평균: 10, 분산: 8, 표준편차: $2\sqrt{2}$

(2) 평균: 30, 분산: 15, 표준편차: $\sqrt{15}$

(3) 평균: 30, 분산: 10, 표준편차: $\sqrt{10}$

(4) 평균: 60, 분산: 15, 표준편차: $\sqrt{15}$

(5) 평균: 70, 분산: 21, 표준편차: $\sqrt{21}$

풀이 확률변수 X가 이항분포 $B(n, p)$를 따를 때, $E(X)=np$, $V(X)=np(1-p)$이므로

(1) 평균: $E(X)=50\times\frac{1}{5}=10$

분산: $V(X)=50\times\frac{1}{5}\times\frac{4}{5}=8$

표준편차: $\sigma(X)=\sqrt{V(X)}=\sqrt{8}=2\sqrt{2}$

(2) 평균: $E(X)=60\times\frac{1}{2}=30$

분산: $V(X)=60\times\frac{1}{2}\times\frac{1}{2}=15$

표준편차: $\sigma(X)=\sqrt{V(X)}=\sqrt{15}$

(3) 평균: $E(X)=45\times\frac{2}{3}=30$

분산: $V(X)=45\times\frac{2}{3}\times\frac{1}{3}=10$

표준편차: $\sigma(X)=\sqrt{V(X)}=\sqrt{10}$

(4) 평균: $E(X)=80\times\frac{3}{4}=60$

분산: $V(X)=80\times\frac{3}{4}\times\frac{1}{4}=15$

표준편차: $\sigma(X)=\sqrt{V(X)}=\sqrt{15}$

(5) 평균: $E(X)=100\times\frac{7}{10}=70$

분산: $V(X)=100\times\frac{7}{10}\times\frac{3}{10}=21$

표준편차: $\sigma(X)=\sqrt{V(X)}=\sqrt{21}$

29 **답** (1) 4 (2) $\frac{8}{3}$ (3) $3\sqrt{2}$ (4) $\frac{3\sqrt{6}}{2}$

풀이 (1) $E(X)=72p=24$에서 $p=\frac{1}{3}$

X가 이항분포 $B\left(72, \frac{1}{3}\right)$을 따르므로

$V(X)=72\times\frac{1}{3}\times\frac{2}{3}=16$

$\therefore \sigma(X)=\sqrt{V(X)}=\sqrt{16}=4$

(2) $E(X)=72p=8$에서 $p=\frac{1}{9}$

X가 이항분포 $B\left(72, \frac{1}{9}\right)$을 따르므로

$V(X)=72\times\frac{1}{9}\times\frac{8}{9}=\frac{64}{9}$

$\therefore \sigma(X)=\sqrt{V(X)}=\sqrt{\frac{64}{9}}=\frac{8}{3}$

(3) $E(X)=72p=36$에서 $p=\frac{1}{2}$

X가 이항분포 $B\left(72, \frac{1}{2}\right)$을 따르므로

$V(X)=72\times\frac{1}{2}\times\frac{1}{2}=18$

$\therefore \sigma(X)=\sqrt{V(X)}=\sqrt{18}=3\sqrt{2}$

(4) $E(X)=72p=54$에서 $p=\frac{3}{4}$

X가 이항분포 $B\left(72,\ \frac{3}{4}\right)$을 따르므로

$V(X)=72\times\frac{3}{4}\times\frac{1}{4}=\frac{27}{2}$

$\therefore\ \sigma(X)=\sqrt{V(X)}=\sqrt{\frac{27}{2}}=\frac{3\sqrt{6}}{2}$

30 답 (1) $n=10,\ p=\frac{1}{10}$ (2) $n=25,\ p=\frac{1}{5}$

(3) $n=27,\ p=\frac{1}{3}$ (4) $n=10,\ p=\frac{1}{5}$

풀이 (1) $E(X)=np=1$

$V(X)=np(1-p)=\frac{9}{10}$에서 $np=1$이므로

$1-p=\frac{9}{10}$ $\quad\therefore\ p=\frac{1}{10}$

$\therefore\ n=\frac{1}{p}=10$

(2) $E(X)=np=5$

$V(X)=np(1-p)=4$에서 $np=5$이므로

$1-p=\frac{4}{5}$ $\quad\therefore\ p=\frac{1}{5}$

$\therefore\ n=\frac{5}{p}=25$

(3) $E(X)=np=9$

$V(X)=np(1-p)=6$에서 $np=9$이므로

$1-p=\frac{6}{9}=\frac{2}{3}$ $\quad\therefore\ p=\frac{1}{3}$

$\therefore\ n=\frac{9}{p}=27$

(4) $E(X)=np=2$

$V(X)=np(1-p)=\frac{8}{5}$에서 $np=2$이므로

$1-p=\frac{4}{5}$ $\quad\therefore\ p=\frac{1}{5}$

$\therefore\ n=\frac{2}{p}=10$

31 답 (1) ① 60 ② 24 (2) ① 20 ② 18

(3) ① 210 ② 63 (4) ① 30 ② $\frac{45}{2}$

풀이 (1) 자유투 1개를 던질 때, 성공시킬 확률은 $\frac{60}{100}=\frac{3}{5}$이므로 확률변수 X는 이항분포 $B\left(100,\ \frac{3}{5}\right)$을 따른다.

① X의 평균: $E(X)=100\times\frac{3}{5}=60$

② X의 분산: $V(X)=100\times\frac{3}{5}\times\frac{2}{5}=24$

(2) 불량품이 나올 확률은 $\frac{10}{100}=\frac{1}{10}$이므로 확률변수 X는 이항분포 $B\left(200,\ \frac{1}{10}\right)$을 따른다.

① X의 평균: $E(X)=200\times\frac{1}{10}=20$

② X의 분산: $V(X)=200\times\frac{1}{10}\times\frac{9}{10}=18$

(3) 어린이의 비율이 $0.7=\frac{7}{10}$이므로 확률변수 X는 이항분포 $B\left(300,\ \frac{7}{10}\right)$을 따른다.

① X의 평균: $E(X)=300\times\frac{7}{10}=210$

② X의 분산: $V(X)=300\times\frac{7}{10}\times\frac{3}{10}=63$

(4) 야구선수의 타율은 $0.25=\frac{1}{4}$이므로 확률변수 X는 이항분포 $B\left(120,\ \frac{1}{4}\right)$을 따른다.

① X의 평균: $E(X)=120\times\frac{1}{4}=30$

② X의 분산: $V(X)=120\times\frac{1}{4}\times\frac{3}{4}=\frac{45}{2}$

32 답 (1) ① 20 ② $\frac{2\sqrt{30}}{3}$ (2) ① 20 ② $\sqrt{10}$

(3) ① 25 ② $\frac{5\sqrt{2}}{2}$

풀이 (1) 한 개의 주사위를 던질 때, 5의 약수의 눈이 나올 확률은 $\frac{1}{3}$이므로 확률변수 X는 이항분포 $B\left(60,\ \frac{1}{3}\right)$을 따른다.

① X의 평균: $E(X)=60\times\frac{1}{3}=20$

② X의 표준편차: $V(X)=60\times\frac{1}{3}\times\frac{2}{3}=\frac{40}{3}$

$\therefore\ \sigma(X)=\sqrt{V(X)}=\sqrt{\frac{40}{3}}=\frac{2\sqrt{30}}{3}$

(2) 한 개의 동전을 던질 때, 앞면이 나올 확률은 $\frac{1}{2}$이므로 확률변수 X는 이항분포 $B\left(40,\ \frac{1}{2}\right)$을 따른다.

① X의 평균: $E(X)=40\times\frac{1}{2}=20$

② X의 표준편차: $V(X)=40\times\frac{1}{2}\times\frac{1}{2}=10$

$\therefore\ \sigma(X)=\sqrt{V(X)}=\sqrt{10}$

(3) 한 개의 문제를 풀 때, 맞힐 확률은 $\frac{1}{2}$이므로 확률변수 X는 이항분포 $B\left(50,\ \frac{1}{2}\right)$을 따른다.

① X의 평균: $E(X)=50\times\frac{1}{2}=25$

② X의 표준편차: $V(X)=50\times\frac{1}{2}\times\frac{1}{2}=\frac{25}{2}$

$\therefore\ \sigma(X)=\sqrt{V(X)}=\sqrt{\frac{25}{2}}=\frac{5\sqrt{2}}{2}$

33 답 (1) 52원 (2) 42원 (3) 27원 (4) 30원

풀이 (1) 한 개의 동전을 던질 때, 뒷면이 나올 확률은 $\frac{1}{2}$이므로 확률변수 X는 이항분포 $B\left(20,\ \frac{1}{2}\right)$을 따른다.

$E(X)=20\times\frac{1}{2}=10$

$E(5X+2)=5E(X)+2=52$

따라서 상금의 기댓값은 52원이다.

(2) 한 개의 주사위를 던질 때, 6의 약수의 눈이 나올 확률은 $\frac{2}{3}$이므로 확률변수 X는 이항분포 $\mathrm{B}\left(12,\ \frac{2}{3}\right)$를 따른다.

$\mathrm{E}(X)=12\times\frac{2}{3}=8$

$\mathrm{E}(4X+10)=4\mathrm{E}(X)+10=42$

띠리서 상금의 기댓값은 42원이디.

(3) 한 개의 동전을 던질 때, 앞면이 나올 확률은 $\frac{1}{2}$이므로 확률변수 X는 이항분포 $\mathrm{B}\left(8,\ \frac{1}{2}\right)$을 따른다.

$\mathrm{E}(X)=8\times\frac{1}{2}=4$

$\mathrm{E}(7X-1)=7\mathrm{E}(X)-1=27$

따라서 상금의 기댓값은 27원이다.

(4) 한 개의 공을 꺼낼 때, 소수가 나올 확률은 $\frac{2}{5}$이므로 확률변수 X는 이항분포 $\mathrm{B}\left(20,\ \frac{2}{5}\right)$를 따른다.

$\mathrm{E}(X)=20\times\frac{2}{5}=8$

$\mathrm{E}(3X+6)=3\mathrm{E}(X)+6=30$

따라서 상금의 기댓값은 30원이다.

34 답 (1) $\frac{56}{3}$ (2) 8109 (3) 912 (4) 14430

풀이 (1) 한 개의 주사위를 던질 때, 3의 배수의 눈이 나올 확률은 $\frac{2}{6}=\frac{1}{3}$이므로 확률변수 X는 이항분포 $\mathrm{B}\left(12,\ \frac{1}{3}\right)$을 따른다.

$\mathrm{E}(X)=12\times\frac{1}{3}=4$

$\mathrm{V}(X)=12\times\frac{1}{3}\times\frac{2}{3}=\frac{8}{3}$

따라서 $\mathrm{V}(X)=\mathrm{E}(X^2)-\{\mathrm{E}(X)\}^2$에서

$\mathrm{E}(X^2)=\mathrm{V}(X)+\{\mathrm{E}(X)\}^2$

$=\frac{8}{3}+4^2=\frac{56}{3}$

(2) 발아율이 $\frac{90}{100}=\frac{9}{10}$이므로 확률변수 X는 이항분포 $\mathrm{B}\left(100,\ \frac{9}{10}\right)$를 따른다.

$\mathrm{E}(X)=100\times\frac{9}{10}=90$

$\mathrm{V}(X)=100\times\frac{9}{10}\times\frac{1}{10}=9$

따라서 $\mathrm{V}(X)=\mathrm{E}(X^2)-\{\mathrm{E}(X)\}^2$에서

$\mathrm{E}(X^2)=\mathrm{V}(X)+\{\mathrm{E}(X)\}^2=9+90^2=8109$

(3) 승률이 $\frac{60}{100}=\frac{3}{5}$이므로 확률변수 X는 이항분포 $\mathrm{B}\left(50,\ \frac{3}{5}\right)$을 따른다.

$\mathrm{E}(X)=50\times\frac{3}{5}=30$

$\mathrm{V}(X)=50\times\frac{3}{5}\times\frac{2}{5}=12$

따라서 $\mathrm{V}(X)=\mathrm{E}(X^2)-\{\mathrm{E}(X)\}^2$에서

$\mathrm{E}(X^2)=\mathrm{V}(X)+\{\mathrm{E}(X)\}^2$

$=12+30^2=912$

(4) 한 개의 물건을 생산할 때, 정상품일 확률은 $\frac{75}{100}=\frac{3}{4}$이므로 확률변수 X는 이항분포 $\mathrm{B}\left(160,\ \frac{3}{4}\right)$을 따른다.

$\mathrm{E}(X)=160\times\frac{3}{4}=120$

$\mathrm{V}(X)=160\times\frac{3}{4}\times\frac{1}{4}=30$

따라서 $\mathrm{V}(X)=\mathrm{E}(X^2)-\{\mathrm{E}(X)\}^2$에서

$\mathrm{E}(X^2)=\mathrm{V}(X)+\{\mathrm{E}(X)\}^2$

$=30+120^2=14430$

35 답 (1) 연속확률변수이다. (2) 연속확률변수가 아니다.
(3) 연속확률변수이다. (4) 연속확률변수가 아니다.

(2) 뒷면이 나오는 횟수는 유한개이므로 이산확률변수이다.

(4) 빨간 구슬의 개수는 유한개이므로 이산확률변수이다.

36 답 (1) $\frac{3}{4}$ (2) $\frac{1}{3}$ (3) $\frac{1}{4}$

풀이 (1) $\mathrm{P}(0\le X\le 1)$은 오른쪽 그림의 색칠한 부분의 넓이와 같으므로

$\mathrm{P}(0\le X\le 1)$

$=\frac{1}{2}\times\left(1+\frac{1}{2}\right)\times 1=\frac{3}{4}$

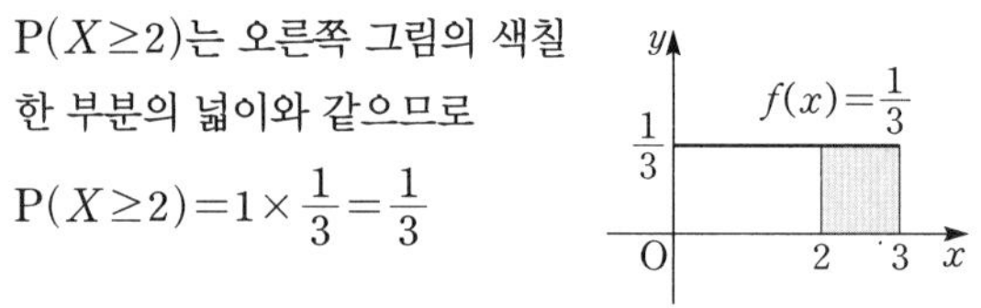

(2) $\mathrm{P}(X\ge 2)$는 오른쪽 그림의 색칠한 부분의 넓이와 같으므로

$\mathrm{P}(X\ge 2)=1\times\frac{1}{3}=\frac{1}{3}$

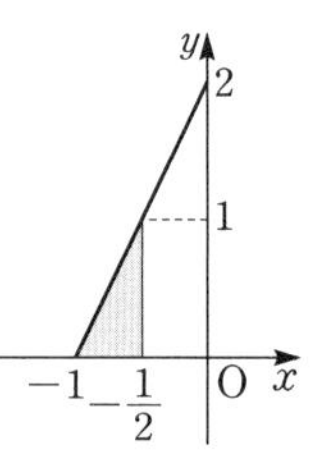

(3) $\mathrm{P}\left(-1\le X\le -\frac{1}{2}\right)$은 오른쪽 그림의 색칠한 부분의 넓이와 같으므로

$\mathrm{P}\left(-1\le X\le -\frac{1}{2}\right)$

$=\frac{1}{2}\times\frac{1}{2}\times 1=\frac{1}{4}$

37 답 (1) ① $\frac{1}{8}$ ② $\frac{1}{2}$ (2) ① $\frac{1}{6}$ ② $\frac{1}{3}$ (3) ① $\frac{1}{2}$ ② $\frac{15}{16}$

풀이 (1) ① $y=f(x)$의 그래프와 x축 및 두 직선 $x=0$, $x=4$로 둘러싸인 부분의 넓이는 1이므로

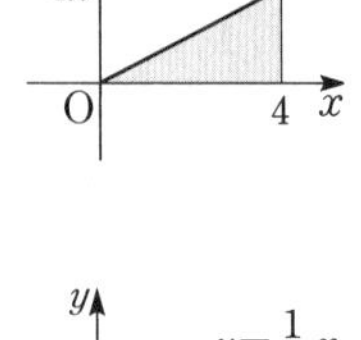

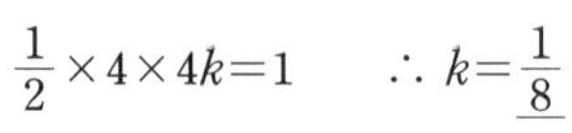

$\frac{1}{2}\times 4\times 4k=1$ $\quad\therefore k=\frac{1}{8}$

② $f(x)=\frac{1}{8}x$이므로

$\mathrm{P}(1\le X\le 3)$

$=\frac{1}{2}\times\left(\frac{1}{8}+\frac{3}{8}\right)\times 2$

$=\frac{1}{2}$

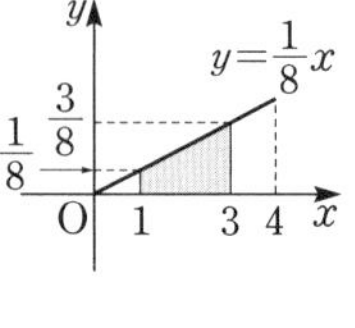

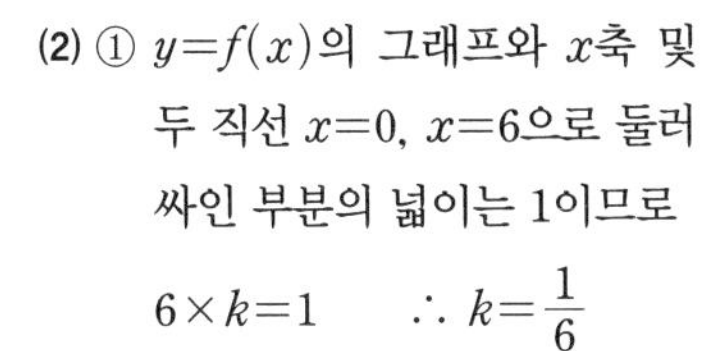

(2) ① $y=f(x)$의 그래프와 x축 및 두 직선 $x=0$, $x=6$으로 둘러싸인 부분의 넓이는 1이므로

$6\times k=1 \quad \therefore k=\frac{1}{6}$

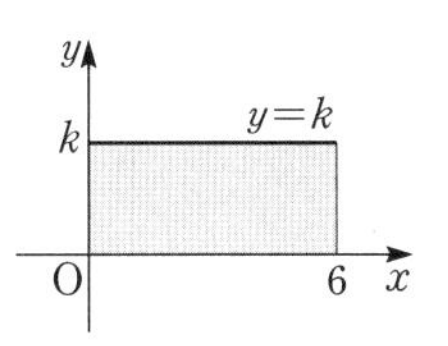

② $f(x)=\frac{1}{6}$이므로

$\mathrm{P}(2\le X\le 4)$

$=2\times\frac{1}{6}=\frac{1}{3}$

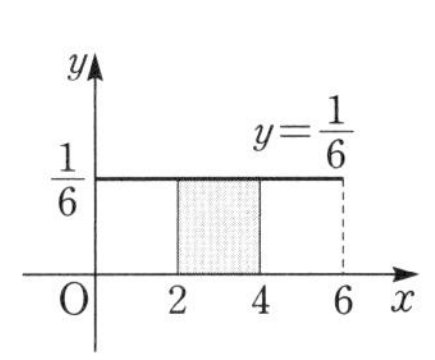

(3) ① $y=f(x)$의 그래프와 x축 및 두 직선 $x=0$, $x=2$로 둘러싸인 부분의 넓이는 1이므로

$\frac{1}{2}\times 2\times 2k=1 \quad \therefore k=\frac{1}{2}$

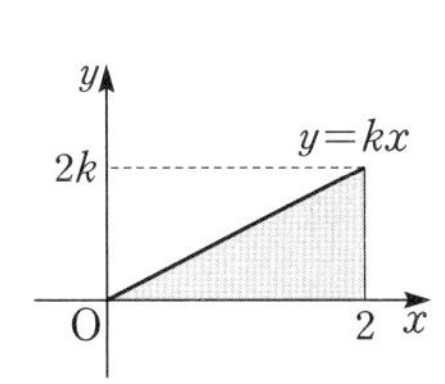

② $f(x)=\frac{1}{2}x$이므로

$\mathrm{P}\left(X\ge\frac{1}{2}\right)$

$=\frac{1}{2}\times\left(\frac{1}{4}+1\right)\times\frac{3}{2}=\frac{15}{16}$

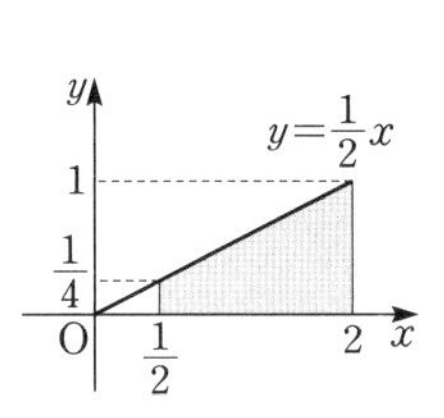

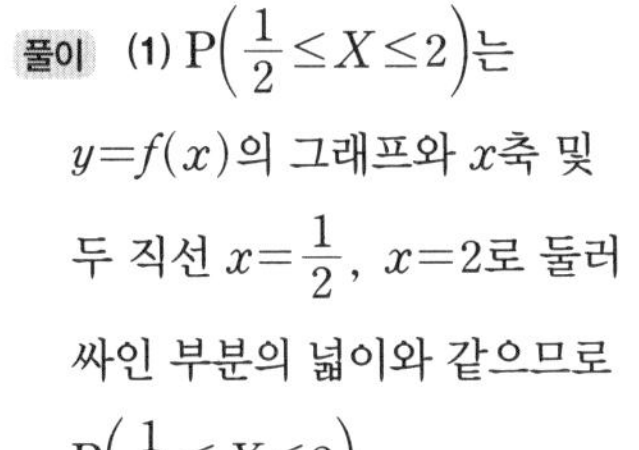

38 답 (1) $\frac{7}{8}$ (2) $\frac{31}{32}$ (3) $\frac{7}{8}$ (4) $\frac{7}{8}$

풀이 (1) $\mathrm{P}\left(\frac{1}{2}\le X\le 2\right)$는 $y=f(x)$의 그래프와 x축 및 두 직선 $x=\frac{1}{2}$, $x=2$로 둘러싸인 부분의 넓이와 같으므로

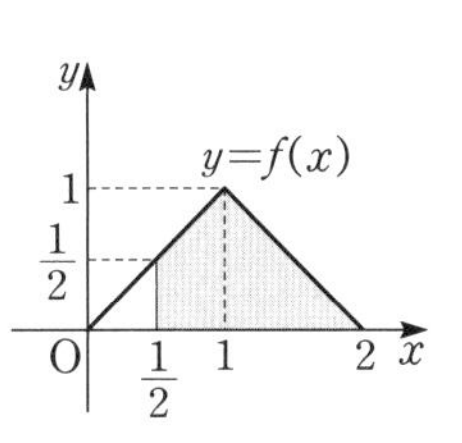

$\mathrm{P}\left(\frac{1}{2}\le X\le 2\right)$

$=$(전체 넓이)$-$(색칠하지 않은 삼각형의 넓이)

$=1-\frac{1}{2}\times\frac{1}{2}\times\frac{1}{2}=1-\frac{1}{8}=\frac{7}{8}$

(2) $\mathrm{P}\left(X\le\frac{3}{4}\right)$은 $y=f(x)$의 그래프와 x축 및 두 직선 $x=-1$, $x=\frac{3}{4}$로 둘러싸인 부분의 넓이와 같으므로

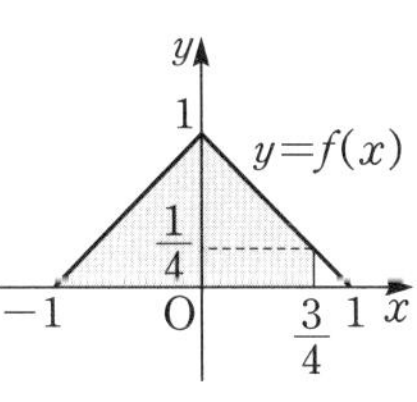

$\mathrm{P}\left(X\le\frac{3}{4}\right)=$(전체 넓이)$-$(색칠하지 않은 삼각형의 넓이)

$=1-\frac{1}{2}\times\frac{1}{4}\times\frac{1}{4}=\frac{31}{32}$

(3) 확률 $\mathrm{P}\left(0\le X\le\frac{3}{4}\right)$은 $y=f(x)$의 그래프와 x축 및 두 직선 $x=0$, $x=\frac{3}{4}$으로 둘러싸인 부분의 넓이와 같으므로

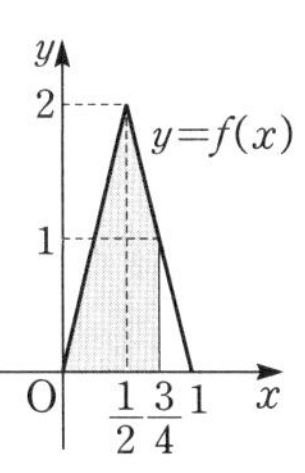

$\mathrm{P}\left(0\le X\le\frac{3}{4}\right)$

$=$(전체 넓이)$-$(색칠하지 않은 삼각형의 넓이)

$=1-\frac{1}{2}\times\frac{1}{4}\times 1=\frac{7}{8}$

(4) $\mathrm{P}(0\le X\le 1)$은 $y=f(x)$의 그래프와 x축 및 두 직선 $x=0$, $x=1$로 둘러싸인 부분의 넓이와 같으므로

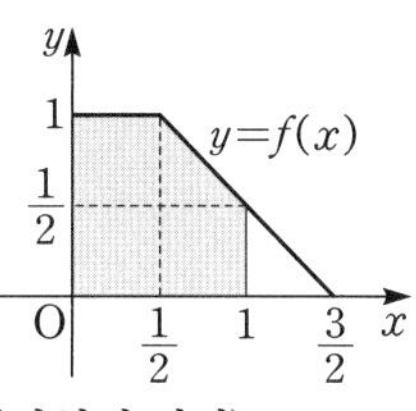

$\mathrm{P}(0\le X\le 1)$

$=$(전체 넓이)$-$(색칠하지 않은 삼각형의 넓이)

$=1-\frac{1}{2}\times\frac{1}{2}\times\frac{1}{2}=\frac{7}{8}$

39 답 (1) ① $\frac{1}{4}$ ② $\frac{3}{4}$ (2) ① $\frac{2}{3}$ ② $\frac{2}{3}$ (3) ① $\frac{1}{9}$ ② $\frac{8}{9}$

풀이 (1) ① $y=f(x)$의 그래프와 x축 및 두 직선 $x=0$, $x=4$로 둘러싸인 부분의 넓이는 1이므로

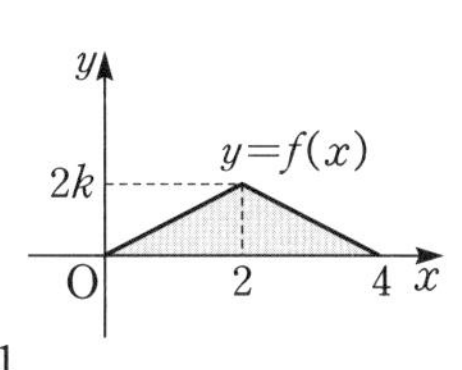

$\frac{1}{2}\times 4\times 2k=1 \quad \therefore k=\frac{1}{4}$

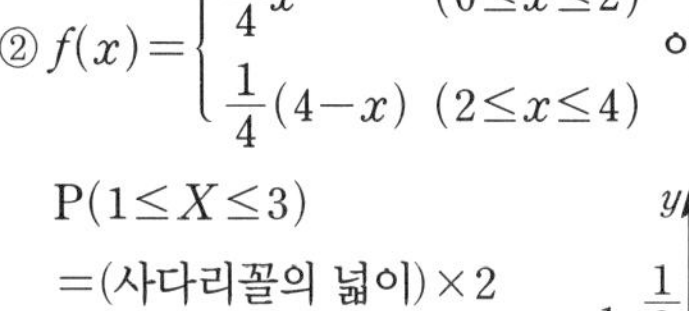

② $f(x)=\begin{cases}\frac{1}{4}x & (0\le x\le 2)\\ \frac{1}{4}(4-x) & (2\le x\le 4)\end{cases}$ 이므로

$\mathrm{P}(1\le X\le 3)$

$=$(사다리꼴의 넓이)$\times 2$

$=\frac{1}{2}\times\left(\frac{1}{4}+\frac{1}{2}\right)\times 1\times 2$

$=\frac{3}{4}$

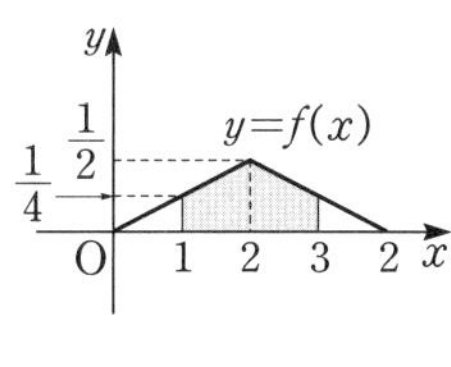

(2) ① $y=f(x)$의 그래프와 x축 및 두 직선 $x=0$, $x=2$로 둘러싸인 부분의 넓이는 1이므로

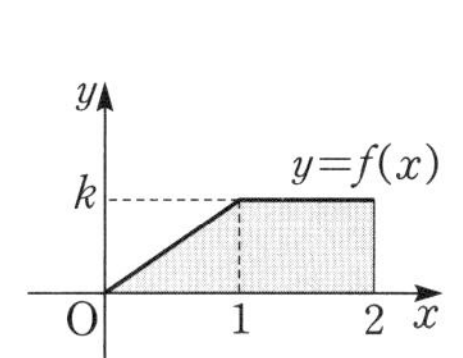

$\frac{1}{2}\times 1\times k+1\times k=1$

$\frac{3}{2}k=1 \quad \therefore k=\frac{2}{3}$

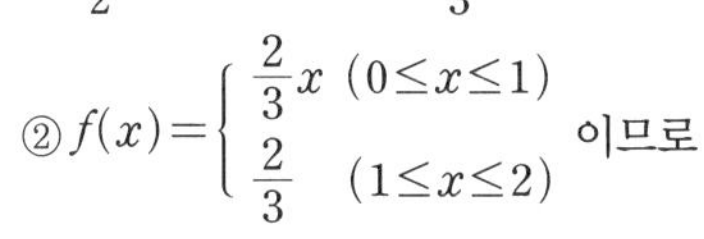

② $f(x)=\begin{cases}\frac{2}{3}x & (0\le x\le 1)\\ \frac{2}{3} & (1\le x\le 2)\end{cases}$ 이므로

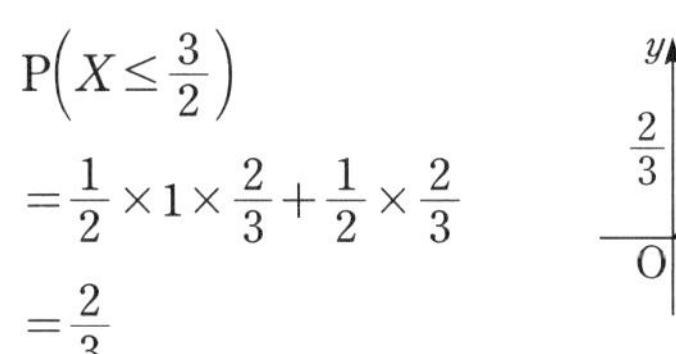

$\mathrm{P}\left(X\le\frac{3}{2}\right)$

$=\frac{1}{2}\times 1\times\frac{2}{3}+\frac{1}{2}\times\frac{2}{3}$

$=\frac{2}{3}$

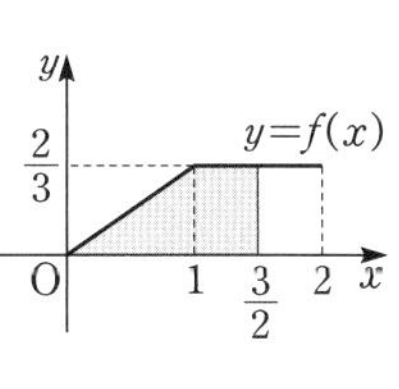

(3) ① $y=f(x)$의 그래프와 x축 및 두 직선 $x=0$, $x=6$으로 둘러싸인 부분의 넓이는 1이므로

$\frac{1}{2}\times 6\times 3k=1 \quad \therefore k=\frac{1}{9}$

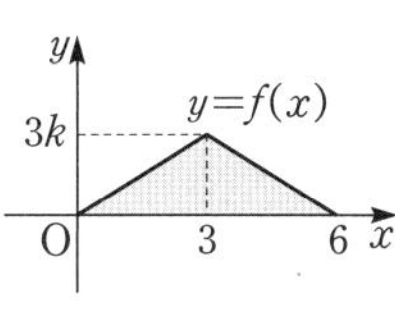

② $f(x)=\begin{cases}\frac{1}{9}x & (0\le x\le 3)\\ \frac{1}{9}(6-x) & (3\le x\le 6)\end{cases}$ 이므로

$\mathrm{P}(1\le X\le 5)$

$=$(사다리꼴의 넓이)$\times 2$

$=\frac{1}{2}\times\left(\frac{1}{9}+\frac{1}{3}\right)\times 2\times 2$

$=\frac{8}{9}$

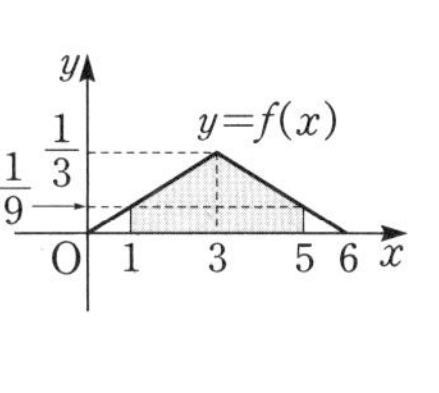

40 답 (1) $f(x)=\frac{1}{2}x$ (2) $\frac{1}{4}$

풀이 (1) $f(x)=kx$라고 하면 $y=f(x)$의 그래프와 x축 및 두 직선 $x=0$, $x=2$로 둘러싸인 부분의 넓이가 1이므로

$\frac{1}{2}\times2\times2k=1$ $\therefore k=\underline{\frac{1}{2}}$

$\therefore f(x)=\underline{\frac{1}{2}x}$

(2) $\mathrm{P}(X\le1)$은 $y=f(x)$의 그래프와 x축 및 두 직선 $x=0$, $x=1$로 둘러싸인 부분의 넓이와 같으므로

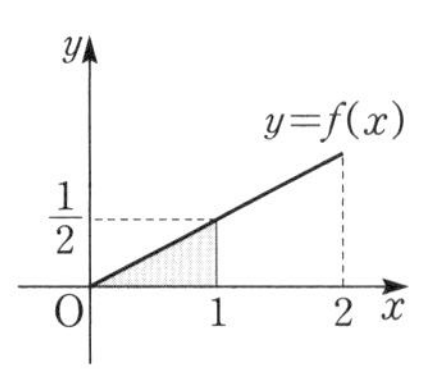

$\mathrm{P}(X\le1)=\frac{1}{2}\times1\times\frac{1}{2}=\frac{1}{4}$

41 답 (1) $f(x)=\frac{1}{8}(4-x)$ (2) $\frac{7}{16}$ (3) $\frac{3}{16}$

풀이 (1) $f(x)=k(4-x)$라고 하면 $y=f(x)$의 그래프와 x축, y축으로 둘러싸인 부분의 넓이가 1이므로

$\frac{1}{2}\times4\times4k=1$ $\therefore k=\frac{1}{8}$

$\therefore f(x)=\frac{1}{8}(4-x)$

(2) $\mathrm{P}(X\le1)$은 $y=f(x)$의 그래프와 x축 및 두 직선 $x=0$, $x=1$로 둘러싸인 부분의 넓이와 같으므로

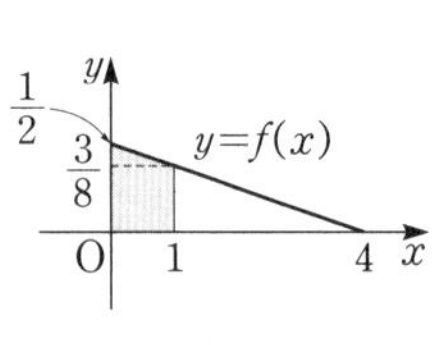

$\mathrm{P}(X\le1)=\frac{1}{2}\times\left(\frac{1}{2}+\frac{3}{8}\right)\times1=\frac{7}{16}$

(3) $\mathrm{P}(2\le X\le3)$은 $y=f(x)$의 그래프와 x축 및 두 직선 $x=2$, $x=3$으로 둘러싸인 부분의 넓이와 같으므로

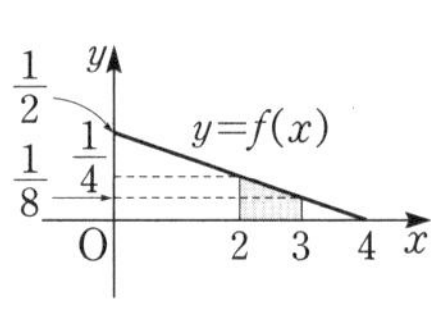

$\mathrm{P}(2\le X\le3)=\frac{1}{2}\times\left(\frac{1}{4}+\frac{1}{8}\right)\times1=\frac{3}{16}$

42 답 (1) $\mathrm{N}(5,\ 3^2)$ (2) $\mathrm{N}(8,\ 2^2)$ (3) $\mathrm{N}(3,\ 2^2)$

풀이 (1) 평균이 5, 분산이 $9=3^2$이므로 $\underline{\mathrm{N}(5,\ 3^2)}$

(2) 평균이 8, 분산이 $4=2^2$이므로 $\mathrm{N}(8,\ 2^2)$

(3) 평균이 3, 표준편차가 2이므로 $\mathrm{N}(3,\ 2^2)$

43 답 (1) 41 (2) 8 (3) $\mathrm{N}(41,\ 8^2)$

풀이 (1) $\mathrm{E}(X)=10$이므로

$\mathrm{E}(Y)=\mathrm{E}(4X+1)=4\mathrm{E}(X)+1=\underline{41}$

(2) $\sigma(X)=2$이므로 $\sigma(Y)=\sigma(4X+1)=4\sigma(X)=8$

(3) 평균이 41, 표준편차가 8이므로

$\mathrm{N}(41,\ 8^2)$

44 답 (1) $m_\mathrm{A}<m_\mathrm{B}$ (2) $\sigma_\mathrm{A}>\sigma_\mathrm{B}$

풀이 (1) 평균은 대칭축에 위치하므로 오른쪽으로 갈수록 평균이 크다. $\therefore \underline{m_\mathrm{A}<m_\mathrm{B}}$

(2) 표준편차 σ의 값이 클수록 높이는 낮아지고 폭은 넓어지므로 $\sigma_\mathrm{A}>\sigma_\mathrm{B}$

45 답 (1) $m_\mathrm{A}<m_\mathrm{B}<m_\mathrm{C}$ (2) $\sigma_\mathrm{A}=\sigma_\mathrm{C}<\sigma_\mathrm{B}$

풀이 (1) 평균은 대칭축에 위치하므로 오른쪽으로 갈수록 평균이 크다. $\therefore m_\mathrm{A}<m_\mathrm{B}<m_\mathrm{C}$

(2) 표준편차 σ의 값이 클수록 높이는 낮아지고 폭은 넓어지므로 $\sigma_\mathrm{A}=\sigma_\mathrm{C}<\sigma_\mathrm{B}$

46 답 (1) 7 (2) 6 (3) 9 (4) 0.6 (5) 0.8

풀이 정규분포곡선은 직선 $x=m$에 대하여 대칭이다.

(1) $\mathrm{P}(X\le4)=\mathrm{P}(X\ge10)$에서

$m=\frac{4+10}{2}=\underline{7}$

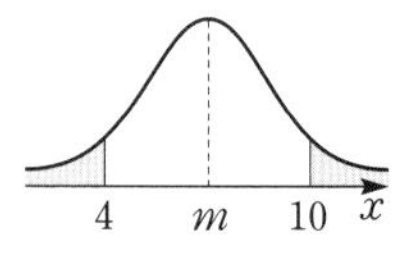

(2) $\mathrm{P}(X\le3)=\mathrm{P}(X\ge9)$에서

$m=\frac{3+9}{2}=6$

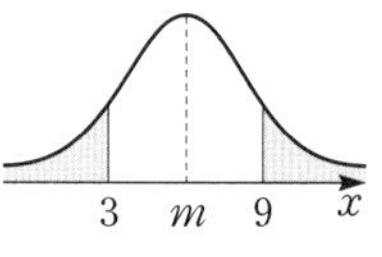

(3) $\mathrm{P}(X\le5)=\mathrm{P}(X\ge13)$에서

$m=\frac{5+13}{2}=9$

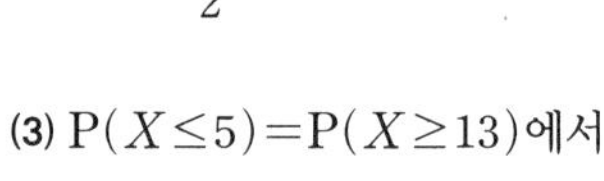

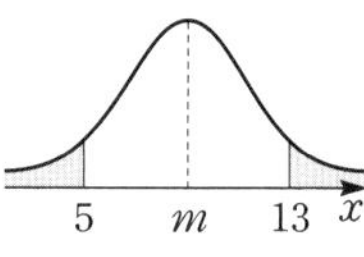

(4) $\mathrm{P}(m-\sigma\le X\le m+\sigma)$

$=2\mathrm{P}(m\le X\le m+\sigma)$

$=2\times0.3=0.6$

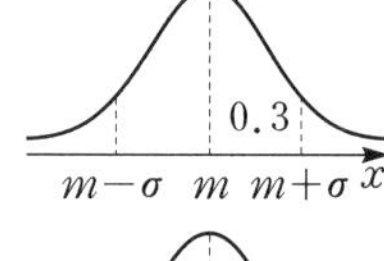

(5) $\mathrm{P}(m-\sigma\le X\le m+\sigma)$

$=2\mathrm{P}(m-\sigma\le X\le m)$

$=2\times0.4=0.8$

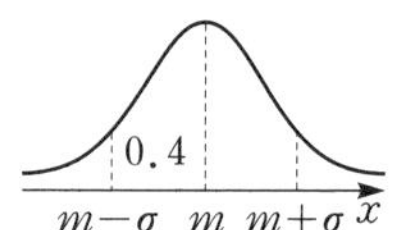

47 답 (1) 0.1587 (2) 0.9332 (3) 0.6915 (4) 0.0228 (5) 0.8664

풀이 (1) $\mathrm{P}(Z\ge1)$

$=0.5-\mathrm{P}(0\le Z\le1)$

$=0.5-0.3413$

$=\underline{0.1587}$

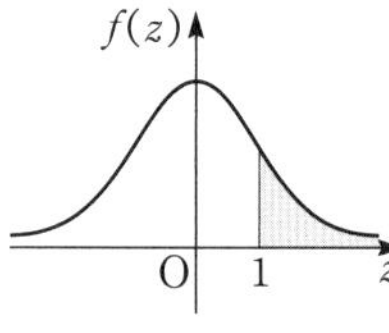
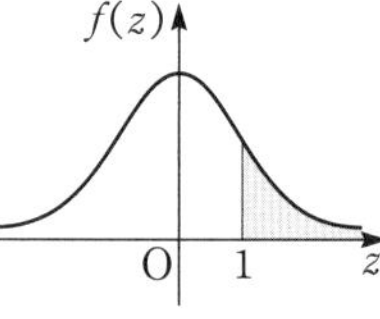

(2) $\mathrm{P}(Z\le1.5)$

$=0.5+\mathrm{P}(0\le Z\le1.5)$

$=0.5+0.4332$

$=0.9332$

(3) $\mathrm{P}(Z\ge-0.5)$

$=\mathrm{P}(0\le Z\le0.5)+0.5$

$=0.1915+0.5$

$=0.6915$

(4) $\mathrm{P}(Z\le-2)$

$=0.5-\mathrm{P}(0\le Z\le2)$

$=0.5-0.4772$

$=0.0228$

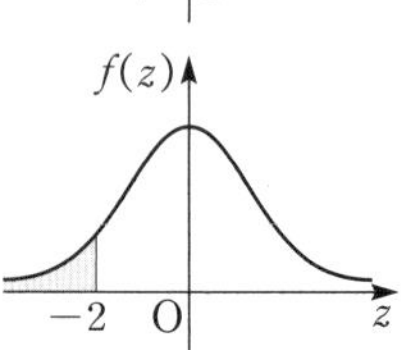

(5) $\mathrm{P}(-1.5 \le Z \le 1.5)$
$=2\mathrm{P}(0 \le Z \le 1.5)$
$=2 \times 0.4332$
$=0.8664$

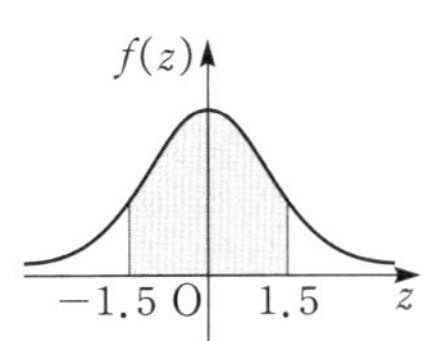

48 답 (1) 1 (2) -0.5 (3) 2 (4) 1.5 (5) -1

풀이 (1) $\mathrm{P}(Z \le c)=0.8413$이므로 $c>0$
$\mathrm{P}(Z \le 0)+\mathrm{P}(0 \le Z \le c)=0.8413$에서
$0.5+(0 \le Z \le c)=0.8413$
$\therefore \mathrm{P}(0 \le Z \le c)=0.3413$
이때 $\mathrm{P}(0 \le Z \le 1)=0.3413$이므로 $c=1$

(2) $\mathrm{P}(Z \ge c)=0.6915$이므로 $c<0$
$\mathrm{P}(c \le Z \le 0)+\mathrm{P}(Z \ge 0)=0.6915$에서
$\mathrm{P}(c \le Z \le 0)+0.5=0.6915$
$\therefore \mathrm{P}(c \le Z \le 0)=\mathrm{P}(0 \le Z \le -c)=0.1915$
이때 $\mathrm{P}(0 \le Z \le 0.5)=0.1915$이므로
$c=-0.5$

(3) $\mathrm{P}(-c \le Z \le c)=2\mathrm{P}(0 \le Z \le c)=0.9544$에서
$\mathrm{P}(0 \le Z \le c)=0.4772$
이때 $\mathrm{P}(0 \le Z \le 2)=0.4772$이므로 $c=2$

(4) $\mathrm{P}(Z \ge c)=0.0668$이므로 $c>0$
$\mathrm{P}(Z \ge 0)-\mathrm{P}(0 \le Z \le c)=0.0668$에서
$0.5-\mathrm{P}(0 \le Z \le c)=0.0668$
$\therefore \mathrm{P}(0 \le Z \le c)=0.4332$
이때 $\mathrm{P}(0 \le Z \le 1.5)$이므로 $c=1.5$

(5) $\mathrm{P}(Z \le c)=0.1587$이므로 $c<0$
$\mathrm{P}(Z \le 0)-\mathrm{P}(c \le Z \le 0)=0.1587$에서
$0.5-\mathrm{P}(c \le Z \le 0)=0.1587$
$\therefore \mathrm{P}(c \le Z \le 0)=0.3413$
이때 $\mathrm{P}(0 \le Z \le 1)=0.3413$이므로
$\mathrm{P}(-1 \le Z \le 0)=0.3413$ $\quad \therefore c=-1$

49 답 (1) $Z=\dfrac{X-9}{2}$ (2) $Z=\dfrac{X-10}{5}$ (3) $Z=\dfrac{X-24}{3}$

풀이 (1) $\mathrm{N}(9, 4)=\mathrm{N}(9, 2^2)$이므로 표준화하면
$Z=\dfrac{X-9}{2}$

(2) $\mathrm{N}(10, 5^2)$이므로 표준화하면
$Z=\dfrac{X-10}{5}$

(3) $\mathrm{N}(24, 9)=\mathrm{N}(24, 3^2)$이므로 표준화하면
$Z=\dfrac{X-24}{3}$

50 답 (1) $\mathrm{P}(-2 \le Z \le 2)$ (2) $\mathrm{P}(0 \le Z \le 2)$
(3) $\mathrm{P}(-2 \le Z \le 1)$

풀이 (1) $\mathrm{N}(5, 4)=\mathrm{N}(5, 2^2)$이므로
$\mathrm{P}(1 \le X \le 9)=\mathrm{P}\left(\dfrac{1-5}{2} \le Z \le \dfrac{9-5}{2}\right)$
$=\mathrm{P}(-2 \le Z \le 2)$

(2) $\mathrm{N}(8, 3^2)$이므로
$\mathrm{P}(8 \le X \le 14)=\mathrm{P}\left(\dfrac{8-8}{3} \le Z \le \dfrac{14-8}{3}\right)$
$=\mathrm{P}(0 \le Z \le 2)$

(3) $\mathrm{N}(14, 25)=\mathrm{N}(14, 5^2)$이므로
$\mathrm{P}(4 \le X \le 19)=\mathrm{P}\left(\dfrac{4-14}{5} \le Z \le \dfrac{19-14}{5}\right)$
$=\mathrm{P}(-2 \le Z \le 1)$

51 답 (1) 0.9772 (2) 0.0228 (3) 0.0013 (4) 0.84 (5) 0.84

풀이 $Z=\dfrac{X-40}{5}$은 표준정규분포 $\mathrm{N}(0, 1)$을 따른다.

(1) $\mathrm{P}(X \le 50)=\mathrm{P}\left(Z \le \dfrac{50-40}{5}\right)$
$=\mathrm{P}(Z \le 2)$
$=0.5+\mathrm{P}(0 \le Z \le 2)$
$=0.5+0.4772=0.9772$

(2) $\mathrm{P}(X \le 30)=\mathrm{P}\left(Z \le \dfrac{30-40}{5}\right)$
$=\mathrm{P}(Z \le -2)$
$=0.5-\mathrm{P}(0 \le Z \le 2)$
$=0.5-0.4772=0.0228$

(3) $\mathrm{P}(X \ge 55)=\mathrm{P}\left(Z \ge \dfrac{55-40}{5}\right)$
$=\mathrm{P}(Z \ge 3)$
$=0.5-\mathrm{P}(0 \le Z \le 3)$
$=0.5-0.4987=0.0013$

(4) $\mathrm{P}(35 \le X \le 55)=\mathrm{P}\left(\dfrac{35-40}{5} \le Z \le \dfrac{55-40}{5}\right)$
$=\mathrm{P}(-1 \le Z \le 3)$
$=\mathrm{P}(0 \le Z \le 1)+\mathrm{P}(0 \le Z \le 3)$
$=0.3413+0.4987=0.84$

(5) $\mathrm{P}(25 \le X \le 45)=\mathrm{P}\left(\dfrac{25-40}{5} \le Z \le \dfrac{45-40}{5}\right)$
$=\mathrm{P}(-3 \le Z \le 1)$
$=\mathrm{P}(0 \le Z \le 3)+\mathrm{P}(0 \le Z \le 1)$
$=0.4987+0.3413=0.84$

52 답 (1) 0.14 (2) 0.07 (3) 0.69

풀이 (1) 감자 한 개의 무게를 X g이라고 하면 확률변수 X는 정규분포 $\mathrm{N}(80, 10^2)$을 따르므로
$Z=\dfrac{X-80}{10}$은 표준정규분포 $\mathrm{N}(0, 1)$을 따른다.
$\mathrm{P}(90 \le X \le 100)$
$=\mathrm{P}\left(\dfrac{90-80}{10} \le Z \le \dfrac{100-80}{10}\right)$
$=\mathrm{P}(1 \le Z \le 2)$
$=\mathrm{P}(0 \le Z \le 2)-\mathrm{P}(0 \le Z \le 1)$
$=0.48-0.34=0.14$

(2) 학생 한 명의 몸무게를 X g이라고 하면 확률변수 X는 정규분포 $\mathrm{N}(70,\ 20^2)$을 따르므로

$Z=\dfrac{X-70}{20}$은 표준정규분포 $\mathrm{N}(0,\ 1)$을 따른다.

$\mathrm{P}(X\ge 100)$
$=\mathrm{P}\left(Z\ge\dfrac{100-70}{20}\right)$
$=\mathrm{P}(Z\ge 1.5)$
$=0.5-\mathrm{P}(0\le Z\le 1.5)$
$=0.5-0.43=0.07$

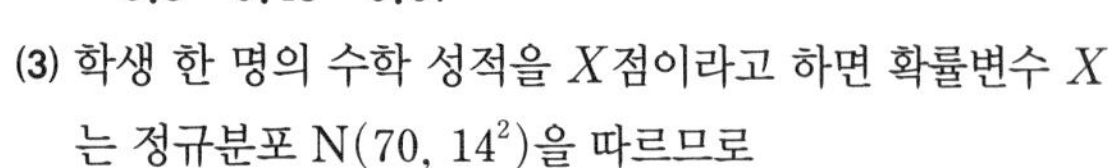

(3) 학생 한 명의 수학 성적을 X점이라고 하면 확률변수 X는 정규분포 $\mathrm{N}(70,\ 14^2)$을 따르므로

$Z=\dfrac{X-70}{14}$은 표준정규분포 $\mathrm{N}(0,\ 1)$을 따른다.

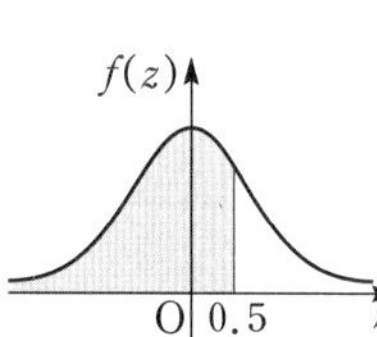

$\mathrm{P}(X\le 77)$
$=\mathrm{P}\left(Z\le\dfrac{77-70}{14}\right)$
$=\mathrm{P}(Z\le 0.5)$
$=0.5+\mathrm{P}(0\le Z\le 0.5)$
$=0.5+0.19=0.69$

53 답 (1) 14명 (2) 279개 (3) 340명

풀이 (1) 학생 한 명의 용돈을 X원이라고 하면 확률변수 X는 정규분포 $\mathrm{N}(5,\ 2^2)$을 따르므로

$Z=\dfrac{X-5}{2}$는 표준정규분포 $\mathrm{N}(0,\ 1)$을 따른다.

$\mathrm{P}(X\ge 8)$
$=\mathrm{P}\left(Z\ge\dfrac{8-5}{2}\right)$
$=\mathrm{P}(Z\ge 1.5)$
$=0.5-\mathrm{P}(0\le Z\le 1.5)$
$=0.5-0.43=\underline{0.07}$

따라서 전체 학생 수가 200명이므로 용돈이 8만 원 이상인 학생 수는

$200\times\underline{0.07}=\underline{14}$(명)

(2) 달걀 한 개의 무게를 X g이라고 하면 확률변수 X는 정규분포 $\mathrm{N}(70,\ 12^2)$을 따르므로

$Z=\dfrac{X-70}{12}$은 표준정규분포 $\mathrm{N}(0,\ 1)$을 따른다.

$\mathrm{P}(X\le 88)$
$=\mathrm{P}\left(Z\le\dfrac{88-70}{12}\right)$
$=\mathrm{P}(Z\le 1.5)$
$=0.5+\mathrm{P}(0\le Z\le 1.5)$
$=0.5+0.43=0.93$

따라서 무게가 88 g 이하인 달걀의 개수는

$300\times 0.93=279$(개)

(3) 학생 한 명의 키를 X cm라고 하면 확률변수 X는 정규분포 $\mathrm{N}(170,\ 15^2)$을 따르므로

$Z=\dfrac{X-170}{15}$은 정규분포 $\mathrm{N}(0,\ 1)$을 따른다.

$\mathrm{P}(155\le X\le 185)$
$=\mathrm{P}\left(\dfrac{155-170}{15}\le Z\le\dfrac{185-170}{15}\right)$
$=\mathrm{P}(-1\le Z\le 1)$
$=2\mathrm{P}(0\le Z\le 1)$
$=2\times 0.34=0.68$

따라서 키가 155 cm 이상 185 cm 이하인 학생 수는

$500\times 0.68=340$(명)

54 답 (1) 95점 (2) 65점 (3) 80점

풀이 (1) 학생들의 영어 성적을 X점이라고 하면 확률변수 X는 정규분포 $\mathrm{N}(80,\ 15^2)$을 따르므로

$Z=\dfrac{X-80}{15}$은 표준정규분포 $\mathrm{N}(0,\ 1)$을 따른다.

받아야 할 최소 점수를 a점이라고 하면

$\mathrm{P}(X\ge a)=\dfrac{80}{500}=0.16$이므로

$\mathrm{P}(X\ge a)=\mathrm{P}\left(Z\ge\dfrac{a-80}{15}\right)$
$=0.5-\mathrm{P}\left(0\le Z\le\dfrac{a-80}{15}\right)$
$=0.16$

$\therefore\ \mathrm{P}\left(0\le Z\le\dfrac{a-80}{15}\right)=0.34$

그런데 표준정규분포표에서 $\mathrm{P}(0\le Z\le 1)=0.34$이므로

$\dfrac{a-80}{15}=1\qquad\therefore\ a=\underline{95}$

따라서 영어 성적이 상위 80등 이내에 들려면 최소 $\underline{95}$점을 받아야 한다.

(2) 학생들의 수학 성적을 X점이라고 하면 확률변수 X는 정규분포 $(60,\ 10^2)$을 따르므로

$Z=\dfrac{X-60}{10}$은 표준정규분포 $\mathrm{N}(0,\ 1)$을 따른다.

받아야 할 최소 점수를 a점이라고 하면

$\mathrm{P}(X\ge a)=\dfrac{124}{400}=0.31$이므로

$\mathrm{P}(X\ge a)=\mathrm{P}\left(Z\ge\dfrac{a-60}{10}\right)$
$=0.5-\mathrm{P}\left(0\le Z\le\dfrac{a-60}{10}\right)=0.31$

$\therefore\ \mathrm{P}\left(0\le Z\le\dfrac{a-60}{10}\right)=0.19$

그런데 표준정규분포표에서 $\mathrm{P}(0\le Z\le 0.5)=0.19$이므로

$\dfrac{a-60}{10}=0.5\qquad\therefore\ a=65$

따라서 수학 성적이 상위 124등 이내에 들려면 최소 65점을 받아야 한다.

(3) 응시자의 입사 시험 성적을 X점이라고 하면 확률변수 X는 정규분포 $\mathrm{N}(70,\ 5^2)$을 따르므로

$Z=\dfrac{X-70}{5}$은 표준정규분포 $\mathrm{N}(0,\ 1)$을 따른다.

합격자의 최저 점수를 a점이라고 하면

$P(X \ge a)=\frac{40}{2000}=0.02$이므로

$P(X \ge a)=P\left(Z \ge \frac{a-70}{5}\right)$

$=0.5-P\left(0 \le Z \le \frac{a-70}{5}\right)$

$=0.02$

$\therefore P\left(0 \le Z \le \frac{a-70}{5}\right)=0.48$

그런데 표준정규분포표에서 $P(0 \le Z \le 2)=0.48$이므로

$\frac{a-70}{5}=2 \quad \therefore a=80$

따라서 합격자의 최저 점수는 80점이다.

55 답 (1) $N(32, 4^2)$ (2) $N(108, 6^2)$ (3) $N(20, (\sqrt{15})^2)$

풀이 (1) 한 개의 동전을 한 번 던질 때, 앞면이 나올 확률은 $\frac{1}{2}$이므로 확률변수 X는 이항분포 $B\left(64, \frac{1}{2}\right)$을 따른다.

$E(X)=64 \times \frac{1}{2}=32$

$\sigma(X)=\sqrt{64 \times \frac{1}{2} \times \frac{1}{2}}=\sqrt{16}=4$

따라서 확률변수 X는 정규분포 $N(32, 4^2)$을 따른다.

(2) 한 개의 주사위를 한 번 던질 때, 6의 약수의 눈이 나올 확률은 $\frac{2}{3}$이므로 확률변수 X는 이항분포 $B\left(162, \frac{2}{3}\right)$를 따른다.

$E(X)=162 \times \frac{2}{3}=108$

$\sigma(X)=\sqrt{162 \times \frac{2}{3} \times \frac{1}{3}}=\sqrt{36}=6$

따라서 확률변수 X는 정규분포 $N(108, 6^2)$을 따른다.

(3) 두 개의 동전을 동시에 던질 때, 두 개 모두 앞면이 나올 확률은 $\frac{1}{4}$이므로 확률변수 X는 이항분포 $B\left(80, \frac{1}{4}\right)$을 따른다.

$E(X)=80 \times \frac{1}{4}=20$

$\sigma(X)=\sqrt{80 \times \frac{1}{4} \times \frac{3}{4}}=\sqrt{15}$

따라서 확률변수 X는 정규분포 $N(20, (\sqrt{15})^2)$을 따른다.

56 답 (1) 0.0228 (2) 0.9332 (3) 0.8185

풀이 (1) $m=100 \times \frac{1}{5}=20$

$\sigma^2=100 \times \frac{1}{5} \times \frac{4}{5}=16$

$n=100$은 충분히 큰 수이므로 확률변수 X는 정규분포 $N(20, 4^2)$을 따른다.

$P(X \ge 28)=P\left(Z \ge \frac{28-20}{4}\right)$

$=P(Z \ge 2)$

$=0.5-P(0 \le Z \le 2)$

$=0.5-0.4772$

$=0.0228$

(2) $m=192 \times \frac{1}{4}=48$

$\sigma^2=192 \times \frac{1}{4} \times \frac{3}{4}=36$

$n=192$는 충분히 큰 수이므로 확률변수 X는 정규분포 $N(48, 6^2)$을 따른다.

$P(X \le 57)=P\left(Z \le \frac{57-48}{6}\right)$

$=P(Z \le 1.5)$

$=0.5+P(0 \le Z \le 1.5)$

$=0.5+0.4332$

$=0.9332$

(3) $m=180 \times \frac{5}{6}=150$

$\sigma^2=180 \times \frac{5}{6} \times \frac{1}{6}=25$

$n=180$은 충분히 큰 수이므로 확률변수 X는 정규분포 $N(150, 5^2)$을 따른다.

$P(145 \le X \le 160)$

$=P\left(\frac{145-150}{5} \le Z \le \frac{160-150}{5}\right)$

$=P(-1 \le Z \le 2)$

$=P(0 \le Z \le 1)+P(0 \le Z \le 2)$

$=0.3413+0.4772$

$=0.8185$

57 답 (1) 0.044 (2) 0.6826 (3) 0.0228 (4) 0.6687 (5) 0.1587 (6) 0.0668 (7) 0.383

풀이 (1) 치유되는 환자의 수를 X명이라고 하면 확률변수 X는 이항분포 $B\left(100, \frac{80}{100}\right)$, 즉 $B\left(100, \frac{4}{5}\right)$를 따르므로

$m=100 \times \frac{4}{5}=80$

$\sigma^2=100 \times \frac{4}{5} \times \frac{1}{5}=16$

이때 n은 충분히 크므로 확률변수 X는 정규분포 $N(80, 4^2)$을 따른다.

$Z=\frac{X-80}{4}$은 표준정규분포 $N(0, 1)$을 따르므로 구하는 확률은

$P(86 \le X \le 88)$

$=P\left(\frac{86-80}{4} \le Z \le \frac{88-80}{4}\right)$

$=P(1.5 \le Z \le 2)$

$=P(0 \le Z \le 2)-P(0 \le Z \le 1.5)$

$=0.4772-0.4332$

$=0.044$

(2) 뒷면이 나오는 횟수를 X번이라고 하면 확률변수 X는 이항분포 $B\left(64, \frac{1}{2}\right)$을 따르므로

$m=64 \times \frac{1}{2}=32$

$\sigma^2=64 \times \frac{1}{2} \times \frac{1}{2}=16$

이때 n은 충분히 크므로 확률변수 X는 정규분포 $\mathrm{N}(32,\ 4^2)$을 따른다.

$Z=\dfrac{X-32}{4}$는 표준정규분포 $\mathrm{N}(0,\ 1)$을 따르므로 구하는 확률은

$\mathrm{P}(28\le X\le 36)$
$=\mathrm{P}\left(\dfrac{28-32}{4}\le Z\le \dfrac{36-32}{4}\right)$
$=\mathrm{P}(-1\le Z\le 1)$
$=2\mathrm{P}(0\le Z\le 1)$
$=2\times 0.3413=0.6826$

(3) 5의 눈이 나오는 횟수를 X번이라고 하면 확률변수 X는 이항분포 $\mathrm{B}\left(180,\ \dfrac{1}{6}\right)$을 따르므로

$m=180\times\dfrac{1}{6}=30$

$\sigma^2=180\times\dfrac{1}{6}\times\dfrac{5}{6}=25$

이때 n은 충분히 크므로 확률변수 X는 정규분포 $\mathrm{N}(30,\ 5^2)$을 따른다.

$Z=\dfrac{X-30}{5}$은 표준정규분포 $\mathrm{N}(0,\ 1)$을 따르므로 구하는 확률은

$\mathrm{P}(X\ge 40)=\mathrm{P}\left(Z\ge\dfrac{40-30}{5}\right)$
$=\mathrm{P}(Z\ge 2)$
$=0.5-\mathrm{P}(0\le Z\le 2)$
$=0.5-0.4772$
$=0.0228$

(4) 맞힌 문제의 개수를 X개라고 하면 확률변수 X는 이항분포 $\mathrm{B}\left(100,\ \dfrac{1}{5}\right)$을 따르므로

$m=100\times\dfrac{1}{5}=20$

$\sigma^2=100\times\dfrac{1}{5}\times\dfrac{4}{5}=16$

이때 n은 충분히 크므로 확률변수 X는 정규분포 $\mathrm{N}(20,\ 4^2)$을 따른다.

$Z=\dfrac{X-20}{4}$은 표준정규분포 $\mathrm{N}(0,\ 1)$을 따르므로 구하는 확률은

$\mathrm{P}(18\le X\le 28)$
$=\mathrm{P}\left(\dfrac{18-20}{4}\le Z\le\dfrac{28-20}{4}\right)$
$=\mathrm{P}(-0.5\le Z\le 2)$
$=\mathrm{P}(0\le Z\le 0.5)+\mathrm{P}(0\le Z\le 2)$
$=0.1915+0.4772=0.6687$

(5) 가위바위보에서 이기는 횟수를 X번이라고 하면 확률변수 X는 이항분포 $\mathrm{B}\left(150,\ \dfrac{60}{100}\right)$, 즉 $\mathrm{B}\left(150,\ \dfrac{3}{5}\right)$을 따르므로

$m=150\times\dfrac{3}{5}=90$

$\sigma^2=150\times\dfrac{3}{5}\times\dfrac{2}{5}=36$

이때 n은 충분히 크므로 확률변수 X는 정규분포 $\mathrm{N}(90,\ 6^2)$을 따른다.

$Z=\dfrac{X-90}{6}$은 표준정규분포 $\mathrm{N}(0,\ 1)$을 따르므로 구하는 확률은

$\mathrm{P}(X\le 84)=\mathrm{P}\left(Z\le\dfrac{84-90}{6}\right)$
$=\mathrm{P}(Z\le -1)$
$=0.5-\mathrm{P}(0\le Z\le 1)$
$=0.5-0.3413=0.1587$

(6) 대학에 진학하는 학생 수를 X명이라고 하면 확률변수 X는 이항분포 $\mathrm{B}\left(400,\ \dfrac{90}{100}\right)$, 즉 $\mathrm{B}\left(400,\ \dfrac{9}{10}\right)$를 따르므로

$m=400\times\dfrac{9}{10}=360$

$\sigma^2=400\times\dfrac{9}{10}\times\dfrac{1}{10}=36$

이때 n은 충분히 크므로 확률변수 X는 정규분포 $\mathrm{N}(360,\ 6^2)$을 따른다.

$Z=\dfrac{X-360}{6}$은 표준정규분포 $\mathrm{N}(0,\ 1)$을 따르므로 구하는 확률은

$\mathrm{P}(X\ge 369)=\mathrm{P}\left(Z\ge\dfrac{369-360}{6}\right)$
$=\mathrm{P}(Z\ge 1.5)$
$=0.5-\mathrm{P}(0\le Z\le 1.5)$
$=0.5-0.4332=0.0668$

(7) 안타를 치는 횟수를 X번이라고 하면 확률변수 X는 이항분포 $\mathrm{B}\left(192,\ \dfrac{1}{4}\right)$을 따르므로

$m=192\times\dfrac{1}{4}=48$

$\sigma^2=192\times\dfrac{1}{4}\times\dfrac{3}{4}=36$

이때 n은 충분히 크므로 확률변수 X는 정규분포 $\mathrm{N}(48,\ 6^2)$을 따른다.

$Z=\dfrac{X-48}{6}$은 표준정규분포 $\mathrm{N}(0,\ 1)$을 따르므로 구하는 확률은

$\mathrm{P}(45\le X\le 51)=\mathrm{P}\left(\dfrac{45-48}{6}\le Z\le\dfrac{51-48}{6}\right)$
$=\mathrm{P}(-0.5\le Z\le 0.5)$
$=2\mathrm{P}(0\le Z\le 0.5)$
$=2\times 0.1915=0.383$

중단원 점검문제 | Ⅲ-1. 확률분포 107-109쪽

01 답 $\dfrac{23}{40}$

풀이 $\mathrm{P}(X=6)=\dfrac{18}{40}=\dfrac{9}{20}$, $\mathrm{P}(X=8)=\dfrac{5}{40}=\dfrac{1}{8}$이므로

$\mathrm{P}(X=6\ \text{또는}\ X=8)=\mathrm{P}(X=6)+\mathrm{P}(X=8)$
$=\dfrac{9}{20}+\dfrac{1}{8}=\dfrac{23}{40}$

02 답 $\frac{1}{4}$

풀이 확률의 총합은 1이므로

$a+\frac{a}{2}+\frac{1}{4}+\frac{3}{8}=1$, $\frac{3}{2}a=\frac{3}{8}$ $\quad\therefore a=\frac{1}{4}$

03 답 $\frac{1}{2}$

풀이 $\mathrm{P}(X^2-2X=0)=\mathrm{P}(X=0$ 또는 $X=2)$

$=\mathrm{P}(X=0)+\mathrm{P}(X=2)$

$=\frac{1}{8}+\frac{3}{8}=\frac{4}{8}=\frac{1}{2}$

04 답 $\frac{2}{5}$

풀이 $\mathrm{P}(X^2=1)=\mathrm{P}(X=-1$ 또는 $X=1)$

$=\mathrm{P}(X=-1)+\mathrm{P}(X=1)$

$=\frac{1}{10}+\frac{3}{10}=\frac{4}{10}=\frac{2}{5}$

05 답 $\frac{13}{14}$

풀이 확률의 총합은 1이므로

$\mathrm{P}(X=1)+\mathrm{P}(X=2)+\mathrm{P}(X=3)=1$에서

$k\times1^2+k\times2^2+k\times3^2=1$

$14k=1$ $\quad\therefore k=\frac{1}{14}$

즉, $\mathrm{P}(X=x)=\frac{1}{14}x^2$이므로

$\mathrm{P}(X\geq2)=\mathrm{P}(X=2)+\mathrm{P}(X=3)$

$=\frac{4}{14}+\frac{9}{14}=\frac{13}{14}$

06 답 $\frac{\sqrt{42}}{6}$

풀이 $\mathrm{E}(X)=0\times\frac{1}{12}+1\times\frac{1}{3}+2\times\frac{1}{12}+3\times\frac{1}{2}=\frac{12}{6}=2$

$\mathrm{E}(X^2)=0^2\times\frac{1}{12}+1^2\times\frac{1}{3}+2^2\times\frac{1}{12}+3^2\times\frac{1}{2}=\frac{31}{6}$

$\mathrm{V}(X)=\mathrm{E}(X^2)-\{\mathrm{E}(X)\}^2$

$=\frac{31}{6}-2^2=\frac{7}{6}$

$\therefore \sigma(X)=\sqrt{\mathrm{V}(X)}=\sqrt{\frac{7}{6}}=\frac{\sqrt{42}}{6}$

07 답 3400원

풀이 행운권 한 장에서 받을 수 있는 상금을 X원이라고 할 때, 확률변수 X의 확률분포를 표로 나타내면

X	0	5000	10000	20000	합계
$\mathrm{P}(X=x)$	$\frac{3}{5}$	$\frac{1}{5}$	$\frac{4}{25}$	$\frac{1}{25}$	1

$\therefore \mathrm{E}(X)=0\times\frac{3}{5}+5000\times\frac{1}{5}+10000\times\frac{4}{25}$

$+20000\times\frac{1}{25}=3400$

따라서 상금의 기댓값은 3400원이다.

08 답 $\frac{20}{49}$

풀이 확률변수 X가 가질 수 있는 값은 0, 1, 2이고, 그 확률을 각각 구하면

$\mathrm{P}(X=0)=\frac{{}_4\mathrm{C}_0\times{}_3\mathrm{C}_2}{{}_7\mathrm{C}_2}=\frac{3}{21}=\frac{1}{7}$

$\mathrm{P}(X=1)=\frac{{}_4\mathrm{C}_1\times{}_3\mathrm{C}_1}{{}_7\mathrm{C}_2}=\frac{12}{21}=\frac{4}{7}$

$\mathrm{P}(X=2)=\frac{{}_4\mathrm{C}_2\times{}_3\mathrm{C}_0}{{}_7\mathrm{C}_2}=\frac{6}{21}=\frac{2}{7}$

$\mathrm{E}(X)=0\times\frac{1}{7}+1\times\frac{4}{7}+2\times\frac{2}{7}=\frac{8}{7}$

$\mathrm{E}(X^2)=0^2\times\frac{1}{7}+1^2\times\frac{4}{7}+2^2\times\frac{2}{7}=\frac{12}{7}$

$\therefore \mathrm{V}(X)=\mathrm{E}(X^2)-\{\mathrm{E}(X)\}^2$

$=\frac{12}{7}-\left(\frac{8}{7}\right)^2=\frac{20}{49}$

09 답 17

풀이 $\mathrm{V}(X)=\mathrm{E}(X^2)-\{\mathrm{E}(X)\}^2$에서

$6=\mathrm{E}(X^2)-2^2$ $\quad\therefore \mathrm{E}(X^2)=10$

$\therefore \mathrm{E}(2X^2-3)=2\mathrm{E}(X^2)-3=17$

10 답 105

풀이 확률변수 X가 가질 수 있는 값은 1, 2, 3, 4, 5, 6이고 각각의 확률은 $\frac{1}{6}$이므로

$\mathrm{E}(X)=1\times\frac{1}{6}+2\times\frac{1}{6}+3\times\frac{1}{6}+4\times\frac{1}{6}+5\times\frac{1}{6}+6\times\frac{1}{6}$

$=\frac{21}{6}=\frac{7}{2}$

$\mathrm{E}(X^2)=1^2\times\frac{1}{6}+2^2\times\frac{1}{6}+3^2\times\frac{1}{6}+4^2\times\frac{1}{6}+5^2\times\frac{1}{6}$

$+6^2\times\frac{1}{6}$

$=\frac{91}{6}$

$\mathrm{V}(X)=\mathrm{E}(X^2)-\{\mathrm{E}(X)\}^2$

$=\frac{91}{6}-\left(\frac{7}{2}\right)^2=\frac{35}{12}$

$\therefore \mathrm{V}(6X+5)=6^2\mathrm{V}(X)=105$

11 답 평균: 60, 표준편차: $2\sqrt{6}$

풀이 $\mathrm{E}(X)=100\times\frac{3}{5}=60$

$\mathrm{V}(X)=100\times\frac{3}{5}\times\frac{2}{5}=24$

$\therefore \sigma(X)=\sqrt{\mathrm{V}(X)}=\sqrt{24}=2\sqrt{6}$

12 답 $n=48$, $p=\frac{1}{4}$

풀이 $\mathrm{E}(X)=np=12$

$\sigma(X)=\sqrt{np(1-p)}=3$에서 $np=12$이므로

$\sqrt{12(1-p)}=3$, $12(1-p)=9$

$\therefore p=\frac{1}{4}$ $\quad\therefore n=\frac{12}{p}=48$

13 답 2500원

풀이 동전을 한 번 던질 때, 앞면이 나올 확률은 $\frac{1}{2}$이므로 확률변수 X는 이항분포 $\mathrm{B}\left(50,\ \frac{1}{2}\right)$을 따른다.

$\mathrm{E}(X)=50\times\frac{1}{2}=25$

$\therefore\ \mathrm{E}(100X)=100\mathrm{E}(X)=2500$

따라서 상금의 기댓값은 2500원이다.

14 답 3642

풀이 안타를 칠 확률이 $\frac{3}{10}$이므로 확률변수 X는 이항분포 $\mathrm{B}\left(200,\ \frac{3}{10}\right)$을 따른다.

$\mathrm{E}(X)=200\times\frac{3}{10}=60$

$\mathrm{V}(X)=200\times\frac{3}{10}\times\frac{7}{10}=42$

$\mathrm{V}(X)=\mathrm{E}(X^2)-\{\mathrm{E}(X)\}^2$에서

$42=\mathrm{E}(X^2)-60^2\qquad\therefore\ \mathrm{E}(X^2)=3642$

15 답 $\frac{3}{8}$

풀이 $y=f(x)$의 그래프와 x축 및 두 직선 $x=0$, $x=2$로 둘러싸인 부분의 넓이는 1이므로

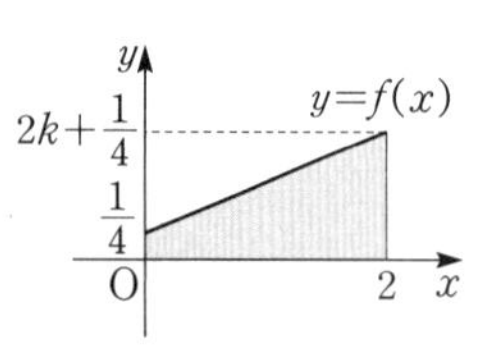

$\frac{1}{2}\times\left(\frac{1}{4}+2k+\frac{1}{4}\right)\times2=1$

$2k+\frac{1}{2}=1\qquad\therefore\ k=\frac{1}{4}\qquad\therefore\ f(x)=\frac{1}{4}x+\frac{1}{4}$

$\mathrm{P}(X\le1)$은 함수 $y=f(x)$의 그래프와 x축 및 두 직선 $x=0$, $x=1$로 둘러싸인 부분의 넓이와 같으므로

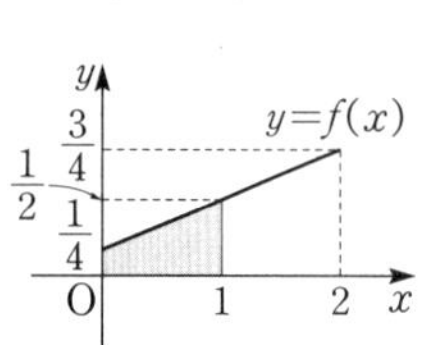

$\mathrm{P}(X\le1)=\frac{1}{2}\times\left(\frac{1}{4}+\frac{1}{2}\right)\times1=\frac{3}{8}$

16 답 $\frac{5}{12}$

풀이 $y=f(x)$의 그래프와 x축 및 두 직선 $x=0$, $x=2$로 둘러싸인 부분의 넓이는 1이므로

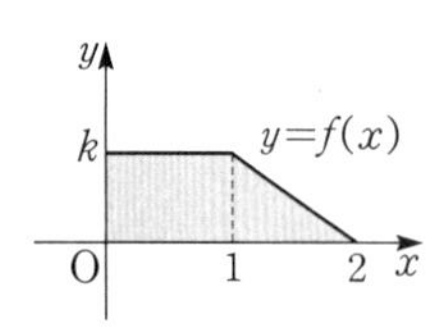

$1\times k+\frac{1}{2}\times1\times k=1$

$\frac{3}{2}k=1\qquad\therefore\ k=\frac{2}{3}$

$f(x)=\begin{cases}\frac{2}{3} & (0\le x\le1)\\ \frac{2}{3}(2-x) & (1\le x\le2)\end{cases}$

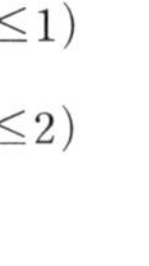

이므로

$\mathrm{P}\left(\frac{3}{4}\le X\le\frac{3}{2}\right)$

$=$(직사각형의 넓이)$+$(사다리꼴의 넓이)

$=\frac{1}{4}\times\frac{2}{3}+\frac{1}{2}\times\left(\frac{2}{3}+\frac{1}{3}\right)\times\frac{1}{2}=\frac{1}{6}+\frac{1}{4}=\frac{5}{12}$

17 답 $\frac{3}{16}$

풀이 $f(x)=kx$라고 하면 $y=kx$의 그래프와 x축 및 두 직선 $x=0$, $x=4$로 둘러싸인 부분의 넓이가 1이므로

$\frac{1}{2}\times4\times4k=1\qquad\therefore\ k=\frac{1}{8}$

$\therefore\ f(x)=\frac{1}{8}x$

$\mathrm{P}(1\le X\le2)$는 함수 $y=f(x)$의 그래프와 x축 및 두 직선 $x=1$, $x=2$로 둘러싸인 부분의 넓이와 같으므로

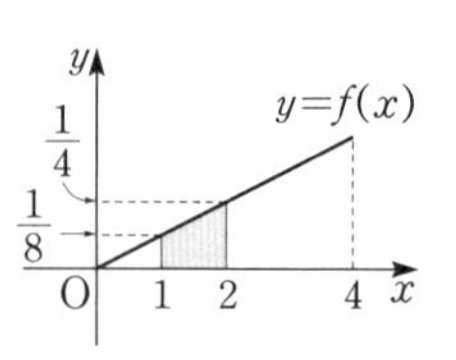

$\mathrm{P}(1\le X\le2)$

$=\frac{1}{2}\times\left(\frac{1}{8}+\frac{1}{4}\right)\times1=\frac{3}{16}$

18 답 ㄱ, ㄹ, ㅂ

풀이 평균은 대칭축에 위치하므로 오른쪽으로 갈수록 평균이 크다.

$\therefore\ m_A=m_B<m_C=m_D$

표준편차가 클수록 높이는 낮아지고 폭은 넓어진다.

$\therefore\ \sigma_B=\sigma_C<\sigma_A=\sigma_D$

ㄱ. $m_A=m_B$ (참) ㄴ. $m_A<m_D$ (거짓)

ㄷ. $m_B<m_C$ (거짓) ㄹ. $\sigma_A=\sigma_D$ (참)

ㅁ. $\sigma_B<\sigma_A$ (거짓) ㅂ. $\sigma_C<\sigma_A$ (참)

19 답 1.53

풀이 $\mathrm{P}(Z\le0.5)=0.5+\mathrm{P}(0\le Z\le0.5)$

$=0.5+0.19=0.69$

$\mathrm{P}(Z\ge-1)=0.5+\mathrm{P}(0\le Z\le1)$

$=0.5+0.34=0.84$

$\therefore\ \mathrm{P}(Z\le0.5)+\mathrm{P}(Z\ge-1)=0.69+0.84=1.53$

20 답 0.02

풀이 $\mathrm{N}(70,\ 36)=\mathrm{N}(70,\ 6^2)$이므로

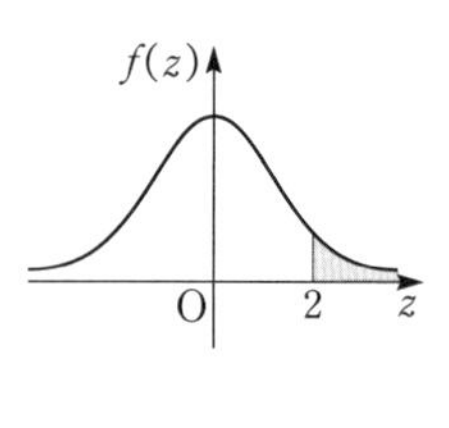

$\mathrm{P}(X\ge82)=\mathrm{P}\left(Z\ge\frac{82-70}{6}\right)$

$=\mathrm{P}(Z\ge2)$

$=0.5-\mathrm{P}(0\le Z\le2)$

$=0.5-0.48=0.02$

21 답 0.5

풀이 $Z=\frac{X-8}{2}$은 표준정규분포 $\mathrm{N}(0,\ 1)$을 따른다.

$\mathrm{P}(8-2c\le X\le8+2c)$

$=\mathrm{P}\left(\frac{8-2c-8}{2}\le Z\le\frac{8+2c-8}{2}\right)$

$=\mathrm{P}(-c\le Z\le c)$

$=2\mathrm{P}(0\le Z\le c)=0.38$

$\therefore\ \mathrm{P}(0\le Z\le c)=0.19$

이때 $\mathrm{P}(0\le Z\le0.5)=0.19$이므로 $c=0.5$

22 답 246명

풀이 학생 한 명의 몸무게를 X kg이라고 하면 확률변수 X는 정규분포 $N(55, 8^2)$을 따르므로

$Z=\frac{X-55}{8}$는 표준정규분포 $N(0, 1)$을 따른다.

$P(47\le X\le 71)$

$=P\left(\frac{47-55}{8}\le Z\le \frac{71-55}{8}\right)$

$=P(-1\le Z\le 2)$

$=P(0\le Z\le 1)+P(0\le Z\le 2)$

$=0.34+0.48=0.82$

따라서 전체 학생 수가 300명이므로 몸무게가 47 kg 이상 71 kg 이하인 학생 수는 $300\times 0.82=246$(명)

23 답 45번

풀이 학생들의 윗몸일으키기 횟수를 X번이라고 하면 확률변수 X는 정규분포 $N(30, 10^2)$을 따르므로

$Z=\frac{X-30}{10}$은 표준정규분포 $N(0, 1)$을 따른다.

최소 윗몸일으키기 횟수를 a번이라고 하면

$P(X\ge a)=\frac{14}{200}=0.07$이므로

$P(X\ge a)=P\left(Z\ge \frac{a-30}{10}\right)$

$=0.5-P\left(0\le Z\le \frac{a-30}{10}\right)$

$=0.07$

$\therefore P\left(0\le Z\le \frac{a-30}{10}\right)=0.43$

그런데 표준정규분포표에서 $P(0\le Z\le 1.5)=0.43$

이므로 $\frac{a-30}{10}=1.5$ $\quad\therefore a=45$

따라서 윗몸일으키기 횟수가 상위 14번째 이내에 들려면 윗몸일으키기를 최소 45번 해야 한다.

24 답 0.84

풀이 주사위를 한 번 던질 때, 두 눈의 수가 같게 나올 확률은 $\frac{6}{36}=\frac{1}{6}$이므로 주사위의 두 눈이 같게 나오는 횟수를 X번이라고 하면 확률변수 X는 이항분포 $B\left(180, \frac{1}{6}\right)$을 따른다.

$m=180\times\frac{1}{6}=30$

$\sigma^2=180\times\frac{1}{6}\times\frac{5}{6}=25$

이때 n은 충분히 크므로 확률변수 X는 정규분포 $N(30, 5^2)$을 따른다.

$Z=\frac{X-30}{5}$은 표준정규분포 $N(0, 1)$을 따르므로 구하는 확률은

$P(X\le 35)=P\left(Z\le\frac{35-30}{5}\right)=P(Z\le 1)$

$=0.5+P(0\le Z\le 1)$

$=0.5+0.34=0.84$

Ⅲ-2 통계적 추정 110~118쪽

01 답 (1) 표본조사 (2) 표본조사 (3) 전수조사 (4) 표본조사

풀이 (1) 일부만 추출해서 조사하는 표본조사가 적합하다.

(2) 일부만 추출해서 조사하는 표본조사가 적합하다.

(3) 도시에 거주하는 전체 인구를 조사하는 전수조사가 적합하다.

(4) 일부만 추출해서 조사하는 표본조사가 적합하다.

02 답 (1) ① 16 ② 12 (2) ① 125 ② 60

풀이 (1) ① 4개의 공에서 2개를 뽑는 중복순열의 수와 같으므로 ${}_4\Pi_2=4^2=16$

② 4개의 공에서 2개를 뽑는 순열의 수와 같으므로 ${}_4P_2=4\times 3=12$

(2) ① 5장의 카드에서 3장을 뽑는 중복순열의 수와 같으므로 ${}_5\Pi_3=5^3=125$

② 5장의 카드에서 3장을 뽑는 순열의 수와 같으므로 ${}_5P_3=5\times 4\times 3=60$

03 답 (1) 1, 2, 3, 4, 5 (2) 풀이 참조 (3) $E(\overline{X})=3$, $V(\overline{X})=\frac{4}{3}$

풀이 (1) 크기가 2인 표본을 복원추출하므로

(1, 1)인 경우 $\overline{X}=\frac{1+1}{2}=1$

(1, 3), (3, 1)인 경우 $\overline{X}=\frac{1+3}{2}=2$

(1, 5), (3, 3), (5, 1)인 경우 $\overline{X}=\frac{1+5}{2}=3$

(3, 5), (5, 3)인 경우 $\overline{X}=\frac{3+5}{2}=4$

(5, 5)인 경우 $\overline{X}=\frac{5+5}{2}=5$

따라서 표본평균 $\overline{X}$는 $\overline{X}=1, 2, 3, 4, 5$

(2) $P(\overline{X}=1)=\frac{1}{9}$

$P(\overline{X}=2)=\frac{2}{9}$

$P(\overline{X}=3)=\frac{3}{9}=\frac{1}{3}$

$P(\overline{X}=4)=\frac{2}{9}$

$P(\overline{X}=5)=\frac{1}{9}$

따라서 $\overline{X}$의 확률분포를 표로 나타내면

$\overline{X}$	1	2	3	4	5	합계
$P(\overline{X}=\overline{x})$	$\frac{1}{9}$	$\frac{2}{9}$	$\frac{1}{3}$	$\frac{2}{9}$	$\frac{1}{9}$	1

(3) $E(\overline{X})=1\times\frac{1}{9}+2\times\frac{2}{9}+3\times\frac{1}{3}+4\times\frac{2}{9}+5\times\frac{1}{9}$

$=\frac{27}{9}=3$

$E(\overline{X}^2)=1^2\times\frac{1}{9}+2^2\times\frac{2}{9}+3^2\times\frac{1}{3}+4^2\times\frac{2}{9}+5^2\times\frac{1}{9}$

$=\frac{93}{9}=\frac{31}{3}$

$\therefore \mathrm{V}(\overline{X})=\mathrm{E}(\overline{X}^2)-\{\mathrm{E}(\overline{X})\}^2$

$=\frac{31}{3}-3^2=\frac{12}{9}=\frac{4}{3}$

04 답 (1) $0, \frac{1}{2}, 1, \frac{3}{2}, 2$ (2) 풀이 참조

(3) $\mathrm{E}(\overline{X})=1, \mathrm{V}(\overline{X})=\frac{1}{3}$

풀이 (1) 크기가 2인 표본을 복원추출하므로

$(0, 0)$인 경우 $\overline{X}=\frac{0+0}{2}=0$

$(0, 1), (1, 0)$인 경우 $\overline{X}=\frac{0+1}{2}=\frac{1}{2}$

$(0, 2), (1, 1), (2, 0)$인 경우 $\overline{X}=\frac{0+2}{2}=1$

$(1, 2), (2, 1)$인 경우 $\overline{X}=\frac{1+2}{2}=\frac{3}{2}$

$(2, 2)$인 경우 $\overline{X}=\frac{2+2}{2}=2$

따라서 표본평균 $\overline{X}$는 $\overline{X}=0, \frac{1}{2}, 1, \frac{3}{2}, 2$

(2) $\mathrm{P}(\overline{X}=0)=\frac{1}{9}$

$\mathrm{P}\left(\overline{X}=\frac{1}{2}\right)=\frac{2}{9}$

$\mathrm{P}(\overline{X}=1)=\frac{3}{9}=\frac{1}{3}$

$\mathrm{P}\left(\overline{X}=\frac{3}{2}\right)=\frac{2}{9}$

$\mathrm{P}(\overline{X}=2)=\frac{1}{9}$

따라서 $\overline{X}$의 확률분포를 표로 나타내면

$\overline{X}$	0	$\frac{1}{2}$	1	$\frac{3}{2}$	2	합계
$\mathrm{P}(\overline{X}=\overline{x})$	$\frac{1}{9}$	$\frac{2}{9}$	$\frac{1}{3}$	$\frac{2}{9}$	$\frac{1}{9}$	1

(3) $\mathrm{E}(\overline{X})=0\times\frac{1}{9}+\frac{1}{2}\times\frac{2}{9}+1\times\frac{1}{3}+\frac{3}{2}\times\frac{2}{9}+2\times\frac{1}{9}=1$

$\mathrm{E}(\overline{X}^2)=0^2\times\frac{1}{9}+\left(\frac{1}{2}\right)^2\times\frac{2}{9}+1^2\times\frac{1}{3}+\left(\frac{3}{2}\right)^2\times\frac{2}{9}+2^2\times\frac{1}{9}$

$=\frac{24}{18}=\frac{4}{3}$

$\therefore \mathrm{V}(\overline{X})=\mathrm{E}(\overline{X}^2)-\{\mathrm{E}(\overline{X})\}^2$

$=\frac{4}{3}-1^2=\frac{1}{3}$

05 답 (1) 평균: 20, 분산: 1, 표준편차: 1

(2) 평균: 40, 분산: $\frac{5}{2}$, 표준편차: $\frac{\sqrt{10}}{2}$

(3) 평균: 50, 분산: $\frac{1}{25}$, 표준편차: $\frac{1}{5}$

(4) 평균: 60, 분산: $\frac{3}{10}$, 표준편차: $\frac{\sqrt{30}}{10}$

풀이 (1) 모평균이 $m=20$, 모표준편차가 $\sigma=2$, 표본의 크기가 $n=4$이므로

$\mathrm{E}(\overline{X})=m=20$

$\mathrm{V}(\overline{X})=\frac{\sigma^2}{n}=\frac{2^2}{4}=1$

$\sigma(\overline{X})=\frac{\sigma}{\sqrt{n}}=\frac{2}{\sqrt{4}}=1$

(2) 모평균이 $m=40$, 모표준편차가 $\sigma=5$, 표본의 크기가 $n=10$이므로

$\mathrm{E}(\overline{X})=m=40$

$\mathrm{V}(\overline{X})=\frac{\sigma^2}{n}=\frac{5^2}{10}=\frac{5}{2}$

$\sigma(\overline{X})=\frac{\sigma}{\sqrt{n}}=\frac{5}{\sqrt{10}}=\frac{\sqrt{10}}{2}$

(3) 모평균이 $m=50$, 모표준편차가 $\sigma=1$, 표본의 크기가 $n=25$이므로

$\mathrm{E}(\overline{X})=m=50$

$\mathrm{V}(\overline{X})=\frac{\sigma^2}{n}=\frac{1^2}{25}=\frac{1}{25}$

$\sigma(\overline{X})=\frac{\sigma}{\sqrt{n}}=\frac{1}{\sqrt{25}}=\frac{1}{5}$

(4) 모평균이 $m=60$, 모표준편차가 $\sigma=3$, 표본의 크기가 $n=30$이므로

$\mathrm{E}(\overline{X})=m=60$

$\mathrm{V}(\overline{X})=\frac{\sigma^2}{n}=\frac{3^2}{30}=\frac{3}{10}$

$\sigma(\overline{X})=\frac{\sigma}{\sqrt{n}}=\frac{3}{\sqrt{30}}=\frac{\sqrt{30}}{10}$

06 답 (1) 9 (2) 4 (3) 25 (4) 16

풀이 (1) 모표준편차가 $\sigma=6$이므로 표본평균 $\overline{X}$의 표준편차는 $\sigma(\overline{X})=\frac{6}{\sqrt{n}}$이다.

$\frac{6}{\sqrt{n}}\le 2$에서 $\frac{\sqrt{n}}{6}\ge\frac{1}{2}$, $\sqrt{n}\ge 3$ $\therefore n\ge 9$

따라서 n의 최솟값은 9이다.

(2) 모표준편차가 $\sigma=2$이므로 표본평균 $\overline{X}$의 표준편차는

$\sigma(\overline{X})=\frac{2}{\sqrt{n}}$이다.

$\frac{2}{\sqrt{n}}\le 1$에서 $\frac{\sqrt{n}}{2}\ge 1$, $\sqrt{n}\ge 2$ $\therefore n\ge 4$

따라서 n의 최솟값은 4이다.

(3) 분산이 $25=5^2$이므로 모표준편차는 $\sigma=5$이다.

표본평균 $\overline{X}$의 표준편차는 $\sigma(\overline{X})=\frac{5}{\sqrt{n}}$이므로

$\frac{5}{\sqrt{n}}\ge 1$, $\frac{\sqrt{n}}{5}\le 1$, $\sqrt{n}\le 5$ $\therefore n\le 25$

따라서 n의 최댓값은 25이다.

(4) 모표준편차가 $\sigma=8$이므로 표본평균 $\overline{X}$의 분산은

$\mathrm{V}(\overline{X})=\frac{64}{n}$이다.

$\frac{64}{n}\le 4$에서 $\frac{n}{64}\ge\frac{1}{4}$ $\therefore n\ge 16$

따라서 n의 최솟값은 16이다.

07 답 (1) 평균: 1, 분산: $\frac{1}{5}$

(2) 평균: 2, 분산: $\frac{1}{9}$

(3) 평균: 3, 분산: $\frac{1}{4}$

풀이 (1) 확률변수 X에 대하여

$E(X)=0\times\frac{1}{5}+1\times\frac{3}{5}+2\times\frac{1}{5}=1$

$E(X^2)=0^2\times\frac{1}{5}+1^2\times\frac{3}{5}+2^2\times\frac{1}{5}=\frac{7}{5}$

$V(X)=E(X^2)-\{E(X)\}^2$

$=\frac{7}{5}-1^2=\frac{2}{5}$

$\therefore m=1,\ \sigma^2=\frac{2}{5}$

이때 표본의 크기가 2이므로 표본평균 $\overline{X}$에 대하여

평균은 $E(\overline{X})=m=1$

분산은 $V(\overline{X})=\frac{\sigma^2}{n}=\frac{\frac{2}{5}}{2}=\frac{1}{5}$

(2) 확률변수 X에 대하여

$E(X)=1\times\frac{1}{3}+2\times\frac{1}{3}+3\times\frac{1}{3}=\frac{6}{3}=2$

$E(X^2)=1^2\times\frac{1}{3}+2^2\times\frac{1}{3}+3^2\times\frac{1}{3}=\frac{14}{3}$

$V(X)=E(X^2)-\{E(X)\}^2$

$=\frac{14}{3}-2^2=\frac{2}{3}$

$\therefore m=2,\ \sigma^2=\frac{2}{3}$

이때 표본의 크기가 6이므로 표본평균 $\overline{X}$에 대하여

평균은 $E(\overline{X})=m=2$

분산은 $V(\overline{X})=\frac{\sigma^2}{n}=\frac{\frac{2}{3}}{6}=\frac{1}{9}$

(3) 확률변수 X에 대하여

$E(X)=1\times\frac{1}{4}+3\times\frac{1}{2}+5\times\frac{1}{4}=\frac{12}{4}=3$

$E(X^2)=1^2\times\frac{1}{4}+3^2\times\frac{1}{2}+5^2\times\frac{1}{4}=\frac{44}{4}=11$

$V(X)=E(X^2)-\{E(X)\}^2$

$=11-3^2=2$

$\therefore m=3,\ \sigma^2=2$

이때 표본의 크기가 8이므로 표본평균 $\overline{X}$에 대하여

평균은 $E(\overline{X})=m=3$

분산은 $V(\overline{X})=\frac{\sigma^2}{n}=\frac{2}{8}=\frac{1}{4}$

08 **답** (1) 6 (2) 15 (3) $8\sqrt{3}$ (4) 8

풀이 (1) $\sigma(\overline{X})=\frac{\sigma}{\sqrt{4}}=\frac{\sigma}{2}=3$이므로 $\sigma(X)=6$

(2) $\sigma(\overline{X})=\frac{\sigma}{\sqrt{9}}=\frac{\sigma}{3}=5$이므로 $\sigma(X)=15$

(3) $\sigma(\overline{X})=\frac{\sigma}{\sqrt{3}}=8$이므로 $\sigma(X)=8\sqrt{3}$

(4) $V(\overline{X})=4=2^2$에서 $\sigma(\overline{X})=2$

$\sigma(\overline{X})=\frac{\sigma}{\sqrt{16}}=\frac{\sigma}{4}=2$이므로 $\sigma(X)=8$

09 **답** (1) N(80, 16) (2) N(50, 12) (3) N(100, 5)

풀이 (1) 모평균이 $m=80$, 모분산이 $\sigma^2=64$, 표본의 크기가 $n=4$이므로 표본평균 $\overline{X}$에 대하여

평균은 $E(\overline{X})=m=80$

분산은 $V(\overline{X})=\frac{\sigma^2}{n}=\frac{64}{4}=16$

따라서 표본평균 $\overline{X}$는 정규분포 N(80, 16)을 따른다.

(2) 모평균이 $m=50$, 모분산이 $\sigma^2=36$, 표본의 크기가 $n=3$이므로 표본평균 $\overline{X}$에 대하여

평균은 $E(\overline{X})=m=50$

분산은 $V(\overline{X})=\frac{\sigma^2}{n}=\frac{36}{3}=12$

따라서 표본평균 $\overline{X}$는 정규분포 N(50, 12)를 따른다.

(3) 모평균이 $m=100$, 모분산이 $\sigma^2=25$, 표본의 크기가 $n=5$이므로 표본평균 $\overline{X}$에 대하여

평균은 $E(\overline{X})=m=100$

분산은 $V(\overline{X})=\frac{\sigma^2}{n}=\frac{25}{5}=5$

따라서 표본평균 $\overline{X}$는 정규분포 N(100, 5)를 따른다.

10 **답** (1) 0.8185 (2) 0.9332 (3) 0.0668

풀이 (1) 모평균이 $m=20$, 모분산이 $\sigma^2=12$, 표본의 크기가 $n=3$이므로 표본평균 $\overline{X}$에 대하여

평균은 $E(\overline{X})=m=20$

분산은 $V(\overline{X})=\frac{\sigma^2}{n}=\frac{12}{3}=4$

따라서 표본평균 $\overline{X}$는 정규분포 N(20, 2^2)을 따른다.

이때 $Z=\frac{\overline{X}-20}{2}$은 표준정규분포 N(0, 1)을 따르므로

$P(18\le\overline{X}\le24)$

$=P\left(\frac{18-20}{2}\le Z\le\frac{24-20}{2}\right)$

$=P(-1\le Z\le2)$

$=P(0\le Z\le1)+P(0\le Z\le2)$

$=0.3413+0.4772$

$=0.8185$

(2) 모평균이 $m=120$, 모분산이 $\sigma^2=100$, 표본의 크기가 $n=25$이므로 표본평균 $\overline{X}$에 대하여

평균은 $E(\overline{X})=m=120$

분산은 $V(\overline{X})=\frac{\sigma^2}{n}=\frac{100}{25}=4$

따라서 표본평균 $\overline{X}$는 정규분포 N(120, 2^2)을 따른다.

이때 $Z=\frac{\overline{X}-120}{2}$은 표준정규분포 N(0, 1)을 따르므로

$P(\overline{X}\le123)$

$=P\left(Z\le\frac{123-120}{2}\right)$

$=P(Z\le1.5)$

$=0.5+P(0\le Z\le1.5)$

$=0.5+0.4332$

$=0.9332$

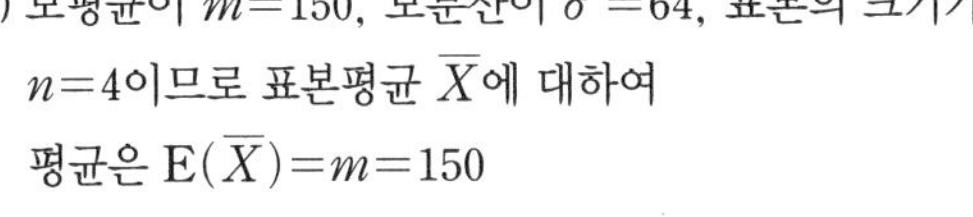

(3) 모평균이 $m=150$, 모분산이 $\sigma^2=64$, 표본의 크기가 $n=4$이므로 표본평균 $\overline{X}$에 대하여

평균은 $E(\overline{X})=m=150$

분산은 $V(\overline{X})=\frac{\sigma^2}{n}=\frac{64}{4}=16$

따라서 표본평균 $\overline{X}$는 정규분포 $N(150,\ 4^2)$을 따른다.

이때 $Z=\frac{\overline{X}-150}{4}$은 표준정규분포 $N(0,\ 1)$을 따르므로

$P(\overline{X}\geq 156)$
$=P\left(Z\geq \frac{156-150}{4}\right)$
$=P(Z\geq 1.5)$
$=0.5-P(0\leq Z\leq 1.5)$
$=0.5-0.4332$
$=0.0668$

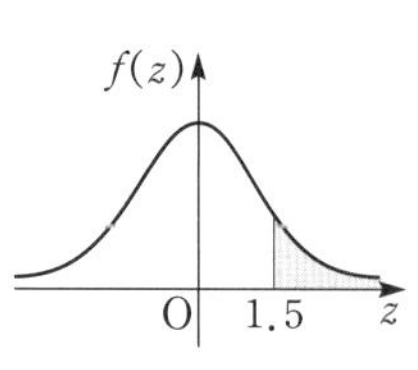

11 답 (1) 0.9772 (2) 0.8413 (3) 0.8185 (4) 0.0668

풀이 (1) 모평균이 $m=50$, 모표준편차가 $\sigma=10$, 표본의 크기가 $n=25$이므로 표본평균 $\overline{X}$에 대하여

평균은 $E(\overline{X})=m=50$

분산은 $V(\overline{X})=\frac{\sigma^2}{n}=\frac{10^2}{25}=4$

따라서 표본평균 $\overline{X}$는 정규분포 $N(50,\ 2^2)$을 따른다.

이때 $Z=\frac{\overline{X}-50}{2}$은 표준정규분포 $N(0,\ 1)$을 따르므로

$P(\overline{X}\geq 46)$
$=P\left(Z\geq \frac{46-50}{2}\right)$
$=P(Z\geq -2)$
$=0.5+P(0\leq Z\leq 2)$
$=0.5+0.4772$
$=\underline{0.9772}$

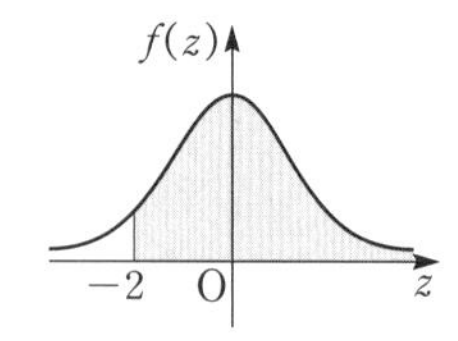

(2) 모평균이 $m=200$, 모표준편차가 $\sigma=30$, 표본의 크기가 $n=9$이므로 표본평균 $\overline{X}$에 대하여

평균은 $E(\overline{X})=m=200$

분산은 $V(\overline{X})=\frac{\sigma^2}{n}=\frac{30^2}{9}=100$

따라서 표본평균 $\overline{X}$는 정규분포 $N(200,\ 10^2)$을 따른다.

이때 $Z=\frac{\overline{X}-200}{10}$은 표준정규분포 $N(0,\ 1)$을 따르므로

$P(\overline{X}\leq 210)$
$=P\left(Z\leq \frac{210-200}{10}\right)$
$=P(Z\leq 1)$
$=0.5+P(0\leq Z\leq 1)$
$=0.5+0.3413$
$=0.8413$

(3) 모평균이 $m=15$, 모표준편차가 $\sigma=10$, 표본의 크기가 $n=4$이므로 표본평균 $\overline{X}$에 대하여

평균은 $E(\overline{X})=m=15$

분산은 $V(\overline{X})=\frac{\sigma^2}{n}=\frac{10^2}{4}=25$

따라서 표본평균 $\overline{X}$는 정규분포 $N(15,\ 5^2)$을 따른다.

이때 $Z=\frac{\overline{X}-15}{5}$는 표준정규분포 $N(0,\ 1)$을 따르므로

$P(10\leq \overline{X}\leq 25)$
$=P\left(\frac{10-15}{5}\leq Z\leq \frac{25-15}{5}\right)$
$=P(-1\leq Z\leq 2)$
$=P(0\leq Z\leq 1)+P(0\leq Z\leq 2)$
$=0.3413+0.4772$
$=0.8185$

(4) 모평균이 $m=600$, 모표준편차가 $\sigma=200$, 표본의 크기가 $n=100$이므로 표본평균 $\overline{X}$에 대하여

평균은 $E(\overline{X})=m=600$

분산은 $V(\overline{X})=\frac{200^2}{100}=400$

따라서 표본평균 $\overline{X}$는 정규분포 $N(600,\ 20^2)$을 따른다.

이때 $Z=\frac{\overline{X}-600}{20}$은 표준정규분포 $N(0,\ 1)$을 따르므로

$P(\overline{X}\geq 630)$
$=P\left(Z\geq \frac{630-600}{20}\right)$
$=P(Z\geq 1.5)$
$=0.5-P(0\leq Z\leq 1.5)$
$=0.5-0.4332=0.0668$

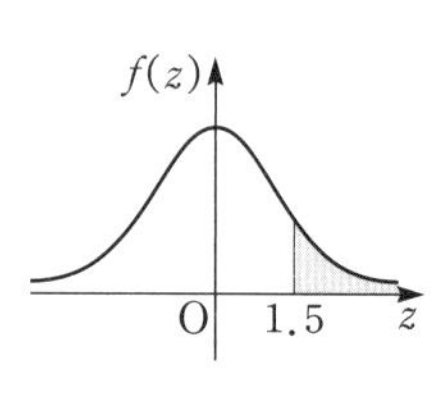

12 답 (1) $46.08\leq m\leq 53.92$ (2) $44.84\leq m\leq 55.16$

풀이 (1) 표본평균이 $\overline{X}=50$, 표본의 크기가 $n=64$이므로 모평균 m의 신뢰도 95 %의 신뢰구간은

$$50-1.96\times\frac{16}{\sqrt{64}}\leq m\leq 50+1.96\times\frac{16}{\sqrt{64}}$$

$\therefore\ \underline{46.08}\leq m\leq \underline{53.92}$

(2) 모평균 m의 신뢰도 99 %의 신뢰구간은

$$50-2.58\times\frac{16}{\sqrt{64}}\leq m\leq 50+2.58\times\frac{16}{\sqrt{64}}$$

$\therefore\ 44.84\leq m\leq 55.16$

13 답 (1) $64.608\leq m\leq 65.392$ (2) $64.484\leq m\leq 65.516$

풀이 (1) 표본평균이 $\overline{X}=65$, 표본의 크기가 $n=100$이므로 모평균 m의 신뢰도 95 %의 신뢰구간은

$$65-1.96\times\frac{2}{\sqrt{100}}\leq m\leq 65+1.96\times\frac{2}{\sqrt{100}}$$

$\therefore\ 64.608\leq m\leq 65.392$

(2) 모평균 m의 신뢰도 99 %의 신뢰구간은

$$65-2.58\times\frac{2}{\sqrt{100}}\leq m\leq 65+2.58\times\frac{2}{\sqrt{100}}$$

$\therefore\ 64.484\leq m\leq 65.516$

14 답 (1) $196.08\leq m\leq 203.92$ (2) $194.84\leq m\leq 205.16$

풀이 (1) 표본평균이 $\overline{X}=200$, 표본의 크기가 $n=144$이므로 모평균 m의 신뢰도 95 %의 신뢰구간은

$$200-1.96\times\frac{24}{\sqrt{144}}\leq m\leq 200+1.96\times\frac{24}{\sqrt{144}}$$

$\therefore\ 196.08\leq m\leq 203.92$

(2) 모평균 m의 신뢰도 99 %의 신뢰구간은

$$200-2.58\times\frac{24}{\sqrt{144}}\leq m\leq 200+2.58\times\frac{24}{\sqrt{144}}$$

$\therefore\ 194.84\leq m\leq 205.16$

15 답 (1) $380.4 \le m \le 419.6$ (2) $374.2 \le m \le 425.8$

풀이 (1) 표본평균이 $\overline{X}=400$, 표본의 크기가 $n=81$이므로 모평균 m의 신뢰도 95 %의 신뢰구간은

$400-1.96\times\frac{90}{\sqrt{81}} \le m \le 400+1.96\times\frac{90}{\sqrt{81}}$

$\therefore 380.4 \le m \le 419.6$

(2) 모평균 m의 신뢰도 99 %의 신뢰구간은

$400-2.58\times\frac{90}{\sqrt{81}} \le m \le 400+2.58\times\frac{90}{\sqrt{81}}$

$\therefore 374.2 \le m \le 425.8$

16 답 (1) 거짓 (2) 거짓 (3) 참 (4) 참

풀이 (1) 신뢰도가 일정할 때, 표본의 크기가 커질수록 $\sqrt{n}$의 값이 커지므로 $2k\frac{\sigma}{\sqrt{n}}$의 값은 작아진다.

따라서 거짓이다.

(2) 신뢰도를 낮추면서 표본의 크기를 크게 하면 신뢰구간의 길이는 작아진다. 따라서 거짓이다.

(3) 신뢰도를 높이면서 표본의 크기를 일정하게 하면

$2k\frac{\sigma}{\sqrt{n}}$의 값은 커진다. 따라서 참이다.

(4) 신뢰도를 낮추면서 표본의 크기를 작게 하면

$2k\frac{\sigma}{\sqrt{n}}$의 값은 커지는지 작아지는지 알 수 없다.

따라서 참이다.

17 답 (1) 1.96 (2) 2.58

풀이 (1) $\sigma=5$이므로 신뢰구간의 길이는

$2\times1.96\frac{\sigma}{\sqrt{n}}=2\times1.96\times\frac{5}{\sqrt{100}}=1.96$

(2) $\sigma=5$이므로 신뢰구간의 길이는

$2\times2.58\frac{\sigma}{\sqrt{n}}=2\times2.58\times\frac{5}{\sqrt{100}}=2.58$

18 답 (1) 0.392 (2) 0.516

풀이 (1) 표본의 표준편차는 모표준편차와 같으므로 구하는 신뢰구간의 길이는

$2\times1.96\frac{\sigma}{\sqrt{n}}=2\times1.96\times\frac{2}{\sqrt{400}}=0.392$

(2) 표본의 표준편차는 모표준편차와 같으므로 구하는 신뢰구간의 길이는

$2\times2.58\frac{\sigma}{\sqrt{n}}=2\times2.58\times\frac{2}{\sqrt{400}}=0.516$

19 답 (1) $n\ge196$ (2) $n\ge36$ (3) $n\le3136$

풀이 (1) n개의 표본을 뽑아 신뢰도 95 %로 모평균을 추정할 때, 신뢰구간의 길이가 1.4 이하이어야 하므로

$2\times1.96\times\frac{5}{\sqrt{n}}\le1.4$

$\frac{19.6}{\sqrt{n}}\le1.4$, $\sqrt{n}\ge14$

$\therefore n\ge196$

(2) n개의 표본을 뽑아 신뢰도 99 %로 모평균을 추정할 때, 신뢰구간의 길이가 4.3 이하이어야 하므로

$2\times2.58\times\frac{5}{\sqrt{n}}\le4.3$

$\frac{25.8}{\sqrt{n}}\le4.3$, $\sqrt{n}\ge6$

$\therefore n\ge36$

(3) n개의 표본을 뽑아 신뢰도 95 %로 모평균을 추정할 때, 신뢰구간의 길이가 0.7 이상이어야 하므로

$2\times1.96\times\frac{10}{\sqrt{n}}\ge0.7$

$\frac{39.2}{\sqrt{n}}\ge0.7$, $\sqrt{n}\le56$

$\therefore n\le3136$

20 답 (1) 19 (2) 25 (3) 15

풀이 (1) 표본의 크기를 n이라고 하면 모평균과 표본평균의 차가 6 이하이어야 하므로

$2.58\times\frac{10}{\sqrt{n}}\le6$

$\frac{25.8}{\sqrt{n}}\le6$, $\sqrt{n}\ge4.3$

$n\ge18.49$

따라서 표본의 크기의 최솟값은 19이다.

(2) 표본의 크기를 n이라고 하면 모평균과 표본평균의 차가 4 이하이어야 하므로

$1.96\times\frac{10}{\sqrt{n}}\le4$

$\frac{19.6}{\sqrt{n}}\le4$, $\sqrt{n}\ge4.9$

$\therefore n\ge24.01$

따라서 표본의 크기의 최솟값은 25이다.

(3) 표본의 크기를 n이라고 하면 모평균과 표본평균의 차가 9 이상이어야 하므로

$1.96\times\frac{18}{\sqrt{n}}\ge9$

$\frac{35.28}{\sqrt{n}}\ge9$, $\sqrt{n}\le3.92$

$\therefore n\le15.3664$

따라서 표본의 크기의 최댓값은 15이다.

중단원 점검문제 | Ⅲ-2. 통계적 추정 119쪽

01 답 풀이 참조

풀이 $\overline{X}=2$인 경우: (2, 2) ➡ $P(\overline{X}=2)=\frac{1}{9}$

$\overline{X}=3$인 경우: (2, 4), (4, 2) ➡ $P(\overline{X}=3)=\frac{2}{9}$

$\overline{X}=4$인 경우: (2, 6), (4, 4), (6, 2)

➡ $P(\overline{X}=4)=\frac{3}{9}=\frac{1}{3}$

$\overline{X}=5$인 경우: (4, 6), (6, 4) ➡ $P(\overline{X}=5)=\frac{2}{9}$

$\overline{X}=6$인 경우: (6, 6) ➡ $P(\overline{X}=6)=\frac{1}{9}$

따라서 표본평균 $\overline{X}$의 확률분포를 표로 나타내면

$\overline{X}$	2	3	4	5	6	합계
$P(\overline{X}=\overline{x})$	$\frac{1}{9}$	$\frac{2}{9}$	$\frac{1}{3}$	$\frac{2}{9}$	$\frac{1}{9}$	1

02 답 평균: 4, 표준편차: $\frac{2\sqrt{3}}{3}$

풀이 $E(\overline{X})=2\times\frac{1}{9}+3\times\frac{2}{9}+4\times\frac{1}{3}+5\times\frac{2}{9}+6\times\frac{1}{9}$

$=\frac{36}{9}=4$

$E(\overline{X}^2)=2^2\times\frac{1}{9}+3^2\times\frac{2}{9}+4^2\times\frac{1}{3}+5^2\times\frac{2}{9}+6^2\times\frac{1}{9}$

$=\frac{156}{9}=\frac{52}{3}$

$V(\overline{X})=E(\overline{X}^2)-\{E(\overline{X})\}^2$

$=\frac{52}{3}-4^2=\frac{4}{3}$

$\therefore\ \sigma(\overline{X})=\sqrt{V(\overline{X})}=\sqrt{\frac{4}{3}}=\frac{2\sqrt{3}}{3}$

03 답 0.0228

풀이 모평균이 $m=70$, 모표준편차가 $\sigma=20$, 표본의 크기가 $n=100$이므로 표본평균 $\overline{X}$에 대하여

평균은 $E(\overline{X})=m=70$

분산은 $V(\overline{X})=\frac{\sigma^2}{n}=\frac{20^2}{100}=4$

따라서 표본평균 $\overline{X}$는 정규분포 $N(70,\ 2^2)$을 따른다.

이때 $Z=\frac{\overline{X}-70}{2}$은 표준정규분포 $N(0,\ 1)$을 따르므로

$P(\overline{X}\geq 74)=P\left(Z\geq\frac{74-70}{2}\right)$

$=P(Z\geq 2)$

$=0.5-P(0\leq Z\leq 2)$

$=0.5-0.4772$

$=0.0228$

$f(z)$
O
2
z

04 답 25

풀이 $P(\overline{X}\leq 76)=P\left(Z\leq\frac{76-70}{\frac{20}{\sqrt{n}}}\right)$

$=P\left(Z\leq\frac{3\sqrt{n}}{10}\right)$

$=0.5+P\left(0\leq Z\leq\frac{3\sqrt{n}}{10}\right)$

$=0.9332$

$\therefore\ P\left(0\leq Z\leq\frac{3\sqrt{n}}{10}\right)=0.4332$

이때 $P(0\leq Z\leq 1.5)=0.4332$이므로

$\frac{3\sqrt{n}}{10}=1.5,\ 3\sqrt{n}=15\qquad\therefore\ n=25$

05 답 28

풀이 모평균이 $m=5$, 모분산이 $\sigma^2=12$, 표본의 크기가 $n=3$이므로 표본평균 $\overline{X}$에 대하여

평균은 $E(\overline{X})=m=5$

분산은 $V(\overline{X})=\frac{\sigma^2}{n}=\frac{12}{3}=4$

$V(\overline{X})=E(\overline{X}^2)-\{E(\overline{X})\}^2$에서

$4=E(\overline{X}^2)-5^2\qquad\therefore\ E(\overline{X}^2)=29$

$\therefore\ E(\overline{X}^2-1)=E(\overline{X}^2)-1=28$

06 답 $43.71\leq m\leq 46.29$

풀이 표본평균이 $\overline{X}=45$, 표본의 크기가 $n=144$이므로 모평균 m의 신뢰도 99 %의 신뢰구간은

$45-2.58\times\frac{6}{\sqrt{144}}\leq m\leq 45+2.58\times\frac{6}{\sqrt{144}}$

$\therefore\ 43.71\leq m\leq 46.29$

07 답 0.49

풀이 $\sigma=5$이므로 신뢰구간의 길이는

$2\times 1.96\times\frac{\sigma}{\sqrt{n}}=2\times 1.96\times\frac{5}{\sqrt{1600}}=0.49$

08 답 1849

풀이 표본의 크기를 n이라고 하면 신뢰구간의 길이가 0.6 이하이어야 하므로

$2\times 2.58\times\frac{5}{\sqrt{n}}\leq 0.6,\ \frac{25.8}{\sqrt{n}}\leq 0.6$

$\sqrt{n}\geq 43\qquad\therefore\ n\geq 1849$

따라서 표본의 크기를 1849 이상으로 해야 한다.

풍산자
반복
수학
확률과 통계

지학사

*연간 장학생 40명 기준

풍산자 장학생 선발

총 장학금 1,200만 원

지학사에서는 학생 여러분의 꿈을 응원하기 위해
2007년부터 매년 풍산자 장학생을 선발하고 있습니다.
풍산자로 공부한 학생이라면 누.구.나 도전해 보세요.

선발 대상

풍산자 수학 시리즈로 공부한 전국의 중·고등학생 중 성적 향상 및 우수자

조금만 노력하면 누구나 지원 가능!

성적 향상 장학생(10명)

중학 | 수학 점수가 10점 이상 향상된 학생
고등 | 수학 내신 성적이 한 등급 이상 향상된 학생

수학 성적이 잘 나왔다면?

성적 우수 장학생(10명)

중학 | 수학 점수가 90점 이상인 학생
고등 | 수학 내신 성적이 2등급 이상인 학생

혜택

장학금 30만원 및 장학 증서
*장학금 및 장학 증서는 각 학교로 전달합니다.

신청자 전원 '풍산자 시리즈' 교재 중 1권 제공

모집 일정

매년 2월, 8월(총 2회)
*공식 홈페이지 및 SNS를 통해 소식을 받으실 수 있습니다.

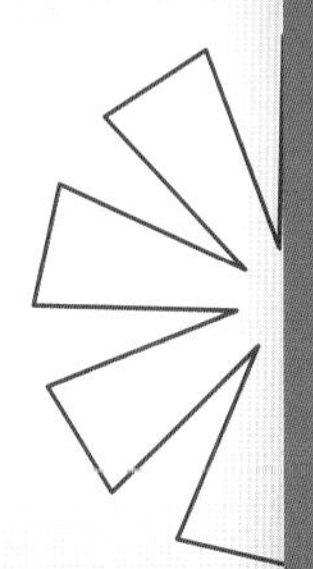

장학 수기)

"풍산자와 기적의 상승곡선 5 ➡ 1등급!" _이○원(해송고)
"수학 A로 가는 모험의 필수 아이템!" _김○은(지도중)
"수학 66점에서 100점으로 향상하다!" _구○경(한영중)

장학 수기 더 보러 가기

풍산자 서포터즈

풍산자 시리즈로
공부하고 싶은 학생들 모두 주목!
매년 2월과 8월에
서포터즈를 모집합니다.
리뷰 작성 및 SNS 홍보 활동을 통해
공부 실력 향상은 물론,
문화 상품권과 미션 선물을
받을 수 있어요!

자세한 내용은 풍산자 홈페이지(www.pungsanja.com)를 통해 확인해 주세요.